DROGUE ET CRIMINALITÉ
UNE RELATION COMPLEXE

SERGE BROCHU

DROGUE ET CRIMINALITÉ
UNE RELATION COMPLEXE

Deuxième édition

Les Presses de l'Université de Montréal

Catalogage avant publication de Bibliothèque et Archives Canada

Brochu, Serge

    Drogue et criminalité : une relation complexe

    2ᵉ édition

    (Paramètres)

    Publ. à l'origine dans la coll. : Perspectives criminologiques. 1995.

    Comprend des réf. bibliogr.

    ISBN 978-2-7606-1984-5

    1. Toxicomanie et criminalité. 2. Criminels – Usage des drogues. 3. Drogues et criminalité. I. Titre. II. Collection.

HV5801.B76 2006   364.2'4   C2005-942346-3

Dépôt légal : 1ᵉʳ trimestre 2006

Bibliothèque nationale du Québec

© Les Presses de l'Université de Montréal, 2006

Les Presses de l'Université de Montréal remercient de leur soutien financier le ministère du Patrimoine canadien, le Conseil des Arts du Canada et la Société de développement des entreprises culturelles du Québec (SODEC).

Réimprimé au Canada en septembre 2011

INTRODUCTION

Ce qui détermine un champ de recherche, c'est avant tout la manière de concevoir et d'aborder un thème spécifique. Ces nombreuses façons ne sont certes pas totalement dénuées d'intérêts personnels ou corporatistes (Szabo, 1992). La science, faut-il le rappeler, se forge dans un contexte économique et sociopolitique dans lequel les rapports de pouvoir influencent nos objets d'études de même que nos connaissances. En ce sens, la science n'est jamais *pure*, elle se construit dans un contexte sociohistorique donné qui aura une influence sur la perception des objets d'études. En ce sens, elle est tout simplement *humaine*. Cela ressort particulièrement lorsque l'on discute de drogues illicites et de crimes, les deux termes étant saturés d'un puissant contenu idéologique et émotionnel. Voilà bien un problème de taille pour la personne qui s'intéresse à la nature des relations entre l'abus de substances psychoactives et la criminalité. Qu'est-ce que l'abus de drogues ? De quelle manière conçoit-on le crime ? Voilà des questions centrales.

Durant le dernier quart de siècle, on a assisté à une remise en question des modèles théoriques principaux expliquant la consommation abusive de substances psychoactives et le comportement criminel. Au début de ce XXIᵉ siècle, où se situe la recherche concernant la nature des relations drogues-crimes face aux différents paradigmes présents dans les domaines d'études de l'abus de substances psychoactives et des comportements criminels ?

On peut adopter plusieurs attitudes face à la consommation de substances psychoactives illicites. Pour les *moralistes*, ces drogues constituent des produits diaboliques pouvant ensorceler les esprits chétifs qui s'adonnent à la délectation de plaisirs épicuriens et causer le désordre social. En ce sens, leur usage représente un dévergondage et devrait constituer un objet de réprobation absolue. Les défenseurs de cette position approuvent toute action visant la condamnation et le repentir. C'est donc une bonne chose, pour eux, que la possession de drogues soit punissable par la loi. Les *légalistes*, pour leur part, perçoivent ces drogues comme des ennemis à abattre. Ils leur livrent une véritable guerre et exigent des législateurs des gestes coercitifs à l'égard de leurs usagers. Pour les tenants de cette conception, les consommateurs s'inscrivent en marge de la société par leur déviance sinon par leur délinquance. Les défenseurs du *modèle médical*, quant à eux, préfèrent s'attarder à l'interaction maladive entre un consommateur et sa drogue. Le gros consommateur devient alors un malade qu'il faut soigner peu importe les lois. Enfin, les adeptes de la *conception psychosociale* conçoivent l'usage des substances psychoactives comme l'expression d'un style de vie particulier. Pour certains, cet usage constitue une manière d'être qu'il faut éviter à tout prix. Les lois prohibitionnistes leur apparaissent alors comme des stratégies de prévention adéquates. Pour d'autres, ce mode de vie n'a rien de délinquant. Ceux-ci croient plutôt que l'on devrait décriminaliser sinon légaliser les différentes activités entourant la consommation, précisément de façon à ne pas obliger ces personnes à s'insérer dans un milieu criminel. Le scientifique qui définit l'abus de drogues comme un vice n'observera certainement pas le phénomène sous le même angle que celui qui, par exemple, le considère comme une maladie. De la même façon, la notion de comportement criminel n'est pas à l'abri de cette influence contextuelle.

Selon Durkheim, « un acte est criminel quand il offense les états forts et définis de la conscience collective » (Durkheim, 1930, p. 47). Opérationnellement, le comportement criminel se définit d'après les normes et les critères de la procédure pénale. Beaucoup de praticiens de la criminologie acceptent cette définition. En revanche, d'autres s'interrogent sur la façon dont on évalue la nature offensante d'un acte : l'acte criminel est-il indigène d'une personnalité psychopathologique, de l'interaction entre un individu mal adapté et une société peu accommodante, ou encore d'un processus complexe d'inadaptation, d'étiquetage, d'exclusion et de stigmatisation? Il faut également être bien conscient qu'une grande partie des discussions ayant cours dans les écrits scientifiques se font à partir de modèles conceptuels relativement étroits, bordés d'un côté par les tenants de la punition et de l'autre par ceux de la réadaptation. Ces sentiers battus ne laissent que très peu d'espace pour l'éclosion de nouvelles options. En conséquence, il faut retenir de la documentation scientifique, traitant des thèmes touchant aux drogues et à la criminalité, qu'elle est malheureusement parsemée de préjugés, d'impressions et d'hypothèses non scientifiques qui sont trop souvent présentés comme des conclusions appuyées par des données solides. Il faut donc être extrêmement prudent lors de l'analyse de ces études.

Les études concernant la nature des rapports entre drogue et criminalité ne sont pas protégées des tendances qui viennent d'être mentionnées. Le chercheur adopte une conception à la fois personnelle et professionnelle envers la consommation de substances psychoactives illicites ou par rapport aux manifestations de comportements criminels. Ce texte a donc été rédigé afin de répondre à la curiosité des lecteurs qui ne se contentent plus des énoncés sommaires voulant que les substances psychoactives causent le crime. La relation triangulaire entre une personne, un produit et un comportement s'avère très complexe et ne peut se définir en une courte phrase, aussi accrocheuse soit-elle. Le lecteur trouvera dans cet ouvrage le résultat d'importantes recherches effectuées au cours des 20 dernières années, tant au Québec qu'ailleurs dans le monde, concernant les rapports entre drogue et criminalité. Ce présent bilan a été réalisé afin d'analyser les recherches, de les confronter les unes aux autres et de les interpréter de manière à identifier leur signification. Les réponses apportées aux questions élémentaires, mais néanmoins fondamentale, « Qui? », « Pourquoi? » et « Comment? », constitueront la finalité en trois temps de cet ouvrage. Qui sont les personnes impliquées dans l'abus de drogues et la criminalité? Pourquoi cette implication dans la drogue et dans le crime? Comment peut-on les aider?

La première édition de ce livre fut écrite au début des années 1990. L'ébullition de la recherche dans le domaine des drogues et des questions criminelles, entre autres au Québec, a fait en sorte qu'il s'avérait nécessaire de réviser les notions qui y étaient véhiculées afin de les appuyer sur les connaissances actuelles. C'est ainsi qu'est née cette nouvelle édition de *Drogue et criminalité : une relation complexe*. Celle-ci met davantage l'accent sur la compréhension dynamique et intégrée des rapports entre drogue et criminalité, et accorde une importance particulière aux études réalisées récemment au Québec sur ce thème. Les connaissances accumulées au cours de la dernière décennie ont exigé non seulement une mise à jour des acquis, mais ont demandé le recadrage des chapitres. Ainsi, le premier chapitre se concentre maintenant sur la question des raisons faisant en sorte que l'on s'intéresse aux relations entre drogue et criminalité. Ces explications relèvent en grande partie des hauts taux de prévalence d'usage et d'abus de drogues parmi les personnes judiciarisées et la forte implication criminelle des toxicomanes les plus dépendants. Par la suite, nous examinons spécifiquement les trois éléments qui peuvent nous permettre de mieux comprendre les rapports entre drogue et criminalité, soit la substance en tant que telle (chapitre 2), le consommateur (chapitre 3) et son contexte d'usage (chapitre 4). Fort de ces connaissances, nous analysons les modèles conceptuels classiques (chapitre 5) pour ensuite présenter la notion de trajectoire (chapitre 6) et son apport à la connaissance des relations à l'étude. Enfin, le dernier chapitre (chapitre 7) constitue l'occasion de présenter les éléments d'un modèle conceptuel qui a pour objectif d'intégrer les connaissances actuelles dans le domaine des rapports entre drogue et criminalité. L'action de modéliser constitue en soit une activité réductionniste. Il importe d'en être conscient pour ne pas percevoir autre chose dans cet exercice qu'un instrument permettant de mieux s'approcher de la réalité.

* * *

Je tiens à rendre un hommage tout particulier à ma conjointe, Diane Duplessis qui, par son soutien, a pu m'accorder l'espace nécessaire aux réflexions contenues dans cet ouvrage. Je voudrais également remercier le doyen Michel Born, de la faculté de psychologie et des sciences de l'éducation, le professeur André Lemaître de même que les assistants de l'École de criminologie de l'Université de Liège qui m'ont fourni un climat propice à la rédaction de plusieurs chapitres de ce livre lors de mes deux séjours à titre de professeur invité. Je ne pourrais passer sous silence le très important travail de mes assistants de recherche. Je pense spécialement à Myriane

Tétrault pour sa tâche minutieuse de recherche et de classement bibliographique ainsi qu'à Valérie Beauregard pour l'excellent travail de révision d'épreuves. Enfin, j'adresse des remerciements chaleureux à Natacha Brunelle, professeure au Département de psycho-éducation de l'Université du Québec à Trois-Rivières, et à Perrine Poullot, étudiante au doctorat au Département de psychologie de l'Université de Montréal, pour avoir accepté de lire et de commenter des sections du livre qui s'appuient sur leur contribution scientifique. Leurs commentaires m'ont permis d'affiner mes transcriptions de leurs pensées et, par le fait même, de bonifier les miennes.

1

POURQUOI S'INTÉRESSER AUX RAPPORTS ENTRE DROGUE ET CRIMINALITÉ?

Si la consommation de substances psychoactives est perçue comme un problème important dans la population en général, et plus particulièrement chez les jeunes, elle constitue certainement une situation fort préoccupante lorsque l'on considère les personnes judiciarisées (jeunes et adultes). On estime généralement que la prévalence de consommateurs et de toxicomanes s'élève à un niveau exceptionnel dans les centres jeunesse et les milieux de détention. Certains éducateurs et surveillants de prison vont jusqu'à affirmer que 80 % des personnes sous leur garde éprouveraient des problèmes d'abus de drogues ou de toxicomanie.

Plusieurs études sont publiées chaque année sur le thème de la prévalence de la consommation de substances psychoactives illicites parmi les personnes judiciarisées. Pourtant, dans le domaine des rapports entre drogue et criminalité, les conclusions des recherches empiriques possèdent souvent un poids largement inférieur aux opinions tenaces sur le sujet. La publication de résultats d'études faisant l'objet d'un petit article dans une revue scientifique passera inaperçue devant la manchette de la presse locale relatant une nouvelle saisie record de drogue ou la récidive violente d'un toxicomane en libération conditionnelle. En fait, les résultats d'études sont le plus souvent éclipsés de la scène publique. Quelles conclusions peut-on vraiment tirer de la production scientifique récente ? Examinons d'abord les études de prévalence effectuées auprès d'adolescents.

LES JEUNES

Les médias véhiculent souvent l'idée que la consommation de substances psychoactives, et plus particulièrement l'utilisation de drogues illicites, constitue la cause principale de la délinquance[1]. Si cette hypothèse d'une relation putative se révélait exacte, nous devrions rencontrer un plus grand nombre de consommateurs parmi les personnes faisant l'objet de mesures judiciaires. Il devrait également être possible d'observer un enchaînement séquentiel ordonné entre l'initiation aux drogues et le début de la délinquance. Enfin, nous devrions être à même de constater un lien d'interdépendance directionnel entre la consommation et l'agir délinquant. Ces points seront tour à tour abordés dans les pages qui suivent.

Il importe cependant de procéder avec une extrême prudence lors de l'interprétation des résultats obtenus auprès d'adolescents. En effet, l'adolescence, par nature, constitue une période d'essais variés. Que signifie, à cet âge, l'expérimentation de drogues ou l'initiation à une petite délinquance en rapport avec l'orientation globale du style de vie ?

La prévalence de consommation de drogues illicites chez les jeunes contrevenants

Une étude (Cousineau, Brochu, Fu, Houde et Dufour, 2005) réalisée auprès de 239 contrevenants en centres jeunesse du Québec présente des résultats éloquents : l'usage de substances psychoactives, chez ces jeunes, constitue un phénomène très présent dans leur vie. Ainsi, au Québec, ces jeunes affirment tous (ou presque : 95,4 %) avoir déjà utilisé une drogue illicite *au cours de leur vie*. On s'en doute, le cannabis constitue la plus populaire de

---

1. La majorité des études rapportées dans cette section a été réalisée auprès d'échantillons constitués uniquement ou majoritairement de garçons. Il va sans dire que l'on se doit d'être extrêmement prudent avant de généraliser les résultats obtenus à la population féminine.

ces drogues (95,4 %). Il n'en demeure pas moins que la grande majorité (69,3 %) dit avoir consommé (56,3 %) des hallucinogènes (mescaline, champignons magiques, LSD) et que plus de la moitié mentionne avoir consommé une fois des amphétamines et 48,7 % de la cocaïne, une drogue beaucoup plus onéreuse. Quand on sait que le cannabis n'est expérimenté que par environ 42 % de la population étudiante québécoise et la cocaïne par moins de 1 %, l'ampleur de la consommation à vie chez les jeunes contrevenants apparaît limpide.

La très grande majorité de ces adolescents indique avoir consommé des substances psychoactives illicites pendant les 12 mois qui ont précédé l'enquête avec des écarts inférieurs à 5 %. Plusieurs consommateurs utilisent donc des drogues illicites de façon plutôt régulière. Ainsi, parmi les adolescents qui se disent consommateurs de marijuana, l'usage occasionnel est relativement rare puisque les trois quarts de ces jeunes (76,5 %) précisent en avoir fait un usage quotidien ou presque au cours du mois précédant leur admission en centre jeunesse. Cette proportion s'élève à 45,2 % pour la cocaïne, à 27,5 % pour les hallucinogènes et à 20,5 % pour les amphétamines.

Toutefois, il faut être conscient que ces forts taux de prévalence d'usage de drogues illicites rapportés par les jeunes adolescents judiciarisés ne sont possiblement pas le reflet de la consommation de l'ensemble des jeunes contrevenants, car l'intoxication, la possession et l'usage de drogues constituent bien souvent un motif et une cause d'arrestation et de détention (Braithwaite, Conerly, Robillard, Stephens et Woodring, 2003).

Le niveau d'expérimentation ou d'utilisation de substances psychoactives parmi les jeunes des centres jeunesse du Québec supporte la comparaison internationale, mais présente des taux de prévalence généralement plus élevés (Braithwaite *et al.*, 2003 ; Dufour, 2004 ; Hammerseley, Marsland et Reid, 2003 ; Jenson et Howard, 1999). Il faut mentionner que la prise en charge en centre jeunesse constitue bien souvent, au Québec, une solution de dernier recours ; les contrevenants les plus sévèrement ancrés dans la délinquance et l'inadaptation sociale sont ainsi rassemblés dans ces centres (Sprott et Snyder, 1999), ce qui n'est pas le cas de tous les pays. Bien sûr, l'ancrage dans la délinquance est généralement lié à un niveau élevé de consommation de drogues illicites. Il faut également mentionner que les études qui utilisent les méthodologies les plus rigoureuses, pour assurer la validité des rapports autorévélés, présentent habituellement des taux de prévalence plus élevés que les autres.

Notons que les moyens utilisés pour mesurer la consommation de drogues illicites des jeunes contrevenants américains imposent une plus grande ingérence dans la vie de ces jeunes. Ainsi, le ministère de la Justice des États-Unis (National Institute of Justice), conscient de l'ampleur de la consommation de substances psychoactives illicites chez les personnes judiciarisées, a mis sur pied le Arrestee Drug Abuse Monitoring Program[2] (ADAM) afin de mieux évaluer les tendances de la consommation de drogues illicites parmi les personnes arrêtées dans les grands centres urbains (ceux de plus d'un million d'habitants). Trente-trois villes américaines participent à cette étude nationale qui date de 2001. Durant quelques semaines (1 à 3), à chaque semestre, un personnel spécialement entraîné demande à un échantillon probabiliste d'environ 300 personnes arrêtées (en soirée, la nuit) de fournir un spécimen d'urine et de répondre à un certain nombre de questions. Le tout se fait sous le sceau de la confidentialité et du volontariat[3]. La procédure ne constitue pas une mesure visant à récolter des preuves supplémentaires pouvant mener à la condamnation du sujet, mais représente plutôt une sonde servant à jauger les tendances de la consommation de substances psychoactives illicites parmi les personnes arrêtées. Plus des trois quarts des sujets approchés acceptent généralement de répondre aux questions de l'interviewer et plus de 90 % des personnes interviewées consentent à fournir un échantillon d'urine pour des analyses (Yacoubian, 2003).

La formule d'enquête favorisée aux États-Unis consiste à recourir à des tests d'urine recueillis lors des arrestations, jumelés à des rapports autorévélés. Cette méthode, qui n'encourage certes pas la confiance entre la personne interviewée et l'agent de recherche, pourrait faire en sorte que les rapports autorévélés recueillis ainsi en marge de l'arrestation présentent une sous-estimation importante de la consommation réelle lors des mois

---

2. Auparavant nommé Drug Use Forecasting System (DUF).
3. Certains pourront à juste titre contester la notion de volontariat lorsque l'étude se déroule dans un poste de police auprès de personnes qui viennent tout juste de se faire arrêter. Des craintes concernant les répercussions possibles d'un refus de collaborer doivent à tout le moins traverser l'esprit des sujets.

précédant l'enquête. Les données issues de ce programme s'attardent souvent davantage aux résultats des tests d'urine. Dans cette perspective, selon le rapport annuel 2001 (ADAM, 2003), entre 25 % (Birmingham) et 100 % (Denver) des jeunes arrêtés qui ne fréquentaient pas l'école régulièrement présentaient des traces de drogues illicites dans leur urine au moment de leur arrestation. Dans la majorité des cas, il s'agissait de marijuana. Toutefois, bien que la méthode d'analyse d'urine puisse donner l'impression d'une rigueur méthodologique exemplaire comparativement à l'utilisation des rapport autorévélés, ces résultats ne sont pas très précis puisque le temps de détection des drogues varie énormément. Ainsi, le cannabis peut parfois être détecté jusqu'à un mois après son dernier usage (lors de consommations fréquentes et importantes) alors que ce laps de temps se limite à 48 heures pour la cocaïne ou l'héroïne. Avec cette méthode, on est donc souvent en présence d'une surévaluation de la prévalence de consommation de cannabis par rapport à la cocaïne ou l'héroïne. Bien plus, étant donné les limites méthodologiques décrites, les tests d'urine ne permettent pas de déterminer à quel moment la personne était intoxiquée lorsqu'elle a commis son délit ou lors de son arrestation.

L'ensemble des résultats sur ce thème indique, sans l'ombre d'un doute, que l'usage de drogues illicites s'avère beaucoup plus élevé parmi les adolescents ayant des démêlés avec la justice que chez ceux qui fréquentent ordinairement une institution scolaire (Boys, Marsden et Strang, 2001; Comité permanent de lutte à la toxicomanie, 2003; Cousineau, Brochu et Schneeberger, 2000; Hammerseley, Marsland et Reid, 2003; Dufour, 2004; Jenson et Howard, 1999; Tanner et Wortley, 2002; Vitaro, Carbonneau, Gosselin, Tremblay et Zoccolillo, 2000)[4].

Nous en savons beaucoup moins sur les rapports entre drogue et criminalité chez les adolescentes. En ce qui concerne l'analyse des délits et des comportements déviants manifestés par les filles:

il appert que la totalité des formes de la conduite déviante exprimées par les filles, des plus bénignes aux plus sérieuses, s'amorce consécutivement entre 8 et 16 ans.

---

4. Il faut toutefois ajouter ici que le décrochage scolaire semble généralement lié à une plus forte prévalence de consommation de substances psychoactives illicites (Beaucage, 1998; Cousineau, Brochu, Fu, Houde et Dufour, 2005).

C'est donc dire qu'à l'instar des garçons, les adolescentes font preuve d'une pratique simultanée de diverses manifestations déviantes. Cette capacité se fait plutôt discrète au début de la période de la latence, elle s'affirme un peu à la fin de cette période et elle explose au début de l'adolescence. Le début de l'adolescence, entre 12 et 14 ans, semble donc être une période critique au cours de laquelle les troubles de comportement et les activités délinquantes risquent d'émerger à un rythme accéléré. (Lanctôt, Bernard et Le Blanc, 2002, p. 78-79)

Par contre, les filles présenteraient un processus de maturité accéléré comparativement aux garçons de sorte que, vers l'âge de 15 ans, leurs comportements délinquants auraient souvent déjà atteint une certaine stabilité et seraient, dans bien des cas, à la veille de décroître (White, Johnson et Garrison, 1985).

Pourtant, ce constat de l'ampleur de la prévalence de l'usage de substances psychoactives illicites parmi des jeunes pris en charge dans les centres jeunesse ne suffit pas pour établir un lien causal entre drogues et criminalité. Cette hypothèse doit tout d'abord être appuyée par l'observation d'une organisation logique ou séquentielle caractéristique entre ces deux comportements. Analysons donc maintenant les travaux scientifiques portant sur les âges d'initiation aux drogues et à la délinquance.

Les âges d'initiation

L'analyse des études portant sur les séquences d'apparition de l'usage de drogues et de la délinquance apportera un éclairage particulier sur le rapport en cause et, espérons-le, nous aidera à mieux le comprendre. Toutefois, les résultats de ces études doivent être interprétés avec discernement. En effet, des études, apparemment semblables, peuvent assez fréquemment s'opposer dans leurs conclusions sur la primauté d'un des comportements sur l'autre. Ces désaccords sont habituellement attribuables à la définition des variables étudiées (Menard et Mihalic, 2001). En effet, certains chercheurs observent l'initiation à toutes les formes de comportements interdits par la loi, ce qui peut inclure le vol d'un paquet de gomme à mâcher au dépanneur du coin ; d'autres, à l'opposé, ne considèrent que l'adoption de comportements délinquants ayant fait l'objet d'une plainte et d'une poursuite judiciaire. On peut facilement donc imaginer des âges d'initiation très différents pour ces deux types de conduites. Il en est de même pour la consommation initiale de substances psychoactives illicites. Pour certains, il s'agit de prendre en compte l'âge auquel la personne a goûté à un produit pour la toute première fois ; pour d'autres, c'est l'âge du début de la consommation régulière. Il n'est donc pas surprenant de lire des résultats de recherche très discordants. De plus, une analyse plus poussée de la documentation scientifique sur ce thème permet d'observer que les conclusions des études sont parfois contradictoires selon que l'échantillon est recruté parmi une population générale (e. g. fréquentant l'école), dans une institution de traitement de la toxicomanie ou en centres jeunesse pour jeunes contrevenants.

Ainsi, parmi la population générale, de nombreux adolescents font leur toute première expérience de consommation de drogues illicites (on devrait plutôt parler ici d'usage de cannabis) avant de se livrer à des activités criminelles (Desjardins et Hotton, 2004). En effet, il faut savoir qu'une forte proportion d'expérimentateurs de drogues n'aura jamais d'autres activités criminelles que la possession de la drogue qu'elle a consommée. Toutefois, examinons la situation des adolescents qui ont manifesté les deux types de comportements.

Une étude réalisée par le Home Office (Pudney, 2002) à partir des données d'une enquête sur le style de vie des jeunes (N = 3 900) apporte des résultats fort intéressants relativement à la séquence d'initiation aux drogues et aux crimes chez les adolescents britanniques en général. Ainsi, selon cette étude, 43 % des adolescents rencontrés disent avoir déjà utilisé une drogue illicite. La moyenne d'âge d'initiation est de 16,2 ans (2,5 ans après l'initiation à l'alcool et 2 ans après l'initiation à la cigarette). Par ailleurs, 43 % de ces adolescents affirment avoir commis un crime mineur. En moyenne, ils se sont initiés à cette criminalité à 14,5 ans. Lorsqu'elle dessine la séquence des comportements illicites, l'étude indique assez clairement que la criminalité et la délinquance précèdent l'usage de drogues lorsque les deux comportements sont rapportés par un même individu. Il n'y a donc pas ici de lien causal entre la consommation de drogues et la criminalité, si ce n'est un lien artificiel posé par la loi sur les stupéfiants qui fait de la possession de certaines substances psychoactives un crime, ce qui n'est pas le cas dans tous les pays.

Les études qui s'intéressent aux liens chronologiques entre drogues et criminalité chez les toxicomanes révèlent par ailleurs que « même si la toxicomanie ne précède normalement pas la délinquance, il paraît cependant incontestable qu'elle constitue un moteur qui accélère et aggrave le rythme de la délinquance une fois qu'une dépendance caractérisée aux drogues dures s'est établie » (Killias et Rabasa, 1996, p. 314). L'analyse des nombreuses études publiées dans les années 1980 et 1990 auprès de jeunes contrevenants indiquait déjà clairement que chez une légère majorité d'entre eux, les premiers comportements délinquants mineurs apparaissent avant qu'ils n'aient consommé pour la première fois une drogue illicite (Blumstein, Cohen, Roth et Visher, 1986 ; Brochu et Douyon, 1990 ; Clayton, 1992 ; Girard, 1993 ; Le Blanc et Tremblay, 1987). À titre d'illustration, mentionnons que l'étude de Young, Mikulich, Goodwin, Hardy, Martin, Zoccolillo et Crowley (1995) indiquait que 78 % des garçons de leur échantillon présentaient des problèmes de conduite avant un usage régulier d'une substance psychoactive autre que le tabac. Ces jeunes indiquaient en moyenne 2,6 problèmes de conduite préalables à l'usage régulier de drogues. Ainsi, près des deux tiers des contrevenants auraient eu des comportements délinquants avant de consommer des drogues (Deitch, Koutsenok et Ruiz, 2000). Par la suite, d'autres études ont indiqué que la délinquance chez les jeunes prédisposait à d'autres comportements problématiques (Menard, Melahic et Huizinga, 2001 ; Poikolainen, 2002 ; Windle et Mason, 2004). Certaines études ont même indiqué qu'initialement, c'était parfois les revenus de la délinquance qui poussaient certains jeunes à consommer des drogues (Brunelle, Brochu et Cousineau, 2003). Parmi eux, il est clair que la consommation de drogues telles la cocaïne et l'héroïne est apparue bien après les premiers crimes contre la propriété (e. g. vol par effraction) (Parent et Brochu, 2002 ; Seddon, 2000). En somme, même si l'usage de drogues débute à un âge relativement précoce (avec la consommation de marijuana), une série de comportements problématiques était déjà apparue dans la trajectoire de vie du jeune adolescent, bien avant l'usage régulier de drogues et parfois avant même les premières expérimentations d'une substance psychoactive illicite (Young *et al.*, 1995).

Des enquêtes réalisées au Québec (Brochu et Douyon, 1990 ; Le Blanc et Girard, 1998) indiquent également que, parmi les jeunes contrevenants, l'initiation à l'alcool et au tabac s'effectue vers l'âge de 12 ans. Par ailleurs, l'initiation aux drogues illicites se fait habituellement avec du cannabis, vers 13 ans[5]. De façon générale, la majorité des jeunes contrevenants s'est initiée soit à l'alcool, à la marijuana ou à un solvant à l'âge de 13 ans. Si l'apprentissage illicite se poursuit, c'est vers leur quatorzième année de vie que ces adolescents feront usage de cocaïne (Le Blanc et Girard, 1998). Le Blanc et Girard (1998) notent peu de différences entre les garçons et les filles, si ce n'est, à l'occasion, une période de 6 mois d'écart entre l'âge d'initiation moyen. On est donc à même de constater une initiation précoce, comparativement aux jeunes en général, et une progression rapide vers des substances potentiellement plus coûteuses pour le portefeuille de l'utilisateur et peut-être même pour sa santé.

Par ailleurs, dans ces mêmes groupes de jeunes, les premières activités délinquantes – c'est-à-dire toute activité pouvant être punissable selon la loi – apparaissent vers l'âge de 10 ans[6] (Brochu et Douyon, 1990 ; Le Blanc et Girard, 1998). Ces activités délinquantes précèdent donc de deux ans, en moyenne, la consommation d'alcool et de trois ans l'usage de cannabis. De plus, l'utilisation de drogues plus coûteuses ne survient en moyenne que quatre ans après le premier comportement jugé délinquant. On est donc en mesure de constater que ces déviances aux normes pénales précèdent nettement la consommation de drogues illicites. Pour cette majorité de jeunes contrevenants qui se sont initiés à une petite délinquance avant de consommer des substances psychoactives, la drogue ne représentait certainement pas la cause première de l'engagement dans la voie de la criminalité. D'ailleurs, le développement de la trajectoire délinquante n'a pas pour but premier de financer une habitude de consommation de substances

---

5. Un rapport du Comité permanent de lutte à la toxicomanie (2003) notait que les jeunes s'initient de plus en plus tôt aux drogues. Selon Golub et Johnson (2001), cette consommation précoce pourrait refléter un ensemble de normes culturelles ou sous-culturelles parmi les jeunes. Ces normes, qui varient selon l'époque et les lieux, banaliseraient, actuellement au Québec, l'usage de drogues tel le cannabis.

6. Il est à noter que certaines études récentes effectuées auprès d'adultes judiciarisés présentent des âges d'initiation plus tardifs (Brochu, Cournoyer, Motiuk et Pernanen, 1999). Il s'agit ici d'un effet de cohorte, alors que l'initiation aux drogues s'effectuait plus tardivement lorsque les adultes d'aujourd'hui étaient des adolescents.

psychoactives (Brochu et Parent, 2005). On est plutôt en présence d'une relation beaucoup plus complexe.

Cependant, on ne doit pas se limiter à observer cette simple séquence temporelle d'initiation à la consommation de substances psychoactives et à la délinquance sans tenir compte des connaissances acquises dans le domaine plus général de la criminologie. En effet, il faut savoir que les études criminologiques (Lanctôt, Bernard et Le Blanc, 2002 ; Le Blanc et Girard, 1998 ; Le Blanc et Loeber, 1998 ; Menard, Mihalic et Huizinga, 2001) indiquent généralement que l'entrée dans la déviance s'effectue graduellement ; d'abord par des moyens de transgression de faible portée, puis peu à peu par des transgressions normatives plus importantes. On commence par la désobéissance pour passer à la tromperie et éventuellement à des agressions physiques ; la rébellion précède la délinquance contre les biens. La consommation de substances psychoactives illicites apparaîtra sur cette trajectoire plus ou moins tardivement selon que le comportement de consommation est banalisé ou fortement réprimé. Ainsi, la consommation de cannabis, généralement plus acceptée socialement, apparaîtra-t-elle avant la consommation de crack, qui fait l'objet d'un tabou social plus grand. Pour sa part, la consommation de cannabis apparaîtra généralement plus tôt que les vols par effraction, qui sont beaucoup plus réprimés socialement. Le Blanc et Girard nous rappellent à cet égard qu'« avant l'âge de 12 ans, le répertoire des comportements déviants est très large, sans toutefois inclure les conduites les plus graves, notamment les vols graves » (Le Blanc et Girard, 1998, p. 82).

Il faut donc s'attarder à observer l'enchaînement chronologique entre la consommation de drogue et la criminalité en sachant bien que les comportements les plus déviants apparaîtront après ceux qui socialement apparaissent comme plus *acceptables* ; l'enchaînement causal n'ayant possiblement rien à voir avec l'ordre d'apparition de comportements qui se trouvent sous la lorgnette du chercheur. Peut-on cependant croire que la consommation de drogues illicites n'ait strictement rien à voir avec la continuation ou la progression de la trajectoire délinquante ?

Le lien d'interdépendance

Les écrits scientifiques établissent un rapport entre l'importance de la consommation de substances psychoactives illicites et la manifestation de problèmes polymorphes de conduite, entre autres dans des comportements délinquants. En d'autres mots, la probabilité qu'un adolescent ait des comportements délinquants s'accroît avec sa consommation de drogues illicites (Braithwaite, Conerly, Robillard, Stephens et Woodring, 2003 ; Hammersley, Marsland et Reid, 2003). Ainsi, on a noté que, indépendamment des types de drogues étudiés, les consommateurs de substances psychoactives illicites se trouvaient significativement plus impliqués dans des activités punissables par la loi que ceux qui ne consommaient pas ces substances (Brochu et Douyon, 1990). Ceci ne signifie pas que tous les adolescents consommateurs de substances psychoactives illicites s'impliquent nécessairement dans la délinquance (Vander Wall, McBride, Terry-McElrath et Van Buren, 2001). Néanmoins, ces jeunes encourent davantage de risques d'être mêlés à un ensemble de comportements jugés antisociaux, d'entretenir une mauvaise relation avec leurs parents et d'éprouver des problèmes scolaires (Normand et Brochu, 1993 ; Ouimet et Le Blanc, 1993). De plus, l'importance de la consommation semble aller de pair avec la fréquence d'apparition de ces troubles d'adaptation à l'adolescence :

> Les problèmes de toxicomanie et de dépression, de toxicomanie et de troubles de conduite (semblable à la délinquance) ou de toxicomanie et de jeux de hasard font bon ménage. Dans un échantillon québécois, plus du quart de ceux qui rapportent une consommation problématique de psychotropes éprouvent un problème de comportement ou un trouble dépressif, comparativement à moins de 1 sur 10 parmi les non-consommateurs ou les consommateurs occasionnels de psychotropes. (Vitaro *et al.*, 2000, p. 185)

En fait, un petit groupe de jeunes contrevenants, généralement de gros consommateurs de drogues illicites, serait responsable d'un nombre disproportionné de crimes sérieux commis par les adolescents (Vander Wall, McBride, Terry-McElrath et Van Buren, 2001). À titre d'illustration, mentionnons une étude réalisée auprès de 260 jeunes de 12 à 19 ans en centre de réadaptation : elle indique que les jeunes abuseurs de substances psychoactives auraient commis des actes de violence de nature plus grave que ceux qui n'abusaient pas de substances psychoactives. En outre, l'étude révèle que 52 % des abuseurs de drogues ont été reconnus coupables de crimes violents, alors que cette proportion ne se situait qu'à 11 % parmi ceux qui n'en abusaient pas (D'Orsonnens, 2000).

Les drogues tels l'héroïne, plus récemment la cocaïne et particulièrement le crack, ont acquis une très mauvaise réputation. Leur utilisation est fortement réprouvée socialement. Cette renommée perverse opère une sélection parmi les jeunes attirés par la consommation. Pourtant, plus l'adolescent est impliqué dans une certaine forme de déviance en regard de la loi et des prescriptions sociales, moins il risque de porter attention à la condamnation sociale de ces drogues. Bien au contraire, cet anathème risque de l'attirer (Wish et Johnson, 1986).

Non seulement y a-t-il une relation statistique entre l'usage de substances psychoactives et les comportements définis légalement comme délinquants, mais la consommation de ces substances chez les jeunes contrevenants apparaît être intégrée à la préparation et à la commission de leurs délits. Ces jeunes ont recours aux drogues tant licites qu'illicites pour des motifs identiques à ceux qui les poussent à commettre des délits : pour le plaisir (relaxer entre amis, le *feeling* de l'intoxication, la réduction des sentiments dépressifs ou l'oubli des difficultés) et la recherche de sensations (Born et Gavray, 2002 ; Boys, Marsden et Strang, 2001 ; Brochu et Parent, 2005 ; Brochu, Parent, Chamandy et Chayer, 1997 ; Brunelle, Cousineau et Brochu, 2002a ; Brunelle, 2001 ; Simpson, 2003). Il est donc probable que « la consommation de drogues illégales et d'alcool s'insère dans le développement des activités délictueuses, des délits mineurs aux infractions graves » (Le Blanc et Tremblay, 1987, p. 61). L'étude de Brunelle (2001, p. 166) renforce cette optique en indiquant que « du point de vue des jeunes (pris en charge [PEC] et non pris en charge [non PEC]), le processus d'entrée dans le style de vie déviant relève surtout de motivations ludiques (plaisir) ou de valorisation de soi ». Enfin, l'utilisation plus régulière de substances psychoactives illicites peut marquer une étape qui conduit très souvent à l'intensification de l'implication criminelle (Brunelle, 2001). Cette amplification des manœuvres délinquantes apporte une entrée d'argent qui permettra à son tour l'initiation aux drogues plus coûteuses et à leur consommation (Faupel,

1991). La relation à l'étude n'est peut-être pas aussi simple qu'on ne l'aurait cru à première vue.

En somme, on peut établir une relation entre la consommation de substances psychoactives et l'implication délinquante. Leur lien n'est cependant pas causal, mais relève plutôt d'une contribution réciproque. En effet, bon nombre de consommateurs de substances psychoactives illicites ne s'engageront jamais sur une trajectoire criminelle. Pour ceux qui sont impliqués à la fois dans la consommation de drogues et la délinquance, il est généralement possible d'observer qu'une certaine forme de délinquance a pris naissance bien avant l'initiation aux drogues. Les actes délinquants constitueront pour certains jeunes issus de classes sociales défavorisées une des seules manières de se procurer le produit convoité[7]. En ce sens, la délinquance ne constitue pas uniquement la manifestation d'une rébellion adolescente, mais sert à des fins instrumentales.

Enfin, les probabilités que ces jeunes continuent à consommer des substances psychoactives illicites à l'âge adulte sont plus élevées, même en abandonnant leur trajectoire délinquante au profit d'autres sources d'apports monétaires (Kandel, Simcha-Fagan et Davies, 1986). En revanche, pour ceux qui auront développé une dépendance à ces drogues, la délinquance sera probablement associée au besoin d'argent ainsi créé (Menard, Mihalic et Huizinga, 2001). À l'instar de Jobard et Fillieul (1999, p. 9), on peut croire que « la drogue intervient comme élément structurant d'un comportement délinquant antérieur ».

LES ADULTES

La situation dépeinte jusqu'à maintenant se retrouve-t-elle chez les adultes judiciarisés ? Quel est le niveau de consommation de ces contrevenants ? C'est ce que nous nous proposons d'explorer plus longuement.

---

7. Il peut s'agir d'un jeans, de tabac, d'alcool ou d'une drogue illicite.

La prévalence de consommation de drogues chez les personnes judiciarisées

Le bilan des recherches est éloquent: les contrevenants incarcérés, tant dans les prisons que les pénitenciers[8], constituent une sous-population parmi laquelle la prévalence de consommation de substances psychoactives illicites est très élevée.

Du côté des prisons québécoises, une vaste étude nationale indique que plus de la moitié (54 %) des détenus rencontrés ont précisé avoir fait usage d'au moins une substance illégale durant l'année précédant leur incarcération:

> Parmi les personnes qui ont déclaré faire usage de drogues, une proportion très importante (48,5 %) en consomme tous les jours. Environ 15 % en prennent respectivement plusieurs fois par semaine ou quelques fois par semaine. Seulement 11,3 % des consommateurs en font usage uniquement lors d'occasions spéciales. C'est donc dire que pour la très grande majorité des sujets, l'usage de drogues est, somme toute, plutôt fréquente. (Robitaille, Guay et Savard, 2002, p. 52)

Une étude (Pernanen, Cousineau, Brochu et Sun, 2002) indique même que 60 % des hommes du Centre de détention de Montréal et 47 % des femmes de la Maison Tangay (un centre de détention provincial pour femmes) affirmaient avoir été sous l'influence de l'alcool ou d'une drogue illicite au moment de commettre le délit le plus grave pour lequel ils ont été incarcérés. Ainsi, ces femmes judiciarisées consomment presque autant que leurs collègues masculins, sinon plus si on se fie à des études américaines (Henderson, 1998; Kerber et Harris, 2001). Elles se démarquent cependant des hommes par la présence de plus de symptômes psychiatriques et de problèmes sanitaires (VIH/SIDA) et par leurs nombreux comportements à risque (e. g. partage de seringues, relations sexuelles non protégées avec des partenaires qui s'injectent des drogues, plusieurs partenaires sexuels, échanges sexe-drogue, faible estime de soi, nature des produits préférés, mode de consommation et type de délits perpétrés) (Guyon, Brochu,

---

8. Les personnes condamnées à des sentences de deux ans moins un jour sont incarcérées dans les prisons; les autres sont détenues en pénitencier.

Desjardins et Parent, 2000 ; Henderson, 1998 ; Peters, Strozier, Murrin et Kearns, 1997 ; Staton, Leukefeld et Webster, 2003).

Par ailleurs, les résultats d'une enquête récente (Plourde et Brochu, 2002), réalisée dans les pénitenciers du Québec cette fois, indique que plus de 80 % des hommes écroués dans ces institutions rapportent avoir fait usage de substances psychoactives illicites de façon régulière au cours de leur vie. Dans le même sens, une autre étude (Brochu, Cournoyer, Motiuk et Pernanen, 1999) indique également que la moitié des hommes détenus rapporte avoir consommé une drogue illicite dans les 6 mois précédant leur incarcération et 46 % dans les 30 jours précédant leur détention. Bien plus, 36 % des détenus disent avoir consommé une drogue illicite la journée du délit qui les a conduits en pénitencier. Parmi ces derniers, 29 % affirment que leur consommation les avait rendus plus agressifs (Brochu, Cournoyer, Motiuk et Pernanen, 1999 ; Sun, Cousineau, Brochu et White, 2004).

Ces statistiques contrastent fortement avec les résultats des grandes enquêtes nationales (Centre canadien de lutte contre l'alcoolisme et les toxicomanies, 1999 ; Institut de la statistique du Québec, 2000) indiquant que, dans la population adulte générale au Canada ou au Québec, moins du quart des Québécois âgés de 25 à 44 ans a consommé une substance psychoactive illicite au cours de l'année précédant l'enquête. Cette différence dans la prévalence de consommation des détenus par rapport à la situation dans la population générale est encore plus importante lorsqu'il s'agit de cocaïne, car le quart des détenus interrogés avouent avoir consommé cette substance dans les six mois précédant leur incarcération, alors que la prévalence de consommation de ce même produit serait inférieure à 1 % dans la population canadienne (Brochu, Cousineau, Sun, Pernanen, Cournoyer et Desrosiers, 2001). Ces résultats, bien qu'impressionnants, n'établissent cependant pas de relation causale entre la consommation de ces drogues et la délinquance.

Poursuivons cette description de la consommation de substances psychoactives par les hommes judiciarisés afin de mieux la comprendre. Le cannabis et la cocaïne sont habituellement les produits illicites les plus consommés (Brochu, Cournoyer, Motiuk et Pernanen, 1999 ; Plourde et Brochu, 2002 ; Robitaille, Guay et Savard, 2002). Notons toutefois que, parmi les hommes incarcérés en pénitenciers et les femmes détenues à la Maison

Tangay, la consommation de cocaïne le jour du délit est plus fréquemment rapportée que l'usage de cannabis (Pernanen, Cousineau, Brochu et Sun, 2002). Toutefois, l'usage n'équivaut pas à l'abus ; il faut donc évaluer plus spécifiquement cet aspect de la consommation.

Nulle surprise toutefois de constater qu'entre le tiers et la moitié des détenus canadiens présenteraient une dépendance à une substance psychoactive illicite allant de modérée à grave (Brochu, Biron et Desjardins, 1996 ; Brochu, Guyon et Desjardins, 2001 ; Schneeberger et Brochu, 1995 ; Pernanen, Cousineau, Brochu et Sun, 2002)[9]. Lorsque ces détenus furent interrogés à propos des rapports entre drogues et criminalité, le cinquième d'entre eux, qu'ils soient incarcérés dans une prison ou un pénitencier, ont alors indiqué avoir participé à des activités criminelles afin d'augmenter leurs revenus pour payer les coûts de leur consommation de drogues illicites. Les vols de toutes sortes constituent le type de délits le plus fréquemment commis afin d'obtenir des drogues. Ainsi, parmi tous les détenus de pénitencier condamnés pour vols ou vols à main armée, respectivement 43 % et 37 % déclaraient avoir fait ce geste dans le but de consommer (Pernanen, Cousineau, Brochu et Sun, 2002). Il va donc de soi que le volume des crimes est plus élevé chez ceux qui présentent une dépendance à une substance que chez les autres contrevenants (Pernanen, Cousineau, Brochu et Sun, 2002).

Bien sûr, les mesures répressives à l'égard des consommateurs (et des trafiquants) favorisent la présence d'usagers à l'intérieur des murs de la détention. Toutefois, il faut bien savoir que les personnes condamnées pour des infractions liées directement aux lois sur les drogues ne représentent que le cinquième de tous les délinquants incarcérés sous responsabilité fédérale et 14 % de la population provinciale détenue. C'est au Québec toutefois que l'on trouve la plus grande proportion de délinquants condamnés pour des infractions reliées aux drogues illicites, tant sur le plan fédéral que provincial (Motiuk et Vuong, 2001 ; Office of the Auditor General of Canada, 2001 ; Tremblay, 1999).

---

9. La polytoxicomanie s'avère également un problème courant puisque les détenus qui utilisent des drogues illicites de façon abusive font également usage d'alcool avec excès (Pernanen, Cousineau, Brochu et Sun, 2002 ; Robitaille, Guay et Savard, 2002).

Ce portrait de la situation québécoise trouve un écho à l'échelon international. Ainsi, l'utilisation de drogues illicites parmi les personnes incarcérées aux États-Unis s'avère-t-elle au moins aussi importante que celle observée jusqu'à présent au Canada (Pelissier et Gaes, 2001). Pelissier et Gaes (2001) (voir également Mumola, 1999) constatent que près des deux tiers (69,6 %) des détenus des prisons américaines et plus de la moitié (57,3 %) des détenus des pénitenciers fédéraux affirment être des consommateurs réguliers de drogues illicites[10]. Bien plus, un peu moins du tiers (32,6 %) des détenus des prisons américaines et un peu moins du quart (22,4 %) des détenus fédéraux avaient consommé une drogue au moment de leur infraction. Selon les statistiques du Bureau of Justice Statistics (Wilson, 2000) des États-Unis, 16 % des détenus auraient commis un délit dans le but premier de se procurer une drogue illicite. Plus spécifiquement, le quart des personnes incarcérées pour des délits de drogues ou des délits contre la propriété auraient commis leur crime pour se procurer une drogue, alors que ce pourcentage s'élève à moins de 10 % parmi les personnes détenues pour des crimes violents.

En Australie, une étude de Makkai et Payne (2003) indique également que la majorité des délinquants consomme des drogues illicites[11] et que les polyconsommateurs sont légions. La moitié de tous ceux qui disent consommer des drogues attribuent la plupart de leurs crimes (sinon tous) à leur usage de substances psychoactives. Certains croient même que, parmi la population judiciarisée, la consommation de drogues illicites constituerait un très bon prédicteur de l'activité criminelle menée à la sortie de prison (Benda, Corwyn et Toombs, 2001 ; Morentin, Callado et Meana, 1998). Cependant, bien que la prévalence de consommation d'alcool – qui, rappelons-le, ne fait pas l'objet de ce livre – n'ait pas été rapportée, il est clair que la consommation de cette drogue licite arrivait bonne première parmi les contrevenants. Bien plus, il y a fort à parier que la consommation de tabac ou de café aurait dépassé la consommation de bon nombre de drogues illicites. Faut-il pour autant voir un lien entre la consommation de tabac et de

---

10. Une fois ou plus par semaine pour une période minimale d'un mois.
11. Parmi eux, 53 % consomment du cannabis ; 31 %, des amphétamines ; 21 %, de l'héroïne ; 7 %, de la cocaïne et 35 %, deux substances ou plus.

café et l'activité criminelle observée ? Certainement pas, un lien corréla-tionnel ne peut prouver une hypothèse causale !

Il faut également faire preuve d'une extrême prudence lorsque l'on demande aux contrevenants d'expliquer en une courte phrase les raisons de leurs gestes socialement réprouvés. La réponse fournie pouvait davan-tage satisfaire des critères d'acceptation sociale qu'être la traduction fidèle de la dynamique impliquée[12].

Enfin, les résultats obtenus auprès des contrevenants adultes confirment ceux recueillis auprès des adolescents, indiquant qu'en grande partie ces personnes se sont initiées à la consommation de substances psychoactives illicites après s'être engagées dans la délinquance (Makkai et Payne, 2003). Ainsi, lors de leur étude approfondie, portant sur l'usage de drogues par des hommes institutionnalisés après avoir commis des actes criminels, Yochelson et Samenow (1986) ont observé que les sujets rencontrés avaient fait une série de choix irresponsables qui les avaient entraînés dans un style de vie criminel bien avant que ne débute leur consommation de substances psychoactives illicites. Pourtant, ce n'est qu'après avoir commencé à utili-ser ces drogues que bon nombre d'entre eux furent mis en contact pour la première fois avec la justice (Chaiken et Johnson, 1988 ; Innes, 1988). La consommation de drogues a-t-elle entraîné une prise de risques plus impor-tante ? Les observations cliniques de Yochelson et Samenow (1986) laissent croire que oui. L'usage de substances psychoactives illicites faciliterait l'élar-gissement de la palette des actes déviants et délinquants.

Un rapport du National Institute of Justice (ADAM, 2001) montrait que la proportion de personnes arrêtées et présentant des traces de drogues illi-cites dans leur urine variait entre 49 % et 84 % pour les hommes et entre 35 % et 81 % pour les femmes selon les villes étudiées[13]. Chez les hommes, le cannabis représente le produit le plus souvent retracé par le test d'urine, suivi, parfois de très près, de la cocaïne. Toutefois, il est fréquent, pour les échantillons de femmes, que la cocaïne constitue le produit le plus couram-

---

12. C'est le cas pour l'alcool alors que les hommes violents préfèrent attribuer leurs gestes à leur intoxication plutôt qu'à une dynamique plus complexe qui tiendrait compte de la réalité des rapports de pouvoir entre les sexes (Pernanen, 2001).
13. Pour les villes étudiées, la médiane se trouve à 64 % tant pour les hommes que pour les femmes.

ment retracé (14 villes sur 22). Ces chiffres sont d'autant plus intéressants que les tests d'urine ne mesurent souvent qu'une consommation relativement récente[14]. Ce système permanent de collectes de données a également permis d'observer trois générations de personnes arrêtées et qui ont des types de consommation différents : la génération de l'héroïne (née entre 1945 et 1954) ; celle de la cocaïne et du crack (née entre 1955 et 1969) et la génération de la marijuana (née depuis 1970) (Golub et Johnson, 2001). Il va donc sans dire que l'analyse des résultats du programme ADAM à travers les années présente une réduction, dans les années 1990, de la consommation de cocaïne en parallèle avec une recrudescence de la consommation de cannabis chez les jeunes personnes arrêtées.

Les contrevenants nord-américains ne constituent certes pas les seuls groupes de personnes judiciarisées à connaître des niveaux de consommation de substances psychoactives plus élevés que la moyenne nationale. Ainsi, selon l'Observatoire européen des drogues et des toxicomanies (OEDT), près de la moitié des 356 000 détenus de l'Union européenne (UE) étaient des usagers de drogues avant leur incarcération. Les évaluations de la prévalence de la consommation de drogues illicites au cours de la vie varient considérablement d'un pays à l'autre : entre 22 et 86 %. Le cannabis constitue la drogue illicite la plus fréquemment rapportée (entre 11 et 86 %), mais la cocaïne et le crack (prévalence à vie de 5 à 57 %) et l'héroïne (prévalence à vie de 5 à 66 %) sont bien présents. Plus encore, les estimations de la prévalence d'usage par voie intraveineuse au cours de la vie vont de 6 à 69 % (Observatoire européen des drogues et des toxicomanies, 2004).

Toutefois, il s'avère toujours hasardeux de comparer les taux de prévalence d'un pays à l'autre puisque les méthodes et les définitions varient énormément. Le programme américain ADAM a également été mis en place en Angleterre, ce qui permet d'obtenir des données comparables à celles rapportées précédemment pour les États-Unis. Ainsi, on peut noter que

---

14. À titre de rappel, mentionnons que des traces d'opiacés, de cocaïne, d'amphétamines ou de méthadone ne demeurent guère plus de 24 à 72 heures dans l'urine, alors qu'on peut y retrouver des traces de PCP ou de cannabis près d'un mois après leur usage (Golub et Johnson, 2001 ; Goode, 1999). Les statistiques relatives au cannabis constituent donc partiellement un artefact du temps de détection de cette substance à l'intérieur du corps humain.

plus des deux tiers (69 %) des personnes arrêtées dans 16 grandes villes anglaises présentent des tests d'urine maculés de traces de drogues (29 % pour les opiacés incluant l'héroïne et 20 % pour la cocaïne incluant le crack). Encore ici, c'est chez les femmes que des traces de cocaïne ont été le plus souvent détectées (30 % chez les femmes et 19 % chez les hommes) (Bennett et Sibbitt, 2000). En fait, il n'est pas rare de lire une étude indiquant que la cocaïne constitue la drogue illicite la plus populaire parmi les contrevenantes d'Amérique du Nord ; on note même assez régulièrement que son utilisation serait plus répandue parmi les femmes que les hommes judiciarisés (Bouffard et Taxman, 2000 ; Brochu, Biron et Desjardins, 1996 ; Brochu, Guyon et Desjardins, 2001 ; Kinlock, O'Grady et Hanlon, 2003 ; Peters, Strozier, Murrin et Kearns, 1997 ; Pernanen, Cousineau, Brochu et Sun, 2002).

En Australie, un programme similaire à ADAM a été mis en place sur sept sites en 1999. Là encore, les résultats indiquent une forte prévalence de consommation de drogues illicites de la part des personnes arrêtées. À titre d'exemple, soulignons qu'entre 37 % et 69 % des personnes arrêtées présentaient des traces de cannabis dans leur urine. Toutefois, les amphétamines constituaient la deuxième drogue en importance, alors que 41 % des femmes et 28 % des hommes en présentaient des traces dans leur urine (Milner, Mouzos et Makkai, 2004). De toutes ces études qui utilisent des tests d'urine pour déceler une consommation relativement récente, on peut faire ressortir quelques constats. D'abord, la consommation de drogues illégales par des personnes arrêtées semble un phénomène plutôt commun. Toutefois, bien que le cannabis se retrouve généralement parmi les drogues les plus souvent repérées, d'autres drogues sont présentes, mais varient beaucoup selon le pays ou l'époque étudiés.

La drogue en prison

La majorité des détenus présentaient donc une histoire de consommation importante de drogues illicites avant leur incarcération. Cette aventure ne se termine certes pas avec la détention. Des drogues de toutes sortes entrent, circulent et sont consommées en pénitencier :

L'introduction illicite de drogues en milieu carcéral est un phénomène inévitable [...]. Phénomène de société, la drogue a pénétré dans les pénitenciers au même moment où ceux-ci ont commencé à « s'ouvrir » sur le monde, vers la fin des années 1960. Les boissons fermentées et l'alcool distillé clandestinement y ont circulé bien avant. Les mesures prises en vue d'humaniser l'incarcération et de favoriser le contact avec la communauté, la famille et les amis, sont devenues autant d'instruments utilisés pour faire la contrebande de drogues. (Lévesque 1994, p. 265)

Les drogues sont donc facilement disponibles en prison ou en pénitencier et certains experts affirment même que les centres de détention offrent un environnement qui soutient et encourage la consommation (Observatoire européen des drogues et des toxicomanies, 2001). D'entrée de jeu, le contexte carcéral constitue un lieu idyllique pour le commerce de la drogue puisqu'on y enferme des trafiquants qui connaissent bien les rouages et le réseau de distribution des drogues illicites à un grand nombre de consommateurs (la proportion consommateurs/trafiquants est certainement plus intéressante en centre de détention que dans la rue) : la toxicomanie dans la population carcérale crée une forte demande et les trafiquants s'efforceront d'assurer l'offre. (McVie, 2001, p. 7)

Bien plus, le contexte carcéral amène son lot de difficultés si bien que l'ex-usager a toutes les raisons de rechuter. Quel détenu ne rêve pas de s'évader, du moins en pensée, de cet univers pour le moins difficile créé par la perte de liberté et le climat carcéral ? Certaines drogues, par leurs fonctions anesthésiques ou euphorisantes, fournissent alors à l'usager un moyen fort intéressant d'y parvenir (Chayer, 1997 ; Monceau, Jaeger, Gravier et Chevry, 1996 ; Plourde et Brochu, 2002 ; Plourde, Brochu et Lemire, 2001).

Tous les contacts avec le monde extérieur deviennent des occasions possibles pour faire pénétrer la drogue dans l'enceinte de la prison (Observatoire européen des drogues et des toxicomanies, 2002). Les absences temporaires, les visites familiales privées et les visites au parloir, créées pour aider au maintien des liens sociaux, constituent des moments idéaux pour introduire des drogues en pénitencier. Ainsi, à titre d'exemple, un détenu et son frère se sont acheté des baskets de la même marque et de la même pointure. Le frère en question a cependant pris soin de modifier les siens pour y fabriquer une fausse semelle pouvant contenir de la drogue. Au moment de la visite, le détenu et son frère se déchaussent. À la fin de la rencontre, le détenu aura pris soin d'enfiler les baskets de son frère et vice-versa. La drogue fera maintenant son chemin dans les cellules. Il ne s'agit là que d'un exemple parmi bien d'autres. On pourrait également penser à l'utilisation de timbres-poste imbibés de LSD ; à l'introduction de fruits farcis de drogues ; au transfert d'un condom contenant de la drogue lors d'un baiser passionné... Pour un détenu qui doit passer du temps en prison, l'ingéniosité ne manque pas.

Même si l'utilisation du détecteur à ions et la fouille des vêtements du détenu peuvent s'effectuer sans grand problème et de façon routinière, il est plus difficile de mettre en place un système de détection obligatoire visant à explorer les cavités corporelles du détenu ayant bénéficié d'une absence temporaire ou de ses visiteurs.

L'interdiction de faire circuler un bien confère à ce dernier une valeur monétaire accrue. Le coût de la drogue de rue se voit donc multiplié proportionnellement à la difficulté de se la procurer dans le contexte carcéral[15]. Comme l'argent liquide circule très peu entre les détenus, vu son interdiction et sa confiscation par les autorités carcérales, les consommateurs utiliseront des moyens alternatifs afin de s'acquitter des débours reliés à leur consommation illicite ; ils troqueront leur ration de cigarettes et des objets achetés à la cantine, ils utiliseront des mandats ou se délesteront de cadeaux reçus de l'extérieur (Plourde et Brochu, 2002). Certains consommateurs, une minorité selon leurs dires, ne pourront payer tous les frais reliés à leur consommation et accumuleront des dettes qui entraîneront éventuellement une série de conséquences plutôt malheureuses (e. g. demande de protection aux autorités correctionnelles [18 %] ; introduction de drogues en pénitencier [15 %] ; règlement de compte [10 %] [Plourde et Brochu, 2002]). Ainsi, un rapport de McVie (2001) indique que le quart des détenus subirait, des pressions pour introduire illégalement des drogues dans l'établissement :

> Lorsque l'offre est réduite, parfois au moyen d'efforts d'interdictions efficaces, les prix augmentent et les délinquants, leurs familles et les visiteurs sont forcés

---

15. Un gramme de cannabis qui se transige à des prix variant entre 10 et 20 $ à Montréal se vend entre 100 et 200 $ dans un établissement à sécurité maximale (Plourde et Brochu, 2002). Toutefois, ces prix varient énormément d'une institution à l'autre, et parfois même en fonction de l'usager et du réseau dont il fait partie (Cope, 2000).

d'introduire des drogues dans les établissements, ce qui perpétue le cycle économique clandestin caractérisé par les menaces, l'intimidation et trop souvent, la violence. (McVie, 2001, p. 7)

À ces substances psychoactives illicites en usage dans le monde libre s'ajoute l'utilisation de produits « techniques » qui permettent aux détenus de jouir d'un moment de liberté frelatée : la colle ; la lotion après-rasage ; le cirage à chaussures ; la peinture ; la fameuse bière[16] de fabrication artisanale produite à partir de fruits et de légumes ; et l'alcool distillé à la suite de divers procédés créatifs. Enfin, il ne faudrait pas oublier le trafic de psychotropes initialement prescrits par le médecin de l'établissement pour des problèmes spécifiques, mais qu'on garde parfois pour pouvoir consommer en plus fortes doses ou qui sont acheminés dans les circuits du marché illicite qui prévaut en prison (Carter, 1981).

L'emprisonnement des usagers de drogues illicites ne règle donc pas nécessairement leur problème de consommation. Ainsi, l'usage de drogues durant l'incarcération constitue un phénomène relativement fréquent (Cope, 2000). Au Québec, un peu plus du quart (29 %) des détenus incarcérés dans les pénitenciers rapporte avoir consommé une drogue au moins une fois durant une période de trois mois de détention[17] (Plourde et Brochu, 2002). Par ailleurs, il faut bien dire que la consommation de drogues diminue généralement en termes de fréquence autant que de quantité durant le séjour carcéral. Lorsque l'on questionne les détenus sur ce qui influence cette décision de réduire la fréquence et les quantités consommées, la grande majorité (81 %) évoque un choix personnel ; toutefois, le prix élevé des drogues en contexte carcéral pèse dans la balance pour le tiers des répondants (36 %) (Plourde et Brochu, 2002).

Bien plus, la majorité des détenus affirme changer de produit ; la cocaïne est délaissée pour le cannabis par la plupart des usagers. Il faut bien comprendre que, pour plusieurs détenus, la cocaïne, ou tout autre cocktail stimulant, intensifie le lien à la réalité présente, et bien peu de détenus recherchent ce type d'expérience durant leur séjour carcéral. Pour un

---

16. Souvent appelée « broue » ou « baboche » au Québec.
17. Notons que la prévalence de consommation de drogues illicites en pénitencier est supérieure à celle de l'alcool (Plourde et Brochu, 2002).

détenu consommateur, il importe de trouver l'état second approprié au contexte. De son côté, le cannabis procure un sentiment d'euphorie, un état de relaxation recherché, une fuite du temps présent (Cope, 2000 ; Plourde et Brochu, 2002). Ce choix est tout de même relativement surprenant compte tenu des exhalaisons que dégage ce produit lorsqu'il est fumé ainsi que la durée de détection possible du cannabis dans les urines. Questionnés sur cet élément, la grande majorité des détenus, surtout ceux qui disent avoir fait usage de drogues, affirment que les gardiens sont conscients de la consommation de cannabis au sein des établissements de détention, mais la toléreraient. En fait, la consommation de cannabis serait davantage acceptée que l'usage d'alcool ou d'autres drogues qui affecteraient négativement le climat carcéral (Plourde et Brochu, 2002)[18].

Ce sont dans les établissements à sécurité maximale et moyenne que l'on trouve le plus de consommation (Plourde, 2001). Toutefois, il semble plus facile de se procurer des drogues illicites dans les établissements à sécurité minimale. Cet apparent paradoxe est explicable par la facilité de contacts avec le monde extérieur dont bénéficient les détenus incarcérés dans les établissements à sécurité maximale et moyenne, ce qui favorise l'entrée des drogues dans le périmètre du pénitencier. Pourtant, ce contact constant avec l'extérieur fait craindre la perte de ce privilège pour le détenu qui serait surpris en train de consommer. Ce sont surtout les jeunes détenus, ceux qui cumulent plusieurs incarcérations, ainsi que les personnes qui éprouvaient des problèmes de consommation avant leur détention qui font le plus usage de drogues durant leur séjour carcéral (Plourde et Brochu, 2002).

Quelques études nord-américaines et européennes indiquent également une forte prévalence de consommation de substances psychoactives durant la détention (Cope, 2000 ; Edgar et O'Donnel, 1998 ; Jean, 1997 ; Keene, 1997a et 1997b ; Monceau, Jaeger, Gravier et Chevry, 1996 ; Rotily, 1998 ; Seddon, 1996 ; Stevens, 1997). À titre d'exemple, mentionnons une étude du Home Office (Edgar et O'Donnel, 1998). Selon cette étude, les trois quarts des détenus disent avoir déjà consommé du cannabis durant leur déten-

---

18. Cette perception rejoint les résultats des études effectuées par Cope (2000), Edgar et O'Donnel (1998) ainsi que celle de Keene (1997).

tion. La seconde drogue la plus populaire est l'héroïne (44 %), suivie des médicaments prescrits (39 %). Des tests d'urine effectués au hasard ont permis de détecter des traces de cannabis ou d'opiacés dans 37 % des cas. Un rapport de l'Observatoire européen des drogues et des toxicomanies (Observatoire européen des drogues et des toxicomanies, 2004) indique pour sa part qu'entre 8 et 60 % des détenus avouent avoir déjà consommé une drogue illicite durant leur incarcération et de 10 à 35 % feraient état de consommation régulière. Comme au Québec, la majorité des consommateurs a tendance à réduire sa consommation durant la période d'incarcération et à favoriser le cannabis (Observatoire européen des drogues et des toxicomanies, 2002). Toutefois, contrairement à la situation canadienne, la consommation d'héroïne semble relativement populaire et inquiétante (au moins 50 % des détenus, ou plus dans certains cas). Enfin, on relève plusieurs cas d'initiation aux drogues en prison :

> Selon plusieurs études menées en Belgique, en Allemagne, en Espagne, en France, en Irlande, en Italie, en Autriche, au Portugal et en Suède, de 3 à 26 % des usagers de drogues en prison indiquent s'être drogués pour la première fois en prison alors que de 0,4 à 21 % des UDVI incarcérés ont commencé à pratiquer l'injection en prison. (OEDT, 2002, p. 52)

SYNTHÈSE

Ce chapitre a laissé un large espace à la présentation de résultats d'études de prévalence. Ces études sont claires : la majorité des personnes contrevenantes, tant les adolescents que les adultes et tant les femmes que les hommes, consomment des drogues illicites. À partir de l'exposé de ces résultats, il serait aisé de croire que la consommation de drogues constitue l'élément explicatif de la délinquance. Toutefois, ces études restent habituellement muettes sur la nature des liens qui unissent les drogues et la criminalité puisqu'elles ne présentent que des statistiques d'association. Il faut donc réfréner nos ardeurs à conclure trop rapidement.

Avant de poursuivre nos analyses, il s'avère important de rappeler certains faits :

- si une personne s'initie à l'usage de drogues ou à la criminalité, elle risque de le faire à l'adolescence ;

- la majorité des adolescents qui s'initient à l'usage des drogues illicites se limite à une consommation de cannabis et n'en deviendra jamais dépendante ;
- si la grande majorité des jeunes contrevenants consomme des drogues illicites, cela ne signifie pas nécessairement que les usagers occasionnels de drogues commettent des crimes, car ce n'est pas le cas ;
- le passage de jeune contrevenant expérimentateur de drogues illicites à criminel toxicomane ne se fait pas automatiquement ;
- un bon nombre de jeunes contrevenants qui font usage de drogues illicites ne deviendront jamais des criminels ou des toxicomanes adultes ;
- l'analyse des résultats obtenus à l'aide de rapports autorévélés indique que plus des deux tiers des jeunes contrevenants consommateurs vont continuer à utiliser des drogues illicites à l'âge adulte, mais près de la moitié d'entre eux vont interrompre leur implication criminelle (Chaiken et Johnson, 1988 ; voir également Chung, Hill, Hawkins, Gilchrist et Nagin, 2002 ; Hammersley, Marsland et Reid, 2003) ;
- toutefois, l'usage de drogues retarde habituellement la sortie du milieu criminel (Menard, Mihalic et Huizinga, 2001) ;
- la grande majorité des adultes judiciarisés intègrent également la consommation de drogues illicites à leur style de vie (Pernanen, Cousineau, Brochu et Sun, 2002) ;
- un bon nombre parmi eux en deviennent même dépendants et commettent leur délit en étant intoxiqués ou dans le but de s'intoxiquer (Pernanen, Cousineau, Brochu et Sun, 2002) ;
- selon des études américaines, les femmes judiciarisées consomment presque autant que leurs collègues masculins, sinon plus (Kerber et Harris, 2001) ; elles se démarquent cependant des hommes par un plus grand nombre de symptômes psychiatriques et de problèmes sanitaires (VIH/SIDA), un nombre accru de comportements à risque visant à se procurer de la drogue ;
- l'incarcération ne règle pas nécessairement le problème de consommation puisque la majorité des drogues y circule (Plourde et Brochu, 2002) ;

• toutefois, plusieurs facteurs font en sorte que l'on observe généralement une modification du style de consommation tant sur le plan
des produits utilisés que de la fréquence d'usage (Plourde et Brochu,
2002).

Un des sous-groupes qui mérite l'attention des autorités sociosanitaires
en ce qui a trait à la consommation de drogues illicites est, sans contredit,
celui des personnes judiciarisées. Celles-ci consomment beaucoup plus
que l'ensemble de la population. Ceci est particulièrement vrai pour les
femmes contrevenantes. Leur incarcération permet de réduire leur consommation, mais ne règle en rien leurs problèmes d'abus. La consommation de drogues en milieu carcéral doit se comprendre en fonction de la
trajectoire de consommation passée du détenu. Bien sûr, un consommateur
régulier aura tendance à poursuivre sa consommation de drogues en milieu
carcéral. Toutefois, là comme à l'extérieur, sa consommation dépendra du
contexte et s'adaptera en conséquence. Choix et décisions apparaissent ici
comme des mots clés qui servent à comprendre la consommation de drogues en milieu carcéral.

Avant de terminer ce chapitre, il importe d'insister sur le fait que le portrait jusqu'ici tracé demeure partiel. En effet, il est bien évident que les
statistiques sur la criminalité ne font état que des personnes appréhendées
et condamnées, et laissent ainsi un vide dans la compréhension des rapports entre drogue et criminalité pour l'ensemble des contrevenants. Ainsi,
plusieurs délits ne sont jamais rapportés ou identifiés[19]. Bon nombre de
transgresseurs contre lesquels une plainte a été portée ne seront jamais
appréhendés et ceux qui font l'objet du processus judiciaire proviennent
généralement de classes socio-économiques défavorisées. Enfin, certains
contrevenants appréhendés seront relâchés, faute de preuves. Par ailleurs, il
est probable que les toxicomanes exempts de contact avec le système de justice entretiennent une relation avec les drogues illicites différente de celle
de leurs pairs qui ont été appréhendés. Aussi, il y a tout lieu de croire que la
relation jusqu'ici esquissée entre la consommation de drogues illicites et les

---

19. On peut penser aux fraudeurs d'impôts, aux voleurs de matériel d'entreprise ou
encore à toute une série de crimes d'accord commun.

personnes appréhendées par le système de justice pénale ne puisse se généraliser à l'ensemble des contrevenants, et encore moins à la majorité des toxicomanes ou consommateurs de drogues.

Le présent chapitre nous a fourni une vue d'ensemble statistique du lien qui unit la drogue et la criminalité. Pourtant, cette présentation rapide ne s'avère pas suffisante pour bien comprendre la nature de ces relations. Déjà en 1981, Zinberg nous éclairait sur un point essentiel en matière de drogues : la connaissance du produit n'est pas suffisante pour expliquer l'ensemble de ses effets, il faut également tenir compte du consommateur et du contexte. Cette mise en garde est d'autant plus importante lorsqu'on s'intéresse à deux éléments (drogue et criminalité) que l'on tente d'associer. Les prochains chapitres s'attarderont tour à tour à mieux connaître les propriétés criminogènes éventuelles des drogues, à mieux comprendre le consommateur contrevenant et à analyser le rôle d'un contexte répressif sur les rapports entre la drogue et la criminalité.

2
DES SUBSTANCES AUX PROPRIÉTÉS CRIMINOGÈNES?

Les données épidémiologiques présentées au chapitre précédent témoignent de l'existence d'une relation entre la consommation de substances psychoactives illicites et l'implication criminelle chez les contrevenants appréhendés par le système de justice pénale. Par ailleurs, l'hypothèse d'un lien causal unidirectionnel entre drogue et criminalité a subi l'assaut d'éléments contradictoires. Elle a donc dû être écartée pour une majorité de contrevenants déjà initiés à des activités délinquantes avant même de faire usage de drogues illicites. Toutefois, il importe de poursuivre notre quête du sens à donner aux résultats de recherches sur ce thème afin de mieux comprendre la nature des rapports entre drogue et criminalité. Des études scientifiques nous informent parfois que les abuseurs de substances psychoactives commettent des actes d'une gravité plus grande que les non-abuseurs (D'Orsonnens, 2000; Kerber et Harris, 2001). Eux-mêmes ont tendance à attribuer leur implication criminelle à leurs excès ou abus[1] (Makkai et Payne, 2003). Que signifie ici le mot abus?

---

1. Entre le tiers et la moitié des personnes arrêtées attribueraient le délit commis à l'abus de drogues.

LA CONSOMMATION DE DROGUES

Certaines personnes consomment trop en une seule occasion, ce qui les mène ainsi à l'intoxication ; d'autres consomment trop souvent démesurément, ce qui les conduit à l'accoutumance et à la dépendance[2]. En effet, les substances psychoactives possèdent deux propriétés qui sont souvent associées à la criminalité. La première constitue un effet à court terme : l'intoxication. La deuxième s'acquiert à la suite d'un parcours particulier d'utilisation de drogues : la dépendance. D'une part, on suppose que, sous l'emprise d'une ou de plusieurs drogues, le consommateur modifierait ses comportements pour donner libre cours à certains penchants criminels qu'il n'aurait pas autrement libérés. D'autre part, certains produits psychotropes se transigent à des prix élevés. La personne qui en devient dépendante hérite alors d'un fardeau économique important et risque de s'adonner à des activités criminelles. Tour à tour, voyons plus en détail ces deux propriétés des substances psychoactives pouvant mener à la criminalité.

Près du quart des personnes victimes de crimes en Angleterre croyait que leur agresseur avait consommé une drogue illicite[3] (Wright et Klee, 2001). Une autre étude (Tardiff, Marzuk, Lowell, Portera et Leon, 2002) utilisant des données officielles du système de justice sur les homicides perpétrés à New York indiquait que plus du tiers de ces délits était associé à l'intoxication à une drogue illicite[4] du contrevenant (29 %), de la victime (26 %) ou des deux (35 %) protagonistes[5]. Qu'entendons-nous par intoxication ?

Dans le langage familier, ce terme réfère aux perturbations des fonctions cérébrales à la suite de l'ingestion ponctuelle d'une substance[6] (Léonard et

---

2. La dépendance n'est pas qu'une question de consommation excessive ; elle répond souvent à un besoin de fuir une réalité trop pénible.
3. Il faut toutefois savoir que cette proportion s'élevait à la moitié lorsqu'il était question de la perception de l'intoxication à l'alcool du contrevenant.
4. Les trois quarts étaient associés à l'alcool.
5. Lorsque la substance consommée était connue, il s'agissait alors le plus souvent de cocaïne (62 %).
6. Selon Léonard et Ben Amar (2000), au sens strict, il y aurait intoxication seulement si la substance consommée atteignait dans l'organisme une concentration s'approchant de la dose létale. Dans le langage familier, cette définition réfère plutôt au surdosage.

Ben Amar, 2000). Les médias, et il ne sont pas les seuls, attribuent souvent à ces perturbations un rôle actif dans la perpétration d'actes criminels. Une étude canadienne (Brochu, Cournoyer, Motiuk et Pernanen, 1999) nous éclaire ainsi sur la perception que les détenus fédéraux ont de leur intoxication le jour où ils ont commis le délit qui les a menés au pénitencier. Une grande majorité d'entre eux (83 %) rapportent que leur usage de drogues illicites a obscurci leur jugement[7] et le tiers d'entre eux affirment que la drogue les a rendus plus querelleurs[8]. Diverses substances psychoactives semblent donc posséder des propriétés qui facilitent un passage à l'acte criminel ; certains affirmeront même que les drogues possèdent des propriétés criminogènes. Autrement dit, certains usagers commettraient des crimes qu'ils n'auraient pas perpétrés s'ils n'avaient pas été sous l'effet d'une drogue. En effet, on peut facilement convenir que la consommation d'une substance qui affecte le fonctionnement du système nerveux central (SNC) puisse avoir des effets sur les fonctions cognitives, l'état émotionnel ou même certaines fonctions physiologiques, donnant ainsi lieu à des comportements criminels (Boles et Miotto, 2003). On discute ici des effets psychopharmacologiques du produit[9]. Avant d'entamer l'étude des propriétés des principales substances psychoactives pouvant être en relation avec la criminalité, rappelons-nous que :

> [l]'effet de la ou des substances surconsommées par une personne impliquée dans un comportement de violence est évidemment un facteur important variant en fonction de différents paramètres reliés à la consommation tels que le type de substance, leur nombre, les quantités consommées, le mode d'administration et la relation entretenue entre le consommateur et le produit. (Paquin, 2000, p. 42)

---

7. Et 92 % tiennent le même propos pour l'alcool.
8. La moitié dit la même chose quand l'alcool est en cause.
9. Quoique l'intoxication à certaines substances psychoactives ait depuis longtemps été associée à divers comportements criminels, et plus particulièrement à des gestes violents de la part des consommateurs, il faut bien se rappeler que la très grande majorité des épisodes de consommation de drogues ne se conclut pas par un épisode criminel.

Examinons maintenant une à une les substances psychoactives les plus fréquemment consommées afin de mieux comprendre le lien entre leurs propriétés respectives et la manifestation éventuelle d'actes criminels[10].

La marijuana

La marihuana demeure la drogue illicite la plus fréquemment consommée à travers le monde depuis plusieurs années. Quoiqu'elle soit habituellement classée parmi les perturbateurs du système nerveux central, elle produit des effets qui s'apparentent généralement aux dépresseurs : un état altéré de conscience caractérisé par une légère euphorie, un ralentissement des fonctions motrices, une détente (Boys, Marsden et Stangh, 2001), ainsi qu'une perception éthérée du temps qui passe :

> Ils sont caractérisés par l'euphorie, la loquacité et une gaieté allant jusqu'à l'hilarité. Cette sensation de bien-être s'accompagne généralement d'une distorsion de la perception du temps, de l'espace et de l'image de soi, ainsi que d'une accentuation des perceptions sensorielles. La mémoire à court terme, l'attention et la concentration sont réduites. Il peut aussi y avoir une augmentation de l'appétit, particulièrement pour les aliments sucrés. Plus rarement, l'anxiété et des vertiges sont observés. (Léonard et Ben Amar, 2000, p. 145)

L'intoxication à la marijuana est rarement mise en rapport causal avec la criminalité (Boyum et Kleiman, 2003 ; Friedman, Terras et Glassman, 2003 ; Harrison, Erickson, Adlaf et Freeman, 2002 ; Smart, Mann et Tyson, 1997). Bien au contraire, la consommation de marijuana semble inhiber les comportements de violence (Hoaken et Stewart, 2003 ; Resignato, 2000). Toutefois, certaines personnes psychologiquement fragiles pourraient expérimenter des *idéations* paranoïdes (Boles et Miotto, 2003).

---

10. L'alcool constitue la drogue la plus souvent mise en cause dans les actes de violence (Parker et Auerhahn, 1998 ; Pernanen, Cousineau, Brochu et Sun, 2002 ; Roth, 1994 ; Sun, Cousineau, Brochu et White, 2004 ; Wincup, Bucklant et Bayliss, 2003). Étant donné que cette substance psychoactive a actuellement un caractère licite dans l'ensemble des pays occidentaux et, compte tenu des limites que nous avons voulu imposer à cette analyse (e. g. discussion des travaux portant sur les drogues illicites et la criminalité), nous traiterons de la relation entre l'alcool et la criminalité dans un autre ouvrage.

Avant de nier toute association entre la consommation de cannabis et certains comportements criminels, il faut toutefois savoir que certains contrevenants utilisent le cannabis à des fins instrumentales de façon à calmer leur stress lors d'une opération criminelle déjà projetée (Brunelle, 2001). Les propriétés psychopharmacologiques du produit ne constituent plus ici la cause, mais plutôt un outil permettant d'actualiser un agir criminel.

La cocaïne, l'ecstasy et les autres stimulants majeurs

Les stimulants majeurs constituent les drogues illicites les plus consommées en Amérique du Nord après le cannabis. Ils possèdent, comme leur nom l'indique, la propriété principale de stimuler le système nerveux central.

> Ces substances entraînent une euphorie fébrile allant d'un effet agréable à une sensation orgasmique (*flash*). Ils suppriment la sensation de fatigue et le besoin de sommeil, stimulent la vigilance, augmentent la mémoire et les perceptions sensorielles. Ils ont également un effet anorexigène (suppression de l'appétit) et peuvent générer de l'anxiété. Qualitativement, les effets de ces substances sont similaires. Par contre, la puissance et la durée d'action des amphétamines sont supérieures à celles de la cocaïne. (Léonard et Ben Amar, 2000, p. 141)

Parmi l'ensemble des stimulants majeurs, arrêtons-nous plus spécifiquement aux produits qui sont actuellement les plus consommés : la cocaïne, l'ecstasy et les amphétamines.

La cocaïne

Quelques études (voir Boles et Mioto, 2003 ; Dunlap et Johnson, 1996 ; Friedman, Terras et Glassman, 2003 ; Moeller, Dougherty, Barratt, Oderinde, Mathias, Harper et Swann, 2002 ; Van Nostrand et Tewksbury, 1999) indiquent que la stimulation produite par la prise de cocaïne serait susceptible d'engendrer des épisodes violents :

> Outre une exaspération des sensations, en particulier auditives et visuelles, le cocaïnisme chronique se caractérise par des manifestations somatiques avec une multitude de troubles nerveux et de symptômes psychiques, comprenant des troubles de la mémoire et surtout des perturbations de l'affectivité et de l'humeur. Ainsi, l'abus chronique de stimulants aboutit à de graves psychoses de type schizophrénique paranoïde, à mécanisme hallucinatoire et interprétatif mais

continuellement centrées sur les thèmes de la persécution. (Trovéro, Pirot et Tassin, 1989, p. 14)

Pour les consommateurs qui utilisent des modes d'usage brutaux, tels l'injection, la base libre[11] (*freebase*) ou le crack, la consommation de cocaïne pourrait activer une suspicion extrême ou faire apparaître des délires paranoïdes importants (Comité spécial sur la consommation non médicale de drogues ou médicaments, 2002 ; Erickson, Buttert, McGillicuddy et Hallgren, 2000 ; Miller, 1991 ; Miller, Gold et Mahler, 1991). On discute parfois d'une certaine forme de contagion des sentiments paranoïdes parmi les personnes intoxiquées à la cocaïne (Carlson et Siegal, 1991). Par exemple, des consommateurs tenteraient de débusquer un individu présumément caché dans un placard. D'autres surveilleraient le ciel afin de distinguer un hélicoptère de la police qui, croient-ils, serait à leur recherche. Certains vont même se méfier du voisin de palier, croyant qu'il s'est transformé en indicateur à la solde des policiers. Face à des sentiments paranoïdes, deux réactions sont communes : la fuite ou l'attaque. Voilà toutefois qu'une autre propriété de la cocaïne entre en jeu, soit celle d'induire un sentiment de puissance. Cette harmonie entre une réaction paranoïde et un sentiment de puissance fait en sorte que plusieurs consommateurs de cocaïne n'auront pas tendance à sortir de la situation et se retrouveront ainsi dans un contexte potentiellement violent. Heureusement, un certain nombre de consommateurs susceptibles de souffrir de cet état paranoïde prendront soin de consommer d'autres substances psychoactives jouant un rôle dépresseur, telle l'héroïne (*speed-ball*)[12], afin d'atténuer de tels effets négatifs. Enfin, notons que la violence peut également découler de l'irritabilité produite par ce que les consommateurs de cocaïne appellent le *crash* à la fin de la période d'intoxication (Goldstein, 1998).

Une étude nous indique toutefois qu'il faut être extrêmement prudent avant d'attribuer la criminalité à la consommation d'une substance psychoactive telle que la cocaïne. En effet, Moeller, Dougherty, Barratt, Oderinde, Mathias, Harper et Swann (2002) indiquent bien que l'association de la

---

11. La base libre est de la cocaïne sans acide chlorhydrique. Elle peut être fumée à basse température dans une pipe à eau classique.
12. L'alcool est également très populaire parmi les usagers de cocaïne.

cocaïne à la violence disparaît lorsqu'on tient compte adéquatement de la personnalité du contrevenant.

L'ecstasy

Tout comme la cocaïne, l'ecstasy génère une excitation accompagnée d'un sentiment de puissance tant physique qu'intellectuelle (Rouillard, 2003). Toutefois, ce produit possède des caractéristiques supplémentaires recherchées par un bon nombre de consommateurs :

> Comme certains de ses congénères de la famille des amphétamines, l'ecstasy possède des propriétés hallucinogènes qui entraînent des modifications importantes au niveau des fonctions sensorielles auxquelles s'ajoutent des propriétés particulières : l'ecstasy diminue les inhibitions psychiques, facilite l'expression des émotions et les sentiments d'empathie envers les autres et donne une sensation de liberté dans les relations interpersonnelles. (Rouillard, 2003, p. 26)

Les effets empathogène[13] et entactogène[14] combinés de la prise d'ecstasy font en sorte que les consommateurs ont tendance à se sentir connectés les uns aux autres, à se rapprocher, à se toucher et à se laisser caresser. Rouillard (2003) mentionne qu'il n'est pas rare, dans un *rave*, de voir des chaînes de massage se créer spontanément. Parmi les effets indésirables provoqués par la consommation d'ecstasy se trouvent des comportements irrationnels, impulsifs et même obsessifs, une altération de la perception du temps et des hallucinations mentales (Rouillard, 2003).

À la fin de l'intoxication, il s'ensuit des effets inverses à ceux qui sont recherchés (état dépressif, anxiété généralisée, agitations, troubles du sommeil, troubles érectiles...), ce que certains *ravers* nomment la *descente aux enfers*. On peut donc facilement imaginer que le fait de consommer à forte dose un stimulant puissant combiné au fait d'être privé de sommeil pendant de longues nuits de danse peut provoquer certaines exaspérations chez l'usager lors du retour au quotidien.

---

13. Impression de pouvoir se mettre à la place de l'autre ; de comprendre ce que l'autre personne ressent.
14. Sensation de flottement, de bonheur et de bien-être physique.

Les amphétamines

Les amphétamines appartiennent également à la famille des stimulants du système nerveux central. En ce sens, leur utilisation permet d'atteindre un plus grand niveau de conscience et induit un degré de sensibilité exceptionnel. On les a prescrits pour traiter la narcolepsie, la dépression, l'obésité, l'hyperactivité et même l'alcoolisme (Goode, 1999). Sur le marché noir, on les utilise pour mieux jouir des activités, pour atteindre une sensation euphorique ou pour savourer davantage la compagnie des personnes de l'entourage ; certains apprécieront le fait que, ce faisant, ils perdront du poids (Boys, Marsden et Strang, 2001).

Les effets deviennent toutefois pernicieux lorsque la réactivité extrême face aux stimuli de l'environnement provoque l'agacement, l'impatience et l'irritabilité, surtout en période de sevrage (Wright et Klee, 2001). Une consommation par voie intraveineuse ou un usage pathologique d'amphétamines pourraient engendrer de l'hypervigilance, un mauvais contact avec la réalité environnante, un état de panique, une labilité émotive, une hyperactivité, un mauvais jugement, un contrôle réduit de l'impulsivité des pensées paranoïdes et même des épisodes psychotiques donnant éventuellement lieu à des comportements agressifs non contrôlés (Boles et Miotto, 2003 ; Miller, 1991). Il semblerait que des épisodes psychotiques seraient plus fréquemment observés à la suite de l'utilisation d'amphétamines que de tout autre stimulant, incluant la cocaïne.

Pourtant, il faut être bien conscient que les épisodes violents ne sont pas universels. En fait, ces propriétés demeurent pratiquement inconnues chez les routiers qui utilisent cette drogue pour prolonger leur période d'éveil, ou chez les personnes qui recouraient jadis à cette drogue prescrite pour combattre l'obésité (Greenberg, 1976). Les comportements agressifs ne sont clairement pas le lot de tous les utilisateurs de stimulants majeurs. Par ailleurs, dans certains milieux, les amphétamines ont la réputation de rendre agressifs leurs usagers. Des utilisateurs seront alors attirés par cette notoriété afin de trouver la confiance nécessaire pour manifester un comportement déjà planifié et ensuite tenter de s'en disculper en attribuant la responsabilité à un élément extérieur (Makkai et Payne, 2003 ; Wright et Klee, 2001).

Les benzodiazépines et autres sédatifs hypnotiques

Les benzodiazépines et autres substances apparentées constituent des dépresseurs qui sont généralement prescrits pour leur effet sédatif. La personne à qui un médecin recommande ce traitement veut généralement régler ses problèmes d'insomnie ou d'anxiété. Une prescription de benzodiazépines devrait se faire pour une durée limitée :

> L'usage chronique de benzodiazépines peut amener un état d'apathie, de l'instabilité émotionnelle, de l'insomnie, une désorientation, des troubles de la mémoire, des difficultés d'élocution et de vision, des troubles psychomoteurs, des vertiges, des problèmes digestifs et des dysfonctions sexuelles. (Léonard et Ben Amar, 2000, p. 128)

Toutefois, un certain nombre d'usagers, particulièrement ceux qui œuvrent sur le marché illicite, recherchent dans ces drogues un effet de désinhibition. Les aboutissements pharmacologiques de leur usage s'apparentent alors à ceux de l'alcool. Ainsi, la personne intoxiquée pourra montrer des signes de labilité émotive, de désordres moteurs et cognitifs, de mauvais jugement, de même qu'un déficit de la mémoire (Boles et Miotto, 2003).

Sur le marché illicite, les personnes qui utilisent des sédatifs-hypnotiques les consomment rarement seuls. On en prend avec de la méthadone pour ressentir un effet légèrement plus intense ; on s'en sert pour éviter les effets secondaires de la cocaïne ou d'autres stimulants ; on en profite pour contrer partiellement les effets de sevrage[15] aux opiacés ou encore pour se « geler » lorsque les autres drogues ne sont pas disponibles (Boles et Miotto, 2003).

Le lien entre la consommation de benzodiazépines et la violence est souvent sujet à confusion dans l'esprit de la population en général, aussi bien que chez les cliniciens. Les études qui notent de l'agressivité chez les sujets qui en consomment indiquent généralement que des facteurs autres, habituellement la personnalité de l'usager ainsi que la dose consommée, constituent des variables médiatrices importantes (Hoaken et Stewart, 2003 ; Rothschild, 1992). D'autres considèrent au contraire les benzodiazépines

---

15. Dysfonctionnement du système nerveux produit par la réduction de la consommation (Léonard et Ben Amar, 2000).

comme des psychotropes qui permettent de mieux contrôler la violence de certaines personnes (Corrigan, Yudofsky et Silver, 1993).

On a remarqué que le sevrage de sédatifs-hypnotiques serait lié à l'irritabilité et à l'anxiété du consommateur et de là, possiblement, découlent des comportements violents (Fagan, 1993). Dans les cas les plus graves, le sevrage peut être accompagné d'hallucinations visuelles ou auditives (Boles et Miotto, 2003).

Les hallucinogènes de type LSD

Les hallucinogènes, tel le LSD, produisent des distorsions importantes sur le plan cognitif et comportemental ; ils altèrent la conscience sans engendrer le délire (Comité spécial sur la consommation non médicale de drogues ou médicaments, 2002). « Ces effets s'accompagnent d'une altération de la perception de soi, des formes, des couleurs, du temps et de l'espace. Ils peuvent causer des vertiges [...]. Ils peuvent entraîner des problèmes de coordination » (Léonard et Ben Amar, 2000, p. 147). Selon le contexte de consommation et les attentes de l'usager, les hallucinogènes peuvent créer de l'euphorie ainsi que des états similaires aux expériences transcendantales (Boles et Miotto, 2002). Toutefois, les réactions des consommateurs peuvent varier fortement, selon la confiance ou l'appréhension que ces derniers ont à l'égard du produit.

Les hallucinogènes sont rarement associés à la criminalité ou à la violence. Toutefois, leur consommation pourrait avoir pour effet de déclencher une psychopathologie latente ou d'exacerber des difficultés mentales déjà présentes chez un individu. Un contexte de consommation anxiogène ou traumatisant pourrait provoquer un très mauvais voyage (*bad trip*) :

> Les risques deviennent plus grands, dans les cas peu fréquents de « bad trips », lorsque le consommateur a un sentiment de frayeur ou de stupeur et de perte de contrôle ; la panique peut alors faire surface et générer des comportements violents envers soi-même ou les autres. (Paquin, 2000, p. 42)

Malgré ces effets rapportés, nous ne possédons pas actuellement de données claires permettant de croire que les propriétés psychopharmacologiques des hallucinogènes provoqueraient des comportements criminels.

La phencyclidine (PCP) et les hallucinogènes de type anesthésique dissociatif

Les hallucinogènes de type anesthésique dissociatif constituent des drogues aux propriétés multiples et aux effets kaléidoscopiques.

> Ces substances, dont le prototype est la phencyclidine (PCP), produisent des effets comparables au LSD tout en suscitant moins d'hallucinations. Ils produisent également une anesthésie générale, réduisant ainsi la perception de la douleur et de l'environnement. Ils sont plus fréquemment associés à des troubles de la mémoire, à des comportements étranges ou violents et à une psychose toxique. Outre des problèmes de comportement, le surdosage peut causer des troubles du métabolisme musculaire (rhabdomyolyse) susceptibles de provoquer un blocage rénal dû à l'accumulation de déchets métaboliques. L'intoxication chronique entraîne des problèmes intellectuels, psychologiques et psychiatriques. (Léonard et Ben Amar, 2000, p. 148)

On raconte fréquemment que l'usage de PCP, ou d'autres substances similaires telle la kétamine (*special K*), handicape sérieusement l'interprétation des stimuli externes et que certaines personnes deviendraient *désorientées* à la suite de sa consommation (Goode, 1999 ; Miller, 1991). Cependant, les études scientifiques ne parviennent pas à relier sans équivoque la consommation de PCP et la manifestation de comportements hostiles (Hoaken et Stewart, 2003). Les caractéristiques psychologiques (personnalité antisociale) et les antécédents psychiatriques des utilisateurs constituent parfois de bien meilleurs prédicteurs de l'expression des comportements violents que la consommation de PCP (Hoaken et Stewart, 2003). On peut alors croire que le PCP exacerbe les tendances, parfois bizarres, déjà présentes chez l'individu (Fauman et Fauman, 1982).

L'héroïne et les autres opiacés

Déjà en 1925, Kolb mentionnait que l'usage important d'héroïne ou de morphine changeait un psychopathe soûlard et batailleur en un vagabond sobre et paisible. En effet, les propriétés psychopharmacologiques des opiacés ne font généralement pas en sorte que la personne ainsi intoxiquée devienne violente. Bien au contraire, l'usage d'héroïne a souvent pour effet de calmer les ardeurs belliqueuses des consommateurs :

L'injection de certains opiacés (héroïne, hydromorphone) peut entraîner une sensation orgasmique ressentie dans l'abdomen, appelée le *rush*. Cet effet de très courte durée est suivi d'une période de somnolence marquée d'une heure. Elle s'accompagne d'une sensation de bien-être, de flottement, de rêves éveillés et d'un détachement de l'environnement physique et social. L'anxiété et la douleur, autant physique qu'émotionnelle, sont supprimées. L'individu est apathique et a de la difficulté à se concentrer. Les effets agréables résiduels persistent quelques heures. (Léonard et Ben Amar, 2000, p. 137)

En revanche, la hantise du sevrage[16] poursuit un bon nombre de consommateurs réguliers de drogues : « Souvent ici, le risque de violence est plutôt lié à l'état de manque ou de recherche parfois frénétique du produit pour échapper à la sévérité des effets de sevrage. » (Paquin, 2000, p. 42) On appréhende le sevrage pour les douleurs psychologiques et physiques qu'il entraîne. Il n'est pas rare d'observer des personnes qui manifesteront, durant ces périodes de sevrage, de l'irritabilité, de l'hostilité et parfois même des comportements franchement agressifs. Ainsi, la violence associée à la consommation régulière d'opiacés apparaît souvent liée à une quête désespérée de drogues pour éviter le sevrage (Boles et Miotto, 2003).

Encore ici, la nature des liens entre les opiacés et la criminalité doit s'interpréter à partir d'un ensemble complexe de variables mettant en rapport des variables psychopharmacologiques (incluant les réactions de sevrage) et interpersonnelles (Hoaken et Stewart, 2002).

LES EFFETS INTERACTIFS DES DROGUES

La consommation de plusieurs drogues apparaît comme une pratique répandue. Il est relativement courant que les jeunes utilisent un cocktail de plusieurs drogues parmi lesquelles se trouve l'alcool (Boys, Marsden et Strang, 2001 ; Dufour, 2004). On emploie alors le terme *polyconsommation* ou *polyusage* pour référer à cette façon de consommer lorsqu'elle est volontaire. Les drogues sont consommées de manière simultanée ou l'une à la suite de

---

16. Qui apparaît généralement de 8 à 12 heures après la dernière dose. Les symptômes typiques comprennent, entre autres, l'agitation, l'agressivité, l'irritabilité, la dysphorie, l'anxiété, des douleurs musculaires, des crampes et la diarrhée.

l'autre. Le consommateur tentera ainsi d'améliorer les effets d'une drogue ou d'éviter les aspects négatifs d'une monoconsommation.

Par ailleurs, une drogue illicite n'a pas à répondre aux exigences d'un contrôle de qualité et ni à se plier à des normes de production strictes qui garantissent au consommateur que le produit vendu est bien celui que la personne croit acheter (Goode, 1999). Bien souvent, les substances vendues ne contiennent pas seulement ce qu'elles sont présumées contenir norma-lement, mais elles sont *coupées* à l'aide de produits moins chers, qui pos-sèdent parfois des propriétés psychoactives différentes de celles qui sont recherchées lors de l'achat.

La consommation *intentionnelle* ou *accidentelle* de plusieurs drogues peut influencer grandement les réactions du consommateur face aux sti-muli de l'environnement. Alors que l'utilisation *simultanée* ou *séquentielle* (à l'intérieur d'une durée de temps limitée) de certaines substances ne pro-duira qu'un effet additif, le mélange d'autres agents pourra engendrer une synergie entraînant une réaction dépassant largement les attentes liées à la consommation de chacune de ces drogues prises séparément. Comme l'effet de la consommation d'une drogue unique n'est pas toujours bien compris, il va sans dire que l'effet combiné de la consommation de drogues multiples s'avère alors très difficile, voire impossible à prédire avec exactitude (Goode, 1999).

LA VICTIMISATION SOUS L'EFFET D'UNE SUBSTANCE PSYCHOACTIVE

Jusqu'ici nous avons porté notre regard exclusivement sur les propriétés des drogues qui pourraient favoriser le passage à l'acte criminel chez la per-sonne intoxiquée. Il ne faut pas pour autant négliger une autre facette de cette association entre drogue et criminalité : la victimisation des consom-mateurs. En effet, il apparaît que l'utilisation de substances psychoactives augmente les risques de subir des événements violents (Beaucage, 1998 ; Boles et Miotto, 2003 ; Kilpatrick, Acierno, Resnick, Saunders et Best, 1997). Au Québec, plus du quart des consommateurs de drogues illicites ont été victimes d'un crime contre la personne comparativement à moins de 10 % dans l'ensemble de la population (Parent, 2000).

Certaines personnes vont en effet se réunir pour consommer des drogues mais les interactions étant altérées par les produits consommés, il y a davantage risque de discussions, de querelles et d'altercations violentes. L'intoxication peut réduire la capacité à reconnaître les situations potentiellement à risque de victimisation, empêcher de prendre les moyens adéquats pour se protéger, diminuer la vigilance et la résistance, et entraîner dans une altercation perdue à l'avance (Hussey et Singer, 1993 ; Kilpatrick *et al.*, 1997 ; Parent, 2000 ; Windle, 1994). Bien plus, selon certains, les usagers de drogues constitueraient des cibles privilégiées pour la victimisation et ce, non seulement à l'intérieur des réseaux de consommateurs, mais également de la part de non-consommateurs qui verraient en eux des personnes sans grande défense, ayant des difficultés à identifier leur agresseur et à se faire entendre par les policiers et les tribunaux (Parent, 2000). Enfin, notons que l'illégalité du marché de la drogue force les usagers à consommer leurs drogues à l'abri du regard des policiers et hors de leur protection, ce qui les place parfois dans des situations difficiles et à hauts risques de victimisation (Kilpatrick *et al.*, 1997 ; Mullings, Marquart et Diamond, 2001).

Au cours des dernières années, la consommation d'un certain nombre de substances illicites a été associée spécifiquement à la victimisation sexuelle. On a surnommé ces produits les *drogues du viol*. On pense ici particulièrement à deux substances inodores et incolores, pouvant être aisément dissoutes dans une boisson alcoolisée sans en altérer le goût et rapidement éliminées dans les urines : le Rohypnol et le GHB (LeBeau, Miller et Levine, 2001 ; Negrusz et Gaensslen, 2003). Le Rohypnol, ou flunitrazépam, est un hypnotique benzodiazépanique qui n'est pas approuvé pour usage au Canada ou aux États-Unis[17]. Ce produit déclenche la sédation, la relaxation musculaire et le sommeil. Il peut produire une amnésie antérograde[18]. Le Rohypnol est parfois utilisé sciemment en conjonction avec d'autres dépresseurs du SNC, tels l'alcool, l'héroïne ou la marijuana, afin d'en augmenter les effets (Negrusz et Gaensslen, 2003).

---

17. Cette substance est utilisée légalement sous contrôle médical dans plus de 80 pays à travers le monde.
18. À la suite de la consommation de la substance, la personne a oublié des événements qui se sont déroulés avant ou au cours de son intoxication.

Le GHB est un produit connu depuis longtemps puisqu'il a été synthétisé dans les années 1960 (O'Connel, Kaye et Plosay, 2000). Il s'agit d'une substance produite naturellement par le corps humain en très petites quantités (LeBeau, Miller et Levine, 2001). Peu d'efforts commerciaux ont été faits pour la mise en marché de ce produit, mais il a été longtemps offert dans les centres d'aliments santé pour les clients qui recherchaient un supplément alimentaire. Il est souvent distribué illégalement pour ses propriétés aphrodisiaques. Les culturistes affirment parfois que le GHB facilite la métabolisation des gras et augmente la masse musculaire. Les *ravers* l'utilisent pour ses propriétés euphorisantes (O'Connel, Kaye et Plosay, 2000). Après avoir consommé l'une de ces substances, le plus souvent à leur insu, les victimes rapportent une perte de mémoire des faits durant et après la victimisation.

Par ailleurs, à la suite d'une agression violente, certaines victimes vont rechercher l'oubli ou la fuite de leurs émotions négatives dans l'intoxication. La victimisation constitue donc un facteur de risque pour la consommation de drogues. Malheureusement, on remarque que ce comportement de fuite devient un facteur de risque pour une nouvelle victimisation (Kilpatrick *et al.*, 1997) et ouvre ainsi parfois un cycle de meurtrissures et une fracture avec les services sociaux, car les consommateurs de drogues illicites y sont très mal accueillis (Parent, 2000).

Un mot sur la conduite sous l'influence d'une drogue illicite

Parmi les effets néfastes de l'intoxication se trouve la conduite d'un véhicule moteur avec facultés affaiblies par une drogue. Bien sûr, il ne s'agit pas d'une conséquence de la consommation au même titre qu'un épisode paranoïde causé par la prise de cocaïne, et c'est d'ailleurs pour cette raison que ce thème fait l'objet d'une section distincte.

Avant les années 1990, on s'intéressait rarement à la conduite avec facultés affaiblies par une drogue illicite. En fait, toute l'attention des défenseurs de la sécurité routière était tournée vers la conduite sous intoxication éthylique. Des études scientifiques ont alors permis d'établir des normes de consommation (habituellement moins de 50 mg/100 ml à 80 mg/100 ml de sang) pour conduire un véhicule automobile :

Ainsi, alors que la concentration réelle d'alcool dans l'organisme peut être mesurée facilement et avec exactitude à partir d'un échantillon d'haleine, seuls des échantillons de sang, d'urine ou de salive permettent de déceler la présence et la quantité d'autres types de drogues. En outre, les métabolites de certaines substances courantes, comme la marijuana, sont détectables dans l'urine des jours, voire des semaines après les avoir ingérées. (Beirness et Mann, 2005, p. 18)

La recherche sur la drogue au volant et la mise en place de moyens concrets pour dissuader de conduire un véhicule automobile lorsqu'on a consommé une drogue illicite accusent un retard fort important par rapport à l'alcool au volant. La majorité des études réalisées cherche à déterminer la prévalence de tels comportements. Ainsi, une enquête ontarienne a révélé que 1,9 % des conducteurs interrogés indiquent avoir conduit un véhicule automobile dans l'heure suivant l'usage de cannabis (Walsh et Mann, 1999). Malgré ce très faible pourcentage, une autre étude réalisée en Colombie-Britannique sur 227 personnes décédées à la suite d'un accident de la route indique la présence de drogues illicites ou de médicaments dans 20 % des cas (Mercer et Jeffrey, 1995). La substance la plus souvent décelée était le cannabis (18 %), suivie des benzodiazépines (5 %) et de la cocaïne (4 %). Une étude effectuée auprès des personnes grièvement blessées à la suite d'un accident automobile fait part de proportions semblables (cannabis : 14 % ; cocaïne : 5 %) sauf pour les benzodiazépines qui sont détectés dans 12 % des cas (Stoduto, Vingilis, Kapur, Sheu, McLellan et Liban, 1993). Toutefois, il serait regrettable d'attribuer directement ces accidents à l'intoxication du conducteur, puisque dans ces études on ne s'attarde pas aux divers facteurs potentiellement en jeu (e. g. l'état de la chaussée, la visibilité, les autres véhicules impliqués et les différentes circonstances entourant l'accident).

En fait, nous ne savons pas quelle quantité consommée ou quel niveau d'intoxication affecte vraiment la conduite automobile sécuritaire et nous ne disposons d'aucun moyen fiable pour déterminer le niveau d'intoxication des conducteurs.

SYNTHÈSE

Un certain nombre de drogues illicites pourraient donc avoir des liens directs avec les comportements criminels à travers différents mécanismes (Lavine, 1997). Les caractéristiques pharmacologiques générales de la majorité des substances psychoactives les plus courantes étant assez bien connues, il est donc possible de supputer par quels mécanismes la consommation de certaines drogues contribuerait au changement de comportement du consommateur. Toutefois, il est encore impossible de s'appuyer sur des études sérieuses permettant de bien comprendre la contribution spécifique de l'intoxication lors de la perpétration d'un acte criminel. L'impasse dans laquelle semblent stagner les recherches qui tentent de mieux cerner la nature de la relation intoxication-criminalité s'explique par la variété et l'extrême complexité de plusieurs facteurs. Chez l'humain, il faut entre autres tenir compte de la dose absorbée, de la pureté du produit, du mode d'administration, de la fréquence des consommations, de la tolérance naturelle et acquise de l'individu, etc. Bien plus, bon nombre de consommateurs utilisent un cocktail de drogues, dont fréquemment de l'alcool, pour vivre des sensations fortes et accéder à un plaisir facile et rapide (Collison, 1996 ; Pedersen, Wichstrom et Blekesaune, 2001). Il devient alors difficile de départager les effets d'une substance par rapport à une autre dans cet assortiment. Soulignons que des variables personnelles et contextuelles doivent également être prises en compte (Goode, 1999 ; Korf, Nabben, Diemel et Bouma, 2000).

Étant donné le thème de ce livre, ce chapitre ne se s'est pas attardé au rôle de l'alcool mais il faut être conscient que, parmi toutes les substances psychoactives, l'alcool est le plus fréquemment associé à la criminalité et le plus souvent mis en rapport avec la délinquance violente (Boyum et Kleiman, 2003 ; Dawkins, 1997).

LA DÉPENDANCE

De façon générale, les études scientifiques indiquent clairement que les contrevenants qui font un usage abusif de drogues illicites commettent plus de crimes que les non-consommateurs (Brochu et Parent, 2005 ; Parent et

Brochu, 2002). Cette situation s'explique facilement puisque les drogues illicites sont fort coûteuses par rapport aux revenus de la grande majorité des personnes dépendantes (Schneeberger, 1999 ; Schneeberger, Lauzon et Brochu, 1996). Lecavalier (1992) soulignait que les dépenses en drogue des cocaïnomanes pouvaient atteindre 43 000 $ par année. Cependant, selon l'importance de la consommation, on notera des variations considérables sur le plan des dépenses. Selon Grapendaal, Leuw et Nelen (1995), la consommation accaparerait plus des deux tiers du budget de l'héroïnomane. Dans ces conditions, certains toxicomanes développent un besoin d'argent qui s'apparente au besoin des personnes affamées (Uggen et Thompson, 2003).

Le niveau de crime varie selon la drogue dont l'usager est dépendant (Makkai et Payne, 2003). En effet, ce sont surtout les personnes dépendantes de l'héroïne ou de la cocaïne qui s'investissent dans la criminalité afin de satisfaire leur toxicomanie. Ainsi, ils commettraient cinq fois plus de vols à main armée et quatre fois plus de vols à l'étalage (Bennett et Sibbitt, 2000) que les autres utilisateurs de drogues illicites ; il faut savoir que ces deux produits constituent des drogues dépendogènes et coûteuses. Une personne qui abuse de cocaïne ou d'héroïne perpétrerait plus de 20 crimes par mois (Bennett et Sibbitt, 2000). À ceci doivent s'ajouter les centaines de transactions de drogues ou d'échanges de sexe et drogue effectués par ces toxicomanes (Foster, 2000). Ces usagers de substances psychoactives commettent donc des milliers de délits au cours de leur *carrière* toxicomane, et de façon plus intensive entre autres lors des périodes d'usage intensif. L'élément déclencheur de l'affermissement du lien entre la drogue et la criminalité apparaît ici comme étant l'installation d'une consommation importante et de la dépendance, ce qui entraîne une pression économique difficile, voire impossible à gérer avec les moyens habituels.

La représentation du style de vie des toxicomanes se nourrit très fréquemment de mythes et de préjugés extrêmement difficiles à déraciner. On associe très souvent les toxicomanes à des loques humaines dont la pensée et le sens moral sont gravement affectés par la consommation. Tels des épaves, ils se laisseraient porter au gré de la marée de la marginalité, de la déviance et de la criminalité. Pourtant, l'observation de leur mode de vie en trace un portrait plus actif. Plusieurs études démontrent que les grands consommateurs de stupéfiants utilisent généralement six moyens différents pour gérer le fardeau économique engendré par leur consommation (Cross, Johnson, Davis et Liberty, 2001 ; Faupel, 1991 ; Grapendaal, Leuw et Nelen, 1991 ; Schneeberger, 1999). Ces façons de faire ne sont pas mutuellement exclusives, bien au contraire ; l'implication dans plus d'un type d'activités lucratives constitue souvent la seule solution envisageable pour satisfaire les besoins monétaires engendrés par la toxicomanie.

Certains toxicomanes vont parvenir à conserver un *emploi*, du moins pour un temps limité (Grapendaal *et al.*, 1995). Il s'agit souvent de travaux au noir ou à temps partiel, mais rien n'exclut l'occupation d'un poste régulier. Pour un grand nombre de toxicomanes, le fait d'occuper une fonction sociale leur apportera une structure de vie qui aura pour effet de limiter leur consommation de drogues et leur implication criminelle (Cross, Johnson, Davis et Liberty, 2001 ; Faupel, 1991 ; Reuter, MacCoun et Murphy, 1990 ; Maher, Dixon, Hall et Lynskey, 2002 ; Uggen et Thompson, 2003).

Un toxicomane qui se voit coincé financièrement tentera de *réduire l'ensemble de ses dépenses* et se privera même parfois du nécessaire (Cross *et al.*, 2001 ; Faupel, 1991 ; Grapendall *et al.*, 1995 ; Maher *et al.*, 2002 ; Taylor, 1998). C'est ainsi qu'il tentera de bénéficier de repas gratuits, qu'il demeurera tour à tour chez des amis ou des connaissances, et qu'il se procurera l'objet de sa dépendance en échange de menus services. Il pourra également acheter sa drogue en plus grand volume. Ainsi, le prix d'achat étant moindre, il lui sera possible d'en revendre de petites quantités à des usagers moins expérimentés au prix qui prévaut sur le marché de détail, ou de faire profiter ses copains de cette aubaine. Cet accès facile à la drogue pourra favoriser une augmentation de la consommation.

Plusieurs toxicomanes jouiront des *largesses de leur entourage* et quémanderont les faveurs ou l'argent de leurs proches (Cross *et al.*, 2001 ; Grapendaal *et al.*, 1995). Les moins fortunés iront tout simplement mendier leur pitance sur la place publique.

Un bon nombre de grands consommateurs de substances psychoactives profiteront du *soutien public* (Cross *et al.*, 2001 ; Grapendaal *et al.*, 1995). Ceux qui ont occupé un emploi dans un passé récent réclameront des indemnités provenant de l'assurance-emploi. D'autres arriveront à retirer des prestations d'accident de travail. Enfin, certains bénéficieront d'allocations d'aide sociale.

Enfin, il est également possible d'observer qu'un certain nombre de toxicomanes s'impliquent dans des *activités périphériques à la vente de drogues* (Cross *et al.*, 2001 ; Faupel, 1991 ; Grapendaal *et al.*, 1995 ; MacCoun et Reuter, 1992). C'est ainsi qu'ils agiront à titre de rabatteurs en conduisant des clients potentiels vers des revendeurs. Ils pourront louer leur seringue ou d'autres instruments servant à la consommation de drogues à des néophytes. Certains aideront des usagers moins expérimentés à s'injecter leur drogue. D'autres pourront tester la qualité de la substance pour un revendeur intermédiaire, transporter des quantités plus ou moins importantes de drogues d'un endroit à un autre, ou même en entreposer temporairement dans leur appartement. Un certain nombre revendra la dose de méthadone qui leur est prescrite. Ces activités, qui ne constituent qu'un échantillon de la gamme des possibilités offertes aux consommateurs réguliers, sont habituellement pratiquées en fonction des occasions qui se présentent et rémunérées selon les risques encourus.

C'est souvent lorsque tous les moyens énumérés plus haut auront été exploités sans que les revenus soient encore suffisants pour satisfaire les besoins en drogue que la criminalité surgira. Cette *implication criminelle* visant plus ou moins directement l'achat de drogues variera d'une personne à l'autre et selon les périodes de consommation. Il s'agira la plupart du temps d'une compromission dans des activités délinquantes lucratives. Elle deviendra bien souvent la source principale de revenu pour la majorité des héroïnomanes et des cocaïnomanes (Grapendaal *et al.*, 1995 ; Nurco, Hanlon et Kinlock, 1991 ; Uggen et Thompson, 2003).

La criminalité comme moyen de satisfaire la dépendance

La criminalité ne représente donc qu'un moyen parmi d'autres pour subvenir aux besoins d'argent engendrés par une dépendance à une substance coûteuse ; il s'agit néanmoins d'un moyen privilégié pour une majorité de personnes dépendantes de l'héroïne ou de la cocaïne. Chose certaine, il apparaît difficile de dissocier les actes criminels commis du besoin toxicomaniaque. Différentes activités criminelles sont pratiquées simultanément ou en cascade ; certains toxicomanes se spécialiseront, d'autres profiteront du hasard et de la chance. Voyons les activités criminelles les plus communes parmi les personnes dépendantes de drogues coûteuses.

Le trafic

Le trafic, ou la revente de drogue, peut prendre plusieurs formes. Certains établissent leur point de vente dans leur appartement ; d'autres font la vente à domicile et ne quittent jamais leur téléavertisseur ; quelques-uns travaillent dans la rue ou dans un commerce (bar, *rave*...). Certains s'impliquent activement à l'intérieur d'un réseau organisé alors que d'autres s'y rattachent plus mollement.

Même si la proportion des grands consommateurs de substances psychoactives impliqués dans la revente de drogue est très difficile à estimer précisément, il est possible, sans crainte de se tromper, d'affirmer qu'un très grand nombre d'entre eux sont attirés, un jour ou l'autre, vers le trafic de stupéfiants à petite échelle (De Li, Priu et MacKenzie, 2000 ; Fisher, Medved, Kirst, Rehm et Gliksman, 2001 ; Kinlock, O'Grady et Hanlon, 2003 ; Maher Dixon, Hall et Lynskey, 2002). Il s'agit donc d'une activité quasi inévitable pour les grands consommateurs d'héroïne ou de cocaïne, étant donné le coût élevé de ces drogues (Hunt, 1991). Selon le pays, les activités de trafic apportent entre 11 et 53 % des revenus des personnes dépendantes (Maher *et al.*, 2002). Toutefois, d'entrée de jeu, il faut noter de grandes variations selon le sexe du toxicomane ; le milieu du trafic étant encore très machiste, il est difficile pour la femme d'y trouver sa place[19] et elle est souvent l'objet de victimisation systémique[20] (De Li *et al.*, 2000 ; Evans, Forsyth et Gauthier, 2002 ; Jacobs et Miller, 1998 ; Maher *et al.*, 2002 ; Brochu et Parent, 2005 ; Sommers, Baskin et Fagan, 1996).

---

19. Une étude de Maher *et al.* (2002) indique que la moitié des revenus des hommes serait issue des activités de trafic alors que cette proportion n'est que du quart pour les femmes.
20. Agressions afin de s'approprier un territoire de vente, vol avec violence, menace pour le remboursement de dettes contractées, dispute en rapport avec la qualité de la drogue vendue, discipline à l'intérieur de l'organisation...

Plusieurs facteurs expliquent l'implication dans le trafic de drogues illicites. Bien sûr, il y a d'abord l'appât du gain rapide (Chartrand, 1999). L'utilisateur de substances psychoactives aura tôt fait d'évaluer qu'il s'agit d'un excellent moyen d'obtenir un accès facile et commode à sa drogue sans trop débourser d'argent (Parent et Brochu, 2002 ; Hunt, 1991 ; Taylor, 1998). Les estimations des gains pécuniaires reliés au trafic varient énormément d'une étude à l'autre ; toutefois, ces évaluations vont généralement de 500 à 10 000 $ par semaine pour un travail bien souvent réalisé à temps partiel[21] (Denton et O'Malley, 2001 ; Jacobs et Miller, 1998). Bien sûr, tout dépend du type d'opération effectué, de la sorte de drogues transigée, du niveau de la transaction et de bien d'autres éléments.

La facilité des opérations et la perception que les risques d'être appréhendés sont relativement faibles constituent également, pour les néophytes, des facteurs d'attirance importants (Decorte, 2000). En effet, certains grands consommateurs de substances psychoactives illicites affirment avoir réalisé des centaines de transactions avant leur arrestation (Hunt, 1990). Toutefois, quand un consommateur est connu du système de justice, les risques d'arrestation augmentent de façon fulgurante. Ainsi, les sujets rencontrés par MacCoun et Reuter (1992) passaient, au total, près de quatre mois par année derrière les barreaux.

Les risques d'arrestation sont loin de constituer l'unique crainte des trafiquants. Le vol de drogues ou le pillage des revenus de la journée peuvent engendrer des préoccupations bien plus importantes pour celui qui a reçu sa marchandise en consigne. Pis encore, les menaces, les blessures et même les homicides font souvent partie des « risques du métier » (Jacobs, Topalli et Wright, 2000 ; Pearson et Hobbs, 2001) : « Face au danger de victimisation, devant le risque de perdre son statut de vendeur, les personnes impliquées dans le système de distribution de la drogue sont prêtes à tout. Elles se protègent... Elles s'arment ! » (Brochu, Parent, Chamandy et Chayer, 1997, p. 142).

---

21. Certaines raisons expliquent ce travail à temps partiel : 1) les ventes sont concentrées à certains moments de la journée ; 2) les clients réguliers se succèdent généralement sur une période de temps relativement courte ; 3) la durée d'exposition est proportionnelle aux risques d'arrestation.

On estime que les trafiquants font face annuellement à plus d'une occasion de mort violente (MacCoun et Reuter, 1992). Il semblerait cependant que les jeunes hommes provenant de milieux socio-économiques défavorisés ne considèrent pas ces embûches comme étant suffisamment importantes pour les détourner de cette activité fort lucrative (Reuter, MacCoun et Murphy, 1990).

Enfin, le trafic de stupéfiants constitue une occupation qui respecte le style de vie des grands consommateurs de substances psychoactives illicites. Les demandes des clients tiennent compte de leur emploi du temps. Le partage et la revente de drogues à petite échelle font parfois partie de leur processus de socialisation. La transaction se fait dans le milieu même où vit le revendeur et auprès de connaissances ou de personnes référées par des amis. Cette activité facilite beaucoup l'accès (prix et quantité) à la drogue (Parent et Brochu, 2002). Pourtant, même si la presque totalité des héroïnomanes ou des cocaïnomanes deviennent un jour ou l'autre impliqués dans un trafic à petite échelle auprès d'amis ou de connaissances, peu d'entre eux en font leur unique source de subsistance et dans la majorité des cas, il s'agit d'une activité épisodique (Denton et O'Malley, 2001).

Comme le monde du trafic constitue un univers relativement misogyne et violent (Jacobs et Miller, 1998), beaucoup plus d'hommes que de femmes y évoluent (Byqvist, 1999) ; ceci est particulièrement vrai pour les tâches les plus intéressantes ou les plus lucratives. Plusieurs femmes s'impliquent alors dans des activités de revente avec leur compagnon de vie ou leur ami de cœur (Morgan et Joe, 1996). Toutefois, de façon générale, on remarque des changements importants lorsqu'on compare la situation des femmes des années 2000 à leur situation préalable, alors que la femme moderne réussit beaucoup mieux à tracer sa voie dans le monde du trafic (Sommers, Baskin et Fagan, 1996).

Pour les consommateurs ou les consommatrices qui n'étaient pas déjà impliqués dans d'autres aspects de la criminalité, les activités de trafic constituent généralement une forme de crime qui précède une diversification criminelle (Denton et O'Malley, 2001) dans laquelle la criminalité acquisitive occupe une place prépondérante.

Les crimes acquisitifs

Les *petits vols* chez des personnes connues des gros consommateurs de substances psychoactives illicites représentent un des types de crimes acquisitifs
les plus souvent commis (Evans *et al.*, 2002). Il s'agit de délits relativement
simples à réaliser et pour lesquels les risques de poursuites s'avèrent relativement faibles. On empruntera, sans le lui dire, un bijou à maman ; on
prendra un peu d'argent sur la table de cuisine d'un bon copain ; on ira
même jusqu'à fouiller les tiroirs d'une connaissance qui nous invite chez
elle, à la recherche d'objets précieux. Ces victimes n'auront pas tendance à
dénoncer officiellement le chapardeur et une entente amicale sera relativement facile à trouver avec les personnes prises sur le fait.

Il faut être bien conscient que, dans un marché illicite, l'argent ne constitue pas l'unique moyen de paiement ; le petit trafiquant acceptera parfois
certaines marchandises volées en guise de paiement. Quelques trafiquants
iront jusqu'à commander certains articles à un consommateur trop endetté
pour effectuer ses paiements. Les grands magasins constituent alors des
cibles parfaites étant donné leur vaste choix de produits et l'anonymat dans
lequel y évolue la clientèle (Denton, 2001 ; Faupel, 1991). Les *vols à l'étalage*
comptent généralement pour une plus grande proportion du revenu des
femmes toxicomanes que celui des hommes (Maher, Dixon, Hall et Lynskey,
2002). Bien qu'il y ait un attrait certain pour ce type de vols, les risques d'arrestation et de poursuite en justice sont plus grands que pour les vols effectués
chez des connaissances. Un bon nombre de personnes qui commettent des
vols à l'étalage justifient leur geste pour se débarrasser de tout sentiment de
culpabilité handicapant : ces magasins appartiennent à de riches propriétaires (actionnaires) qui ne remarqueront pas la disparition de la marchandise et qui, de surcroît, recouvreront leurs pertes grâce aux prestations
de leur assureur ou en augmentant les prix des produits vendus au détail
(Grapendaal, Leuw et Nelen, 1995). Les biens de consommation tels les
vêtements (manteaux de cuir...) et les aliments (cigarettes, alcool...) constituent, de façon générale, les objets les plus fréquemment volés par les grands
consommateurs de substances psychoactives illicites. La marchandise sera
soit conservée pour un usage personnel, ou écoulée dans la communauté

d'appartenance du voleur, ou encore cédée à un receleur qui en donnera au plus le tiers de sa valeur marchande.

Le *vol par effraction* constitue un délit très lucratif. Il fait cependant appel à un certain nombre d'habiletés qui ne sont pas à la portée de tous les toxicomanes. Le voleur doit être suffisamment lucide et malin pour évaluer le lieu et le moment propices pour perpétrer son forfait et faire en sorte que l'effraction s'effectue sans éveiller les soupçons de l'entourage. Il doit également posséder une certaine connaissance des systèmes d'alarme et savoir expertiser sommairement les objets qui auront le plus de valeur sur le marché noir. Les personnes qui s'y adonnent l'exercent comme s'il s'agissait d'un emploi (Cromwell, Olson, Alvary et Marks, 1991) et, dans bien des cas, ce type de crime constitue une spécialité acquise avant la dépendance (Denton et O'Malley, 2001). Le produit du vol sera vendu directement dans la rue ou dans les bars, soit refilé à un receleur, ou échangé contre de la drogue auprès d'un trafiquant, ou encore vendu à un marchand qui en connaît ou non la provenance. Le plus souvent, les voleurs les plus réguliers préfèrent transiger avec des receleurs, de façon à obtenir leur argent rapidement et sans trop de problèmes. Ils recevront ainsi approximativement le cinquième de la valeur marchande de l'objet volé (Johnson, Goldstein, Preble, Schmiedler, Lipton, Spunt et Miller, 1985). Bien sûr, les bénéfices des vols par effraction peuvent permettre de se procurer des drogues (Fisher *et al.*, 2001) mais, à l'inverse, certains avouent consommer pour se donner le courage de perpétrer leur infraction ou encore pour tirer plus de plaisir de cette activité illicite (Brochu et Parent, 2005 ; Cromwell *et al.*, 1991).

Le *vol avec violence* constitue une des manières les plus rapides d'obtenir de grandes sommes d'argent. Néanmoins, ce type de vol n'attire pas la majorité des grands consommateurs de substances psychoactives impliqués dans la criminalité parce qu'il implique un contact direct avec la victime (Grapendaal *et al.*, 1995). Le vol avec violence le plus souvent commis par les grands consommateurs de drogues illicites consiste à enlever, sous la menace, les portefeuilles des passants. Ce délit se produit généralement dans un lieu public relativement isolé. Il n'est pas exclu que la personne volée soit elle-même engagée dans une activité illicite : un consommateur de drogues sur le point de conclure une transaction ou en état d'intoxication. Les revendeurs de drogues constituent également des cibles fréquentes de vol avec violence (Faupel, 1991). Certains toxicomanes en viennent à beaucoup apprécier le *rush* de ces types de crimes qu'ils n'hésitent pas à comparer à l'effet d'une dose d'un puissant stimulant (Brochu et Parent, 2005 ; Denton et O'Malley, 2001). Ces crimes acquisitifs, à connotation violente, constituent bien souvent un geste de dernier recours pour la personne qui cherche ainsi désespérément à se procurer l'argent nécessaire pour satisfaire son désir de drogues illicites ou éviter le sevrage.

Bien que la criminalité acquisitive accompagne volontiers la dépendance de façon à fournir les moyens de consommer, il faut être bien conscient que l'intoxication ou le sevrage augmentent les difficultés de ces opérations et les risques d'arrestation (Denton et O'Malley, 2001).

La prostitution

La prostitution consiste à fournir des services de nature sexuelle en échange de paiement. Le plus souvent, le client doit laisser un paiement en espèce, mais il peut également s'agir de contribution en nature. Autrefois interdite par les lois, la prostitution est de plus en plus tolérée. Parmi les personnes dépendantes de substances psychoactives, la plupart du temps, les services sexuels offerts le sont par des femmes à une clientèle masculine (Byqvist, 1999 ; Brochu, Guyon et Desjardins, 2001 ; Cross, Johnson, Davis et Liberty, 2001 ; Evans *et al.*, 2002). De quatre à six clients, selon le type de prestation sexuelle fournie, suffiront généralement à satisfaire le besoin en drogue des personnes les plus dépendantes. Toutefois, il faut savoir que les services sexuels de ces femmes les plus accrochées à la drogue sont moins chèrement payés par leur clientèle, surtout celles pour qui le parcours toxicomane a laissé une signature indélébile sur le corps (Epele, 2001 ; Grapendaal *et al.*, 1995).

Un certain nombre d'hommes offrent également des services sexuels ; il s'agit d'une minorité. Selon une étude de Maher, Dixon, Hall et Lynskey (2002), 21 % des femmes dépendantes recevraient des revenus de la prostitution contre seulement 3 % des hommes. Bien souvent, il s'agit alors de jeunes hommes qui pratiquent une prostitution homosexuelle pour un court laps de temps (Grapendaal et *al.*, 1995).

Contrairement à la croyance populaire, la prostitution ne constitue pas le délit le plus commun chez les femmes (ou les hommes) qui abusent de drogues illicites. Il s'agit plutôt d'une des nombreuses possibilités qui leur permettent de satisfaire leur désir de drogues (Byqvist, 1999 ; Logan et Leukefield, 2000 ; Maxwell et Maxwell, 2000). Pour les femmes qui la pratiquent, elle n'est bien souvent qu'un épiphénomène lucratif qu'elles auront longtemps cherché à éviter (Erickson et Watson, 1990). En fait, très peu de toxicomanes apprécient ce genre d'activités. Cette aversion pour les activités sexuelles vénales fait en sorte que plusieurs d'entre elles vont consommer encore davantage, de façon à pouvoir continuer à se prostituer (Taylor, 1998).

On peut comprendre facilement cette aversion lorsque l'on sait que, couramment, les prostituées toxicomanes offrent leurs services dans la rue plutôt que par l'entremise d'agences spécialisées (Philpot, Harcourt et Edwards, 1989). Elles sont donc mal protégées et à la merci des clients les plus à risque. En fait, les toxicomanes travaillent rarement dans les salons de massage ou dans les agences de service d'escorte, car les propriétaires de ces entreprises cultivent une certaine méfiance face aux employées dépendantes de drogues. Elles sont habituellement considérées comme peu fiables, criminelles[22] et peu attrayantes pour les clients. De plus, la présence de drogues illicites dans l'établissement fait encourir des risques supplémentaires d'arrestations, de poursuites et de condamnations pour les propriétaires (Goldstein, 1979).

Les échanges sexe-drogue, aussi connus sous le terme de faveurs personnelles[23] ou encore faveurs sexuelles, sont, par ailleurs, plus fréquents dans le milieu de la toxicomanie féminine et tout particulièrement parmi les usagères de cocaïne (crack) en Amérique du Nord (Lecavalier, 1992 ; Logan et Leukefeld, 2000 ; Maxwell et Maxwell, 2000 ; Young, Boyd et Hubbell, 2000). Ainsi, un grand nombre de femmes mentionnent recevoir leur cocaïne en cadeau. On trouve alors *normal* que des faveurs sexuelles

---

22. Certaines auraient tendance à voler leur client (Goldstein, 1979).
23. Les faveurs personnelles sont des activités généralement peu valorisées, parfois même dégradantes, qui sont faites en échange d'une drogue. Il peut s'agir d'activités sexuelles diverses, mais également d'activités ménagères, de nettoyage, etc. (Morgan et Joe, 1996).

soient offertes en retour. À ce propos, Lecavalier (1992) indique que 56 % des femmes cocaïnomanes rencontrées lui ont révélé s'être déjà senties obligées d'avoir une relation sexuelle avec une personne qui leur avait offert de la drogue. Bien plus, dans 85 % des cas, les femmes n'auraient jamais choisi un tel partenaire en l'absence de la drogue. Cette logique, que Lecavalier (1992) qualifie de typiquement féminine, paraît liée aux expériences de socialisation de même qu'au faible pouvoir économique de la femme : « Prises au piège de leur dépendance, coincées entre leur faible pouvoir économique et leur peu de contrôle dans le réseau d'approvisionnement, elles deviennent pour la plupart entièrement dépendantes des hommes pour accéder à la cocaïne ; l'étau se resserre » (Lecavalier, 1992, p. 66). En ce sens, plus le produit est coûteux et plus les faveurs personnelles sont pratiquées.

Avant de mettre un terme à cette discussion, il importe de mentionner que, même si nous avons traité des échanges sexe-drogue dans la section *prostitution,* les acteurs sociaux impliqués dans cette pratique ne la qualifient généralement pas de cette façon.

Autres activités criminelles lucratives

Au nombre des autres activités criminelles relativement communes parmi les personnes dépendantes se trouve le *proxénétisme* (Evans *et al.*, 2002). Cette activité, qui tire profit de la prostitution d'autrui, est habituellement accompagnée d'autres types de criminalité, tels le trafic de drogues et le recel de bien volés.

La *vente de biens volés* constitue parfois une spécialité, mais elle est souvent pratiquée comme un à-côté lucratif pour les personnes qui possèdent un *bon* réseau (Denton et O'Malley, 2001). Encore ici, le monde de la distribution de drogues illicites constitue habituellement un réseau intéressant pour échanger des marchandises volées. Il s'agit parfois même d'une forme de paiement pour acheter la drogue.

Par ailleurs, *la contrefaçon, l'encaissement de faux chèques* et *l'utilisation de cartes de crédit volées* forment des activités criminelles exercées par un petit nombre d'usagers de substances psychoactives illicites. Bien souvent, la fraude requiert des habiletés spécifiques à certains milieux socio-économiques qui ne sont pas à la portée de tous les grands consommateurs de drogues (Johnson *et al.*, 1985).

La spécificité des femmes dépendantes

D'entrée de jeu, notons que les femmes dépendantes s'impliquent généralement moins dans des activités criminelles que leur contrepartie masculine (Byqvist, 1999). Bon nombre d'entre elles auront plutôt un petit ami trafiquant qui pourvoira, pour un temps du moins, à leurs besoins en drogues sans qu'elles aient à s'impliquer directement dans la criminalité (Evans, Forsyth et Gauthier, 2002 ; Taylor, 1998). Il faut bien savoir que c'est souvent ce petit ami trafiquant qui les a initiées à la consommation.

Les femmes sont aussi plus impliquées que les hommes dans des activités illégales qui représentent une extension des attentes traditionnelles à leur égard (Evans *et al.*, 2002). Ainsi, elles s'investissent dans des crimes, comme le vol à l'étalage ou des activités reliées à la prostitution (Mullins, Marquart et Diamond, 2001). On note également chez elles une tendance à la délinquance non spécialisée et circonstancielle (Hser, Chou et Anglin, 1990).

Même si une grande majorité des femmes contrevenantes toxicomanes ont été appréhendées au moins une fois par le système de justice pénale, leur criminalité lucrative les conduit moins fréquemment que les hommes derrière les barreaux. Lorsqu'elles le sont, c'est généralement pour une courte période de temps (Inciardi et Pottieger, 1986).

SYNTHÈSE

Le lien le plus important entre SPA et criminalité pour les substances illicites passe par l'aspect économique relié à l'achat. En effet, certaines drogues, surtout l'héroïne et la cocaïne, peuvent devenir dépendogènes. Ces drogues peuvent alors commander le style de vie de ceux pour qui le produit devient indispensable à leur fonctionnement quotidien. Un consommateur dépendant de l'un de ces produits doit en faire un emploi répété au cours d'une même journée afin d'éviter un sevrage physiologique ou psychologique. À l'usage, ces substances deviennent terriblement onéreuses. Les grands consommateurs de stupéfiants utilisent une variété de moyens pour alléger le fardeau économique engendré par leur consommation. Un ou des emplois rémunérés constituent certainement des sources de gains appréciables pour ceux qui ne sont pas en rupture sociale. Pour les autres, la réduction des dépenses, les largesses de l'entourage, le soutien public et les activités périphériques à la vente de drogues constitueront autant de pistes pour entretenir la dépendance. Il vient pourtant un temps, pour certaines personnes dépendantes, où toutes ces sources s'épuisent. La criminalité apparaît alors nécessaire pour entretenir une dépendance très exigeante. Parmi les activités criminelles les plus souvent répertoriées chez les personnes toxicomanes se trouvent le petit trafic de drogues et les vols de toutes sortes.

En ce qui concerne le trafic de stupéfiants, on constate que la grande majorité des petits revendeurs s'est préalablement initiée à la consommation de substances psychoactives. En fait, la probabilité de s'impliquer sur le plan du commerce illicite de la drogue s'accroît parallèlement à l'augmentation de la consommation personnelle au-delà d'un niveau de base. Le revendeur s'initiera à cette activité par l'entremise de *contacts*. Le plus souvent, il s'agit d'une activité peu structurée, pratiquée à temps partiel par des personnes relativement jeunes qui vendent leurs drogues à un cercle plus ou moins étendu de connaissances qui proviennent bien souvent du même milieu qu'elles. Cette occupation, fort lucrative, servira à arrondir leurs fins de mois. Pour la majorité des petits trafiquants, il s'agit plus d'un style de vie que d'une spécialisation criminelle. Ils n'hésiteront donc pas à avoir recours à d'autres moyens de subsistance.

Les vols constituent également une source d'argent importante pour un grand nombre de toxicomanes. Il est toutefois impossible d'identifier une séquence unique pouvant lier la consommation de substances psychoactives et les crimes acquisitifs. Il faut plutôt penser en termes de processus différents selon les circonstances, les individus et les drogues consommées. Le style de vie de l'individu concerné constitue certainement un facteur important à considérer lors des tentatives de compréhension des rapports entre drogue et criminalité. En effet, une personne qui a fait le choix d'un style de vie déviant sera plus encline à utiliser des voies illicites pour subvenir à ses besoins. À cet effet, Yochelson et Samenow (1986) indiquent bien que les patients qu'ils ont rencontrés volaient beaucoup plus qu'il ne leur était nécessaire pour satisfaire les besoins de drogues. En fait, les vols ne servaient pas à financer exclusivement leurs habitudes toxicomaniaques, mais plus que tout faisaient partie du style de vie adopté.

Enfin, il est permis de croire qu'un usager qui provient d'un milieu aisé et bénéficie d'une fortune personnelle aura moins recours à la criminalité pour financer sa consommation (Faupel, 1991). Pourtant, les études à ce propos ne sont pas légion. Selon leur provenance et leur milieu socio-économique, les usagers de drogues illicites exerceront des formes de criminalité diverses. Beaucoup d'intervenants ont eu l'occasion de recueillir la confession d'employés de bureau qui finançaient leurs habitudes de consommation en vendant des objets qu'ils avaient volés sur leur lieu de travail. De même, il est aisé pour certains professionnels des sciences médicales de détourner une partie des prescriptions de leurs patients pour leur consommation personnelle. Pourtant, la majorité des études effectuées dans ce domaine s'est attardée à la criminalité des gros consommateurs à faibles revenus exclus des zones d'activités professionnelles lucratives. Il ne faut donc pas s'étonner si la criminalité qui est alors observée n'inclut pratiquement pas de délits reliés à une occupation professionnelle ou à la fraude de haut niveau.

Ainsi, l'implication criminelle peut varier d'une personne à l'autre. Cela dépend en grande partie du lien établi avec la drogue (e. g. tolérance, dépendance...), des coûts du produit, attirances envers certains types d'activités et du milieu (e. g. niveau socio-économique, contacts, opportunités, circonstances...). De plus, certaines périodes semblent associées à des pratiques délinquantes différentes. Ainsi, alors que les héroïnomanes du début des années 1980 s'impliquaient surtout dans des crimes contre la propriété, ceux du milieu des années 1990 préfèrent trouver une plus grande partie de leurs revenus illicites dans le trafic de drogues.

La consommation de substances psychoactives illicites a constitué une préoccupation importante de ce dernier quart de siècle. On est à même de constater que parmi les consommateurs de drogues illicites s'installent souvent des liens importants entre drogues et crimes. En fait, plus qu'à un simple usage, l'implication criminelle des consommateurs est davantage attribuable à une difficulté à bien gérer la consommation : utilisation d'une trop grande quantité de produits en une même occasion ; usage de multiples drogues à potentiel synergétique ; dépendance.

La recherche dans le domaine des drogues illicites et de la criminalité permet de croire que tout produit ayant un effet sur le système nerveux central peut affecter les réponses de la personne intoxiquée. Les caractéristiques psychopharmacologiques générales de la majorité des substances psycho-actives les plus courantes étant assez bien connues, on peut alors tenter d'expliquer la criminalité de certaines personnes intoxiquées. Dans bien des cas, le répertoire comportemental de la personne intoxiquée se trouve fortement réduit par l'abus de drogues et peu de solutions de rechange peu-vent contrer certains comportements violents. De plus, la dépendance à certaines substances a parfois des exigences immédiates qui réduisent encore davantage le choix de la personne intoxiquée qui voit venir les premiers symptômes de sevrage et qui tente alors par tous les moyens à sa disposi-tion de les éviter. On est donc en présence de conditions propices à la cri-minalité... ou à la victimisation.

Toutefois, même si quelques drogues possèdent le potentiel d'induire des effets spécifiques pouvant mener à la criminalité, les observations scien-tifiques indiquent bien que ces propriétés n'agissent pas de façon causale unique chez toutes les personnes intoxiquées ou dépendantes. Pour chaque individu, il faut alors tenir compte de la dose absorbée, de la pureté du pro-duit, du mode d'administration, de la fréquence des consommations, de la tolérance naturelle et acquise, etc. La consommation de drogues pourrait même rendre le délit plus difficile pour certaines personnes. L'intoxication et ses conséquences ne sont pas qu'une question de pharmacologie (Goode, 1999). Le lien entre la drogue et la criminalité ne se situe pas uniquement dans la molécule mais relève également de son usager et de son contexte de vie.

Bien sûr, un bon nombre de grands consommateurs de substances psy-choactives illicites, entre autres de drogues coûteuses telles l'héroïne et la cocaïne, se trouvent impliqués dans des activités délinquantes ; certains vont faire de la criminalité la source de leurs revenus. Pour eux, le besoin en drogues justifie une entrée monétaire importante qui est souvent satisfaite par des activités criminelles lucratives. Toutefois, il faut également savoir que d'autres toxicomanes n'auront recours à la criminalité que lors des mauvais jours (e. g. menaces de représailles d'un trafiquant qui attend d'être rem-boursé depuis trop longtemps). Certains auront une courte carrière crimi-nelle et l'abandonneront dès les premières difficultés alors que d'autres y trouveront un apport d'adrénaline et d'argent dont ils deviendront éventuellement également dépendants. La criminalité des toxicomanes peut donc être très variable selon la personne et son contexte de vie. Bien sûr, on peut affirmer qu'une bonne proportion de la criminalité lucrative des usagers dépendants est attribuable, en partie du moins, au besoin d'argent engendré par la dépendance envers des drogues coûteuses. Toutefois, la pharmaco-dépendance peut ici constituer un concept trompeur pour expliquer cette relation car les propriétés pharmacologiques seules ne sont pas suffisantes pour entraîner la dépendance et cette dépendance n'est pas suffisante pour justifier, à elle seule, la criminalité.

Il faut bien se rappeler que tous les usagers de drogues licites ou illicites n'en abusent pas et n'en deviennent pas dépendants, et que certains arrivent à bien gérer leur consommation[24] pendant de longues périodes ; tous ne sont pas impliqués dans des activités criminelles autres que l'achat et la possession de drogues lorsque leur possession ou leur trafic sont illicites ; et parmi ceux qui s'impliquent plus à fond dans des activités criminelles, les motifs et la fréquence de cette compromission peuvent varier énormément compte tenu des personnes et de leur classe socio-économique. Les liens entre drogue et criminalité ne sont pas qu'une affaire de toxicité du produit ou de dépendance de la personne qui consomme, mais relèvent très souvent des conjonctures toxiques qui impliquent beaucoup plus d'éléments que la substance.

D'autres facteurs doivent être pris en compte afin de bien comprendre les rapports entre drogue et criminalité. Parmi ceux-ci, notons que plusieurs substances se transigent et se consomment dans des contextes à haut risque de contacts criminels et de délinquance ; un certain nombre d'abuseurs possèdent un répertoire comportemental déjà réduit à la suite de l'exposition à un ensemble de facteurs de risque au cours de leur enfance. Très souvent, la réponse délinquante sera plutôt liée à un tissu personnel et social de significations implicites, dans lequel l'intoxication et la dépendance ne constituent qu'une partie des nombreux motifs à être considérés.

---

24. Bien souvent, ces personnes demeurent inconnues des chercheurs, car ceux-ci se contentent de recruter leurs sujets auprès des personnes admises dans les services de réadaptation pour toxicomanes ou dans les centres de détention.

Devant cette complexité, certains chercheurs ont mis de côté la conception d'une relation causale directe pour discuter de facteurs personnels ou psychologiques pouvant conduire à l'adoption de comportements problématiques. Le prochain chapitre est entièrement consacré à ce thème.

3

LA PERSONNE CONSOMMATRICE

Qu'est-ce qui incite une personne à entamer et à poursuivre un parcours dans le circuit de l'usage de drogues et de la criminalité, alors que d'autres ne s'en approcheront jamais? La grande majorité des consommateurs de substances psychoactives illicites ne s'intoxiquent pas au point d'en perdre leurs capacités d'autocontrôle et de commettre des actes criminels. La plupart des consommateurs de drogues illicites se limitent à un usage expérimental ou occasionnel de cannabis et ne développeront jamais une dépendance qui les conduira vers une criminalité lucrative. En fait, toutes les études crédibles sur ce thème révèlent qu'une minorité d'adolescents s'engageront de plain-pied dans une trajectoire délinquante et d'abus de drogues (Carbonneau, 2002 ; Chung, Hawkins, Gilchrist, Hill et Nagin, 2002 ; Elliott, Huizinga et Menard, 1989 ; Ferguson, Horwood et Nagin, 2000). Qu'est-ce que cette minorité de personnes qui abusent[1] de substances psychoactives et qui s'impliquent dans la criminalité partagent en commun? Afin de bien répondre à cette question, nous examinerons tour à tour les études qui se sont intéressées aux facteurs de personnalité, aux troubles mentaux, aux attentes des contrevenants face au produit consommé et aux facteurs de risque auxquels les personnes ont été exposées durant leur enfance et leur adolescence.

---

1. L'abus réfère ici tant à un épisode d'intoxication menant à l'expression d'un geste criminel qu'à la dépendance.

LES FACTEURS RELIÉS À LA PERSONNALITÉ

Les chercheurs spécialisés en psychologie se passionnent depuis longtemps pour l'étude de la personnalité humaine sous toutes ses facettes. Parmi l'abondance de ces travaux, on en trouve quelques-uns qui s'intéressent aux traits de personnalité en lien avec l'abus de drogues et la criminalité. D'entrée de jeu, il importe de mentionner qu'il n'existe pas de personnalité propre et unique aux individus qui abusent de drogues (Cormier, 1984). Toutefois, l'étude des traits de personnalité des abuseurs de drogues est importante dans la compréhension des gestes criminels que certains d'entre eux font.

Bien qu'il n'y ait pas de personnalité type du toxicomane, on associe très souvent l'abus de substances psychoactives à la recherche de sensations fortes, à des tentatives de réduire un trop-plein d'anxiété et à la compensation d'une faible estime de soi (Henderson, Galen et Deluca, 2003). Bien plus, en ce qui a trait à notre intérêt pour les liens entre drogue et criminalité, il apparaît que plus une personne présente de problèmes importants face aux drogues, plus ses traits de personnalité sont associés à un niveau élevé de déviance sociale, de rébellion, d'inhibition et d'impulsivité (Conway, Swendsen, Rousaville et Merikangas, 2002).

Certaines recherches laissent entendre que des traits antisociaux ou psychopathiques seraient à la fois en lien avec une implication criminelle importante et de graves problèmes de consommation de substances psychoactives (Moffit, Caspi, Harrington et Milne, 2002 ; Walsh, 1999). Une étude québécoise (Germain, Brochu, Bergeron, Landry et Schneeberger, 1999) utilisant l'Inventaire de personnalité Jesness a permis de tracer le profil des personnes judiciarisées admises en centres publics de réadaptation pour toxicomanes au Québec. Les résultats indiquent que, sauf pour le repliement et le déni, toutes les échelles présentent une sévérité généralisée indiquant donc des traits délinquants importants.

D'autres chercheurs observant le même phénomène vont plutôt discuter de style de *personnalité antagoniste* ou de *psychopathologie de la désinhibition* (Krueger, Caspi, Moffit, Silva et McGee, 1996 ; Lynam, Leukefeld et Clayton, 2003 ; Miller et Lynam, 2001 ; Sher et Trull, 1994). On peut ainsi croire que l'intoxication pourra affecter la sensibilité cognitive de ces personnes, qui deviendront moins aptes à faire une distinction adéquate parmi les indices présents chez elles et dans leur environnement. Parallèlement, les effets de l'intoxication sur les fonctions cognitives feront en sorte que leur répertoire comportemental sera considérablement limité (Fagan, 1990). Dans ces circonstances, il est possible que certaines personnes au caractère antisocial utilisent la force physique pour régler leurs différents.

En somme, bien qu'une personnalité unique des toxicomanes ne puisse être identifiée, plusieurs traits communs à une bonne proportion d'entre eux feraient en sorte que la violence et d'autres formes de criminalité pourraient faire partie du répertoire comportemental des personnes qui abusent de drogues. Ces attitudes et comportements sont fréquemment associés à la prise de substances, mais il y a fort à parier que ces éléments ne disparaîtront pas complètement avec l'abstinence. Bien plus, certains toxicomanes, en plus de présenter des traits de personnalité antisociaux, manifestent des troubles mentaux importants. Voyons comment drogue et troubles mentaux cohabitent chez ces personnes.

LES FACTEURS RELIÉS AUX TROUBLES MENTAUX

De nombreuses études démontrent que les personnes atteintes de troubles mentaux présentent un risque plus élevé de développer un problème lié à une substance psychoactive que la population en général (Cuffel, 1996 ; Regier, Farmer, Rae, Locke, Keith, Judd et Goodwin, 1990). Mercier et Beaucage (1997) ont effectué une recension des écrits scientifiques sur ce thème. La lecture de leur rapport permet de constater, entre autres, que plus du quart (28 %) des personnes aux prises avec la schizophrénie présente la prévalence à vie d'un trouble d'abus de substances ; il en est de même pour 4 patients sur 10 qui éprouvent des troubles bipolaires.

Une vaste littérature démontre de plus que la présence concomitante d'un trouble mental sévère et de problèmes de drogues serait associée à des risques élevés de comportements criminels (Fulwiler, Grossman, Forbes et Ruthazer, 1997 ; Hernandez-Avila, Burleson, Poling, Tennen, Rounsaville et Kranzler, 2000 ; Soyka, 2000 ; Steadman, Mulvey, Monahan, Robbins, Appelbaum, Grisso, Roth et Silver, 1998 ; Swanson, Swartz, Essock, Osher, Wagner, Goodman, Rosenberg et Meador, 2002 ; Tiihonen, Isohanni, Rasanen, Koiranen et Moring, 1997 ; Wessely, 1997). Les raisons possibles de cette association entre drogue et violence peuvent être très nombreuses : personnalité antisociale, niveau socio-économique faible, statut d'emploi, difficultés d'*insight* et non-adhésion au traitement sont parmi les variables souvent mentionnées (Soyka, 2000). Toutefois, aucun modèle éprouvé expliquant la relation entre la comorbidité psychiatrique et la violence n'est actuellement disponible. Cependant, dans le cadre de ses études de doctorat, Poullot (2005) a tenté de pousser plus loin la compréhension du phénomène. Ainsi, selon cette auteure, trois facteurs reliés à la présence d'une maladie mentale sévère chez une personne pourraient favoriser la consommation d'une substance psychoactive et la violence : a) sa vulnérabilité face à ses troubles psychiques ; b) les symptômes négatifs reliés à sa maladie ; et c) les effets secondaires désagréables de la prise de sa médication psychotrope. Ainsi, la vulnérabilité face à des troubles psychiques pourrait faire en sorte que des personnes faisant usage de drogues habituellement sans conséquences graves sur le plan psychique pour l'usager occasionnel, le cannabis par exemple, ressentent des effets bouleversants et basculent dans des troubles importants. Par ailleurs, certaines personnes font tout leur possible pour éviter les symptômes reliés à leur maladie. L'usage de drogues illicites leur apparaît parfois comme une solution qui leur évite d'être étiquetés comme malades mentaux ; certains ont donc recours à l'automédication pour tenter de gérer eux-mêmes un ensemble de symptômes psychiatriques. Enfin, il faut savoir que certains psychotropes prescrits dans le but de combattre des troubles mentaux importants entraînent des effets secondaires négatifs que certains patients tentent d'éviter ou de réduire par la consommation de drogues illicites ; ces cocktails de drogues présentent parfois des effets imprévisibles.

Poullot (2005, p. 12) poursuit ainsi son explication des liens entre drogue et violence chez les personnes atteintes de troubles graves et persistants :

> D'autre part, la sensibilité plus élevée de ces individus provoque une réaction plus forte à l'usage de la drogue qui, combiné ou non à une médication psychotrope, entraîne un état d'intoxication, donc une altération de la neurotransmission. Cet état engendre, à son tour, les mécanismes responsables de la violence associés à la consommation d'alcool ou de drogues, les symptômes TCO liés eux aussi à la violence, ainsi que les risques de non-observance de la médication. Le résultat final serait une augmentation des risques de violence.

Comme une figure peut valoir mille mots, voici la représentation graphique proposée par Poullot (2005) :

FIGURE 3.1

Présentation schématique du modèle présenté par Poullot (2005) expliquant les liens entre substance psychoactive et violence chez les personnes atteintes de troubles mentaux graves. (Figure reproduite avec la permission de l'auteure.)

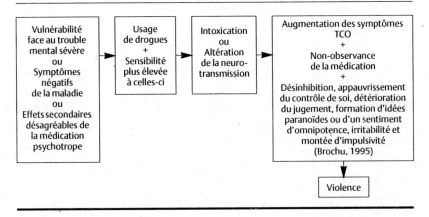

Ici encore, il est possible d'observer que la criminalité n'est pas le résultat des propriétés criminogènes d'une substance consommée, mais plutôt de la consommation d'un produit par une personne souffrant de troubles mentaux graves. Toutefois, sans souffrir de troubles mentaux graves ou présenter une personnalité antisociale, certaines personnes affichent des comportements criminels liés à leur consommation de drogues illicites. On croit alors que les attentes individuelles face au produit consommé pourraient avoir un effet médiateur sur la criminalité perpétrée sous intoxication.

LES FACTEURS RELIÉS AUX ATTENTES

Peu d'études ont été réalisées sur les attentes des consommateurs de drogues illicites en lien avec des comportements agressifs ; il faut donc se fier aux plus nombreuses recherches effectuées dans le cadre des intoxications éthyliques pour tenter de comprendre le rôle de ces attentes sur les comportements violents (voir Brochu, 1994).

Les attentes d'une personne face à la prise d'une substance viennent habituellement des observations glanées ici et là au fil du temps et de son propre apprentissage du produit. Une personne qui a évolué dans un milieu où les consommateurs de cocaïne devenaient irritables et agressifs pourra en venir à supposer qu'il s'agit là d'une conséquence normale et attendue de cet usage et à ainsi intérioriser cette norme qui lui permettra d'agir de façon violente lorsqu'elle-même sera intoxiquée. Les observations et les parcours de consommation instruisent le jeune usager sur les attitudes et les comportements acceptables selon les situations et les groupes de référence. Ainsi, on apprend que l'on peut exprimer plus librement ses sentiments avec un groupe de pairs qu'avec ses supérieurs. Certains apprennent aussi parfois qu'il est plus acceptable ou socialement autorisé d'exprimer des sentiments et des comportements agressifs lorsque l'on se trouve sous l'emprise d'une drogue. La personne qui présente des tendances agressives latentes, mais habituellement bien contrôlées, et qui perçoit cette permission sociale pourra alors donner libre cours à ses impulsions. Cette attitude plus ou moins consciente facilite donc l'association entre drogue et violence.

Par ailleurs, la fréquentation du milieu de la drogue ainsi que les apprentissages personnels graduels permettent de connaître les propriétés et les effets des substances illicites. Telle substance apaise, une autre permet d'affronter des situations difficiles... Le contrevenant pourra alors utiliser une drogue à des fins instrumentales afin de faciliter une opération criminelle déjà planifiée : le cannabis apaisera quand on est trop agité, la cocaïne ou un autre stimulant fournira le courage nécessaire à la réalisation de l'opération (Brochu et Parent, 2005 ; Brunelle, 2001).

Enfin, ce faisant, le contrevenant se crée, par son intoxication, une justification et une circonstance socialement atténuante[2] pour expliquer son comportement : « Ce n'est pas de ma faute, j'étais drogué ! » Ainsi, il lui est permis de désavouer son comportement jugé autrement inacceptable (Finch et Munro, 2005). En effet, on a vu au chapitre 2 que les propriétés psychopharmacologiques de plusieurs produits illicites sont associées à la mani-

---

2. Il faut savoir que l'intoxication ne constitue pas une circonstance atténuante devant les tribunaux. Toutefois, l'attitude publique tend à *excuser* plus facilement les comportements antisociaux des personnes intoxiquées (Finch et Munro, 2005).

festation de comportements antisociaux et criminels. On a encore souvent tendance à croire que certaines substances psychoactives auraient des propriétés criminogènes. Ce faisant, on accepte que la personne intoxiquée commette ainsi des actes qu'elle n'aurait pas faits autrement. En ce sens, la société éprouvera habituellement peu de difficultés à croire au repentir du contrevenant devenu sobre et qui jure que ses écarts de conduite sont entièrement attribuables aux propriétés méphistophéliques de la drogue consommée.

En somme, pour certaines personnes, habituellement celles qui présentent les traits antisociaux les plus marqués, l'intoxication peut devenir *instrument* et *excuse* pour les crimes commis. Toutefois, il apparaît tout de même que certaines personnes risquent plus que d'autres de développer un lien pathogène entre drogue et criminalité qui dépasse le simple incident de parcours. Une explication se trouve dans les recherches qui se sont attachées à mieux comprendre les facteurs de risque qui mènent à une consommation abusive de drogue et à la criminalité.

LES FACTEURS DE RISQUE

Afin de mieux comprendre ce qui incite une personne à poursuivre un parcours dans l'abus de drogues et dans la criminalité, les études scientifiques ont su mettre en lumière plusieurs facteurs de risque (Cadoret, Troughton, Moreno, Merchant et Whitters, 1990 ; DeWit, Silverman, Goodstadt et Stoduto, 1995 ; Dobkin, Tremblay, Mâsse et Vitaro, 1995). Ces facteurs qui permettraient d'expliquer l'apparition de comportements déviants peuvent être regroupés en trois catégories : éléments familiaux, sociaux et personnels (Brochu et Scheeberger, 2001 ; Vitaro, Carbonneau, Gosselin, Tremblay et Zoccolillo, 2000). Examinons chacun d'entre eux.

Les individus exposés à des facteurs de risque familiaux

Par sa présence, son exemple, son attitude, la discipline inculquée, les valeurs transmises et son soutien, la famille, et plus particulièrement la mère et le père, constitue la première institution de socialisation (Farrington, 2003 ; Windle, 1992). Elle facilite ou non le processus d'intégration sociale de l'enfant. Or, très souvent, les usagers de drogues qui ne savent pas bien gérer leur consommation n'ont pas bénéficié de la présence de leur mère ou de leur père durant leur enfance (Brochu et Parent, 2005). Dans la majorité des cas, c'est le père qui est absent. Certains n'ont jamais connu leur père ou leur mère et éprouvent ainsi un sentiment de grand vide ; d'autres, situation plus commune, ont grandi dans une famille où les parents étaient absents ou désengagés[3], ce qui crée alors un sentiment de rejet (Brochu et Parent, 2005). Ces jeunes ont donc souvent grandi avec peu d'encadrement.

Parfois, malgré leur désengagement de la famille, les parents vont fournir un modèle, un exemple à imiter. Les écrits scientifiques ont fréquemment fait état du processus transgénérationnel des toxicomanies et plus spécifiquement de l'alcoolisme. Il n'est pas toujours facile de départager ce qui relève du biologique et du social. C'est l'exemple des parents ou d'un membre de la famille, le frère aîné par exemple, qui incitera beaucoup de jeunes adolescents à s'engager dans l'abus d'alcool ou de drogues illicites (Brunelle, Cousineau et Brochu, 2002a, 2002b, 2002c ; Brook, Brook, De La Rosa, Whiteman, Johnson et Montoya, 2001 ; Cormier, Brochu et Bergevin, 1991 ; Hammersely, Marsland et Reid, 2003), ou encore à commencer à commettre des délits (Brook *et al.*, 2001 ; Elkins, Iacono, Doyle et McGue, 1997 ; Farrington, 2003 ; Hammersely, Marsland et Reid, 2003). Certains abuseurs de drogues ou contrevenants rapportent avoir commencé leurs activités déviantes à l'intérieur du cadre familial (Brochu et Parent, 2005). Si le parent abuse de substances psychoactives en présence de l'enfant, il est probable qu'il transmettra ainsi une attitude générale positive face à l'abus de SPA et que le jeune imitera le modèle parental. Ce faisant, le parent approuve tacitement la consommation de son enfant (Brook *et al.*, 2000).

D'autres parents sont présents, mais font preuve devant leurs enfants de violence conjugale ou encore victimisent ceux-ci, les maltraitent, abusent d'eux ou les négligent (Brook *et al.*, 2000 ; Farrington, 2003). Ces milieux violents transmettent parfois le message que ces types de comportements constituent le seul mode de règlement des conflits ; il est donc acceptable,

---

3. Parfois de façon volontaire, mais parfois cette absence constitue la conséquence de maladies, de problèmes de santé mentale ou d'incarcération.

voire même souhaitable de gérer par la violence les différends qui surgissent normalement dans les relations interpersonnelles. Ce type d'intégration de la violence et du non-respect d'autrui constitue donc pour l'enfant un handicap important pour établir des relations saines dans d'autres sphères de sa vie, entre autres à l'école, et dans les relations avec ses pairs. C'est ainsi qu'un facteur de risque en crée d'autres et qu'ils se cumulent de façon telle qu'il est fort probable qu'un parcours déviant s'installe graduellement (Brochu et Parent, 2005 ; Dembo, Williams et Schmeidler, 1992).

À l'opposé, un certain nombre d'études ont déjà démontré l'existence d'une relation entre environnement familial serein[4] et consommation de substances psychoactives (Brown, 2002 ; Silverman, Goodstadt et Stoduto, 1995 ; Kosterman, Hawkins, Guo, Catalano et Abbott, 2000), ou délinquance (Carbonneau, 2002 ; Windle et Mason, 2004). Les parents, rappelons-le, fournissent aux enfants les premières normes qui leur permettent d'évaluer l'adéquation de leurs comportements. Si ces aspects normatifs ne sont pas bien intériorisés ou sont rejetés à cause de l'attitude des parents, ils seront probablement alors fournis par les amis (Cormier, Brochu et Bergevin, 1991 ; Kosterman *et al.*, 2000). En ce sens, l'absence, la négligence, l'abus des parents ou leur incapacité à se conformer aux normes dominantes contribuent à accroître l'importance accordée au groupe de pairs (Hammersley, Forsyth et Lavelle, 1990).

Dans un rapport d'étude concernant les héroïnomanes hollandais, Grapendaal, Leuw et Nelen (1995) mentionnent que près de la moitié de ces grands consommateurs décrivaient leur relation avec leurs parents comme étant difficile ou misérable. Plus du tiers des individus de leur échantillon avaient été en contact, dans le passé, avec les services de protection des enfants. Des résultats semblables ont également été obtenus dans nos études québécoises (Brochu et Parent, 2005).

---

4. Les enfants peuvent avoir du plaisir au sein de la famille, prendre des risques raisonnables et développer un sentiment de liberté approprié à leur âge (Brown, 2002 ; Carbonneau, 2002).

Les individus exposés à des facteurs de risque sociaux

L'école constitue bien souvent le deuxième lieu de socialisation après la famille ; on y transmet des valeurs sociales généralement partagées par la majorité des citoyens. Bien sûr, une mauvaise *intégration scolaire*[5] ne permet pas la transmission de ces valeurs et peut mener à l'adoption de comportements problématiques (Bryant *et al.*, 2003 ; Fréchette et Le Blanc, 1987). La mauvaise intégration scolaire est elle-même due à un ensemble de facteurs : difficultés intellectuelles, manque de valorisation des apprentissages, motivation défaillante, échecs répétés… Une difficulté d'intégration scolaire favorise à son tour le développement d'activités alternatives plus renforçantes, bien souvent à l'extérieur du cadre scolaire. Une mauvaise intégration scolaire représente donc un facteur de risque considérable pour la consommation de drogues illicites et la délinquance (Bryant *et al.*, 2003 ; Grapendaal, Leuw et Nelen, 1995 ; Normand et Brochu, 1993). Quoique les années passées à l'école primaire soient déterminantes pour l'intégration scolaire des jeunes, c'est souvent lors du passage à l'école secondaire que les manifestations déviantes se cristallisent (Brochu et Parent, 2005). L'entrée au secondaire représente fréquemment une étape difficile pour les jeunes qui n'ont jamais développé un réel attachement au cadre scolaire et à ce qu'on y apprend et qui éprouvaient des problèmes d'adaptation ; les problèmes de comportement apparaissent alors de façon plus marquée. Il s'agit, bien souvent, d'une période critique dans la trajectoire déviante (Brochu et Parent, 2005 ; Bryant *et al.*, 2003). Cette cristallisation va habituellement de pair avec une modification du groupe d'appartenance attribuable au changement d'école.

À l'adolescence, les amis remplacent souvent la famille ou l'école pour la transmission de valeurs et constituent alors une source d'influence importante pour les jeunes (Hotton et Haans, 2003). L'attirance vers des compagnons impliqués dans des délits ou vers des consommateurs de substances psychoactives illicites, l'acceptation de leurs valeurs, et la difficulté de résister aux pressions, parfois très subtiles qu'ils pourraient exercer forment des

---

5. L'intégration scolaire se définit par l'intérêt envers l'école, les efforts manifestés dans les études, un sentiment d'appartenance et des plans concrets pour la suite des études.

facteurs de risque très importants pour l'adoption future d'un style de vie déviant[6] (Brunelle, Cousineau et Brochu, 2002a, 2002b, 2002c ; Bryant *et al.*, 2003 ; Curran, White et Hansell, 2000 ; De Witt, Silverman, Goodstadt et Stoduto, 1995 ; Farrington, 2003 ; Grapendaal, Leuw et Nelen, 1995). Plus spécifiquement, les comportements des connaissances proches semblent associés de près à celui que manifeste le sujet « par un processus réciproque de modelage et de renforcement » (Vitaro, Carbonneau, Gosselin, Tremblay et Zoccolillo, 2000, p. 287). Les amis constituent très souvent le facteur d'initiation et la première source d'approvisionnement en drogues illicites (Barnow, Schultz, Lucht, Ulrich, Preuss et Freyberger, 2004 ; Fagan, Weis et Cheng, 1990). En effet, au début de l'adolescence, il peut être particulièrement important de faire comme les autres, de ne pas trop se distinguer du groupe, ce qui peut amener certaines personnes à commettre des gestes déviants lorsqu'elles sont liées à des pairs délinquants ou consommateurs de substances psychoactives. Aussi existe-t-il une forte corrélation entre la consommation de drogue d'un adolescent et celle de ses amis (Hotton et Haans, 2003). Selon certaines études, les individus qui s'associent à des pairs déviants risquent donc d'acquérir des standards déviants qui promeuvent la consommation de drogues et la violence en tant que comportements normatifs (Friedman, Terras et Glassman, 2003). Par ailleurs, il faut comprendre l'adhésion à un groupe de pairs comme un rapport d'amitié. En ce sens, il ne s'agit pas de comparer ce processus à une araignée qui tisse graduellement sa toile autour de son innocente victime. Il s'agit plutôt d'un mécanisme de sélection mutuelle fondée sur un certain nombre de traits ou d'expériences partagés (Friedman et Glassman, 2000). Il faut être conscient que la sous-culture formée par des pairs délinquants exerce un attrait certain pour les jeunes pour qui le monde des adultes offre peu d'espoir et parfois beaucoup de rejet. Nous pensons ici aux jeunes qui éprouvent des difficultés familiales, scolaires et qui attendent peu d'une promotion sociale appuyée sur des valeurs normalement véhiculées. L'adhésion à cette sous-culture leur permet ainsi d'oublier leurs frustrations tout en adoptant un style de vie excitant (Cormier, Brochu et Bergevin, 1991 ; White, 1990). Il apparaît cependant que l'influence des pairs tient un rôle moins important

---

6. Valleur (1986) utilisera l'expression *carrière de transgressions répétées*.

dans le développement d'activités déviantes de la jeune fille. L'ascendant du petit copain consommateur y tient un rôle beaucoup plus central que l'influence des copines. En effet, plusieurs copains consommateurs incitent à l'usage de substances psychoactives l'élue de leur cœur en partageant avec elle, outre leur amour, leur drogue (Grapendaal, Leuw et Nelen, 1995).

Bien sûr, des conditions de vie familiale inadéquates et une mauvaise intégration scolaire se retrouvent davantage dans les quartiers où les ressources sociales ou économiques font défaut. Ce n'est donc pas par hasard si les personnes provenant de classes socio-économiques défavorisées sont surreprésentées lors des études sur la délinquance autorévélée : la pauvreté coexiste avec le manque de ressources parentales et le décrochage scolaire et contribue à la marginalisation des sujets (Farrington, 2003 ; Hawkins, Catalano et Miller, 1992 ; Lorch et Chien, 1988 ; Windle, 1990).

Les facteurs de risque personnels

Au nombre des facteurs de risque personnels se trouvent la précocité du comportement, la faible estime de soi ainsi que certains traits de personnalité favorisant la manifestation de comportements problématiques. On a constaté que l'initiation en bas âge à un comportement déviant apparaît comme un facteur de risque pour une implication criminelle au cours de l'âge adulte (White *et al.*, 1990). En d'autres termes, les adolescents qui commencent à avoir des activités délinquantes ou à abuser de substances psychoactives au même moment que (ou après) les jeunes du même groupe d'âge s'exposent moins à une implication délinquante ou à une toxicomanie sérieuse que ceux qui ont commencé à agir ainsi de façon précoce (Robins et McEvoy, 1990 ; Windle, 1990). La période d'âge de 10 à 14 ans, et plus particulièrement de 10 à 12 ans, est souvent considérée comme le moment critique servant à délimiter la précocité face à la consommation de drogues ou à l'expérimentation délinquante (Lo, 2000 ; Haapasalo et Tremblay, 1994 ; Nagin et Tremblay, 1999). C'est en effet l'époque durant laquelle d'énormes bouleversements psychosociaux se produisent ; le développement cognitif et affectif du jeune adolescent lui permet maintenant de manifester son autonomie, d'identifier ses valeurs propres et de choisir ses références personnelles (Trudeau, Lillehoj, Spoth et Redmond, 2003). C'est également l'époque durant laquelle les difficultés scolaires se cristallisent, ce qui ouvre la porte à d'autres comportements problématiques (Bryant, Schulenberg, O'Mally, Bachman et Johnston, 2003).

Par ailleurs, l'image et l'estime personnelles des individus marginaux ou déviants apparaissent très négatives, ce qui est très compréhensible quand on a été exposé à de nombreuses difficultés et à des échecs familiaux et sociaux. Lorsqu'on leur demande de parler d'elles-mêmes, ces personnes utilisent des qualificatifs peu flatteurs pour se décrire (Brochu et Parent, 2005). Cette perception, plusieurs abuseurs de substances psychoactives l'ont développée très tôt, au cours de leur enfance, pour ensuite l'intérioriser, la renforcer et la conserver tout au long de l'âge adulte (Brochu et Parent, 2005). Les produits illicites, pharmacopée par excellence pour ces jeunes, deviennent alors de véritables remèdes à leur piètre estime d'eux-mêmes. Les dépresseurs leur permettront de cacher temporairement leur état de malaise ; les stimulants majeurs leur permettront enfin de se sentir tout-puissants. On croit qu'ils gèrent mal leur consommation de drogue, alors qu'ils tentent ainsi de calmer des affects trop pénibles à ressentir.

D'autres traits de personnalité ont été identifiés comme facteurs de risque pour le développement futur de problèmes de consommation de drogues, de délinquance et de déviance. Parmi les traits les plus fréquents on trouve l'impulsivité et la rébellion (Brochu et Parent, 2005 ; Brook, Brook De La Rosa, Whiteman, Johnson et Montoya, 2001 ; Newcomb, 1997). Très tôt, ces jeunes éprouvent de la difficulté à respecter les limites et les règles que les adultes tentent de leur imposer[7]. Ils éprouvent peu d'empathie pour les autres, restreignent difficilement leurs besoins et utilisent la violence pour se satisfaire.

Trop souvent, quand ils sont réunis, les facteurs de risque créent de nouveaux écueils à une saine adaptation sociale. Dans leur étude sur les trajectoires de vie de consommateurs réguliers de cocaïne, Brochu et Parent (2005) concluent que plusieurs des personnes interviewées sont nées dans un *espace en crise* affecté par une accumulation de difficultés. Le milieu familial, pour plusieurs raisons, n'a pu leur fournir le capital personnel et social qui leur

---

7. Il faut toutefois se rappeler que les adultes de l'entourage imposent souvent des règles de façon inconsistante.

aurait permis de s'adapter à la vie en société. Pour ces raisons, ils n'ont pas su répondre convenablement aux exigences du système scolaire et ont accumulé déboires et désolation. Profitant de la plus grande autonomie qu'apporte l'entrée à l'école secondaire, mais sans être pour autant mieux intégrés au système scolaire, ils se sont alors impliqués dans des groupes de jeunes avec lesquels ils partageaient une existence et un vécu similaires. Au fur et à mesure de l'exposition à ces facteurs de risque, ils se sont construit une carapace et une personnalité qui leur a permis d'affronter ces difficultés sans encaisser trop brutalement les chocs de la vie.

En constatant que les facteurs de risque pouvant conduire à la délinquance sont similaires à ceux qui peuvent mener à la consommation importante de drogues illicites, Donovan et Jessor (1985) (voir également Donovan, Jessor et Costa, 1999) ont élaboré leur concept de syndrome général de déviance. À l'instar de ces auteurs, on peut conclure que les facteurs de risque pouvant mener les jeunes à l'adoption d'un mode de vie déviant augmentent avec l'aliénation face aux institutions de socialisation en place[8]. D'autant plus que ces jeunes ne seront pas portés à discuter de leurs difficultés avec leurs parents ou leurs instituteurs.

Même si elles sont exposées de façon hâtive à des facteurs de risque, certaines personnes ne développent aucun problème d'adaptation significatif.

> Il est en effet probable que certains individus ne manifestent pas les difficultés attendues malgré une exposition à un environnement hautement à risque... Ces enfants possèdent des caractéristiques personnelles, familiales et sociales particulières qui agissent comme des facteurs de protection. (Vitaro *et al.*, 2000, p. 302)

Un ensemble d'éléments de protection agiraient tel un contrepoids aux facteurs de risque. Ainsi, certains traits de personnalité prosociaux, des dispositions personnelles, des habiletés de résolution et de gestion de problèmes, un cercle d'amis aux valeurs prosociales, le développement d'une solide relation affective avec un des parents ou un substitut significatif, et un milieu qui apporte un soutien constituent une toile de fond sur laquelle les facteurs de risque n'ont qu'une faible prise (Curran, White et Hansell, 2000 ; De Witt, Silverman, Goodstadt et Stoduto, 1995 ; Newcomb, 1997 ;

---

8. Voir également Caffray et Schneider (2000) ainsi que Newcomb (1997).

Poikolainen, 2002 ; Vitaro *et al.*, 2000). Toutefois, il faut savoir que les facteurs de protection n'ont pas non plus tous le même poids et que certains ont un rôle plus important que d'autres (Vitaro *et al.*, 2000).

Ces facteurs de risque et de protection sont souvent liés à l'attachement (ou l'absence d'attachement) aux institutions familiales, scolaires ou sociales, car ce sont elles qui transmettent les valeurs communément acceptées. Plus la personne s'éloigne de ces institutions, plus elle se sent indifférente à elles ou ressent de l'aversion à leur égard, plus les niveaux de risque sont élevés.

LES NIVEAUX DE RISQUE

Cette synergie d'éléments parfois contradictoires fait en sorte que certains adolescents seront plus ou moins impliqués dans la déviance. Tout en conservant ces éléments de risque et de protection en tête, tentons, à l'instar de Chaiken et Johnson (1988), d'observer les niveaux d'implication criminelle des usagers/abuseurs de drogues illicites. Cette typologie présente le mérite d'illustrer les diverses positions pouvant être empruntées par les adolescents impliqués à la fois dans une consommation de ces substances psychoactives (dépassant le stade expérimental) et d'autres activités aux marges de la loi ; la voici résumée succinctement.

L'adolescent qui fait un usage occasionnel de substances psychoactives illicites est généralement attiré par tout un éventail de comportements hors normes ou d'activités à risque : relations sexuelles non protégées, conduite automobile à haute probabilité d'accidents (p. ex. non-respect du code de la route et des conseils de prudence élémentaire ; rage au volant), etc. (Gottfredson et Hirschi, 1990). La majorité de ces jeunes consommateurs occasionnels, malgré qu'ils soient généralement impliqués dans un éventail étendu de comportements qualifiés de déviants, risquent cependant peu d'attirer l'attention du système de justice (Chaiken et Johnson, 1988).

Le trafic de drogues constitue très certainement l'un des crimes le plus explicitement associés à l'usage de drogues illicites (Simpson, 2003). Cette situation est tout particulièrement observable dans les quartiers défavorisés où cette criminalité est parfois liée à une réussite sociale (Brochu et

Parent, 2005 ; Centers et Weist, 1998). On estime que, chaque année, environ 10 % des adolescents nord-américains s'engagent d'une façon ou d'une autre dans le trafic de substances psychoactives illicites (Carpenter, Glassner, Johnson et Laughlin, 1988). *Ces adolescents occasionnellement impliqués dans le commerce illicite de la drogue*[9] ne constituent pas encore des délinquants avérés. Un bon nombre d'entre eux consomment des drogues illicites, d'autres pas (Altschuler et Brounstein, 1991). Pour les consommateurs, cette entrée d'argent leur permet de se procurer leur drogue de prédilection sans trop porter atteinte à leur budget ; les autres pourront s'offrir de *petits luxes* (Brochu et Parent, 2005 ; Brunelle, 2001 ; Cousineau, Brochu et Schneeberger, 2000). Rares sont ceux qui considèrent cette *occupation* comme une entorse sérieuse aux lois. Parallèlement, ces jeunes poursuivent des activités scolaires et sociales comparables à celles de leurs pairs.

Seul un petit nombre parmi les 10 % des adolescents impliqués dans le commerce de la drogue s'y compromet fréquemment. *Ces adolescents qui s'associent au commerce de la drogue illicite de façon relativement assidue* ont franchi une étape supplémentaire sur le plan d'une implication délinquante. Ils ont dû établir des contacts avec des trafiquants adultes qui leur fournissent la marchandise en quantité suffisante et à des tarifs compétitifs. Ils entretiennent une clientèle relativement régulière. Plus la personne est compromise dans le trafic de la drogue, plus elle risque d'en consommer (Brounstein *et al.*, 1990 ; Brunelle, 2001 ; Brunelle, Brochu et Cousineau, 2003 ; Menard et Mihalic, 2001 ; Parent et Brochu, 2002). Bon nombre de ces adolescents utilisent donc des drogues illicites de façon quotidienne (sans pour autant développer une dépendance envers le produit). Les profits de ce commerce illicite, en plus de payer la drogue pour leur propre usage, servent à leur procurer de l'alcool et des cigarettes qu'ils partageront avec leurs compagnons et complices, de même qu'à acheter des vêtements ou d'autres produits attrayants pour les personnes de ce groupe d'âge (Carpenter *et al.*, 1988) ; bien sûr, si l'adolescent doit faire face à une supervision parentale

---

9. Carpenter *et al.*, dans leur étude publiée en 1988 et basée sur le témoignage d'adolescents, différencient les *sellers* des *dealers*. Selon eux, le premier terme s'appliquerait aux jeunes occasionnellement impliqués dans le commerce de la drogue alors que le deuxième caractérise les adolescents beaucoup plus impliqués dans ce trafic illicite.

relativement serrée, il lui sera plus facile de dépenser ses gains illicites en alcool et en drogues qu'en vêtements et achats de biens durables :

Il faut comprendre qu'un adolescent qui se promène avec beaucoup d'argent éveille les soupçons dans son entourage. Alors il lui faut dépenser rapidement cet argent. Or, comme l'achat de vêtements, d'appareils électroniques, etc. peut paraître suspect, mieux vaut se procurer quelque chose qui se consomme rapidement. La drogue devient alors, dans cette période d'expérimentation à laquelle correspond l'adolescence, une option attrayante, surtout lorsque les expériences antérieures avec ces substances ont été positives aux yeux des jeunes concernés. (Brunelle, Cousineau et Brochu, 1997, p. 31)

Les bénéfices constituent généralement la raison principale motivant ces jeunes gens à s'impliquer dans le commerce des drogues (Brounstein, Harty, Altschuler et Blair, 1990). Parallèlement, ils continuent à fréquenter l'école et à mener des activités de loisirs communes aux gens de leur âge car ils seront rarement embêtés par le système de justice (Collison, 1996). Une tout autre menace les guette : l'attrait de l'argent vite empoché... et promptement dépensé. Si ce style de vie ne les ensorcelle pas trop, et si les activités scolaires et sociales les captivent suffisamment, ils mettront alors fin à leur occupation illicite au cours de leur adolescence (Chaiken et Johnson, 1988).

Ce sont *les adolescents impliqués dans une criminalité polymorphe*, contrairement aux jeunes regroupés dans les catégories analysées précédemment, qui risquent le plus de poursuivre leur trajectoire criminelle jusqu'à l'âge adulte (Kandel, Simcha-Fagan et Davies, 1986 ; Fréchette et Le Blanc, 1987). Ce très petit segment de la jeunesse contemporaine se trouve compromis dans un très grand nombre d'activités délinquantes, parfois très sérieuses et ce sont habituellement ces mêmes jeunes qui se trouvent disproportionnellement associés à une consommation de substances psychoactives fortement réprouvées socialement (Bright, 1999 ; Chung, Hill, Hawkins, Gilchrist et Nagin, 2002 ; Cornwyn et Benda, 1999 ; Fergusson et Horwood, 2002 ; Johnson *et al.*, 1991). Ils participent au commerce de la drogue au profit d'un adulte qui leur avance les quantités de drogue nécessaires à la bonne marche des transactions. La vente ne constitue pas leur unique implication dans ce commerce. En effet, ils agissent fréquemment en tant qu'indicateurs pour diriger les chalands vers les endroits appropriés aux négoces ou pour surveiller les patrouilles policières. Les plus costauds fourniront la protection nécessaire afin d'éviter les vols de drogues ou d'argent, relativement fréquents dans ce milieu. Rares sont ceux qui commettent leur délit dans le but unique de se procurer une drogue (Brounstein *et al.*, 1990 ; Collison, 1996 ; Denton et O'Malley, 2001). Leur style de vie orienté sur l'apparat attire le respect des plus jeunes qui envient la richesse de leurs vêtements (jeans griffés, manteau de cuir, etc.) et leur façon de se comporter (Farrington, 2003).

Les adolescents pris en charge par les tribunaux constituent généralement ceux qui présentent la trajectoire délinquante la moins prospère. Leurs arrestations fréquentes sont souvent attribuables à leur usage important de drogues licites ou illicites. Cette consommation ne leur permet pas de se joindre à des réseaux délinquants plus élaborés. Les trafiquants adultes les évitent, car ils pourraient attirer le regard des forces policières sur leurs propres activités illégales (Chaiken et Johnson, 1988).

Même si les deux tiers des adolescents regroupés dans les catégories précédentes continueront à consommer certaines drogues illicites lors de leur passage à l'âge adulte, la moitié mettra un terme à son implication dans des activités délinquantes (Chaiken et Johnson, 1988)[10]. Ceux qui poursuivront cette trajectoire proviennent fréquemment de familles désavantagées sur le plan social et économique, de parents incapables de s'intégrer aux normes en vigueur, ou d'un noyau familial au sein duquel d'autres membres exercent des activités délinquantes. Ces jeunes présentent généralement un mauvais dossier scolaire. Ils ont commencé à s'impliquer criminellement et à consommer des drogues illicites à un âge relativement jeune. Au fil du temps, ils sont devenus des polyconsommateurs et commettent des crimes à une fréquence très élevée en raison de leur formation insuffisante et de leurs habiletés sociales déficientes. Enfin, peu de possibilités leur sont offertes pour qu'ils réussissent dans des activités licites lucratives et ils risquent fort d'éprouver d'énormes difficultés à rejoindre la main-d'œuvre active (Dryfoos, 1990).

---

10. Voir également Nagin et Tremblay (1999) ainsi que Lanctôt et Le Blanc (2000).

SYNTHÈSE

Il apparaît donc assez clairement que le délit commis par une personne intoxiquée ou dépendante d'une substance psychoactive ne peut pas être uniquement attribué aux propriétés du produit (e. g. perturbations cognitives, désinhibition, affaiblissement des facultés de contrôle de soi, etc.), mais qu'il faut également tenir compte des caractéristiques du consommateur. Bien sûr, une personne aux penchants antisociaux pourra avoir tendance à recourir à des moyens illégaux et à régler ses différends par la force ; elle le fera d'autant plus aisément si le produit consommé a pour effet d'affecter ses fonctions cognitives et de réduire son répertoire de réponses comportementales adéquates et appropriées à la situation. Toutefois, d'autres caractéristiques personnelles du consommateur peuvent aider à comprendre ses manifestations criminelles. Il en est ainsi des troubles mentaux ; une personne qui présente un potentiel de troubles mentaux sérieux ou des symptômes actuels risque davantage de manifester des comportements étranges, voire violents, en état d'intoxication. De même, les attentes (e. g. fonction instrumentale de la drogue consommée pour la perpétration du délit et excuse à fournir pour dissiper la culpabilité) de la personne consommatrice ne sont certes pas à négliger dans la compréhension de liens complexes qui unissent les drogues et la criminalité. Enfin, on peut croire que l'exposition à certains facteurs de risque, majoritairement au cours de l'enfance (principalement dans le milieu familial, mais également à l'école) et de l'adolescence (principalement école et amis), pourrait provoquer la formation de traits de personnalité indociles, récalcitrants et rebelles favorisant alors l'adoption d'un style de vie dans lequel l'intoxication, l'abus de substances psychoactives et des activités délinquantes font partie du quotidien.

4

LE CONTEXTE ACTUEL D'USAGE DE SUBSTANCES PSYCHOACTIVES ILLICITES

Ce chapitre est consacré au contexte d'usage de substances psychoactives illicites et à ses liens avec la criminalité. On y analysera d'abord l'évolution de nos rapports avec les drogues jusqu'au moment où certaines de ces substances sont devenues l'objet d'une pénalisation et des activités répressives actuelles. Nous tenterons de comprendre l'impact des lois pénales et de ce contexte répressif sur les liens qui unissent les substances psychoactives et la criminalité.

Par ailleurs, nous verrons qu'un contexte social qui permet l'accès à des services de traitement adéquats semble réduire considérablement la criminalité des personnes dépendantes. Toutefois, en matière de toxicomanie, la condamnation pénale du consommateur rappelle trop souvent la victimisation de cet accusé et permet de le fustiger et le punir afin de le soigner. Actuellement, châtiment et traitement sont ainsi très souvent intimement associés. Ce mariage de raison est-il le gage d'une alliance profitable ? La deuxième tranche du chapitre tentera de répondre à cette question en analysant l'impact, en termes de criminalité, des programmes de traitement de la toxicomanie offerts en milieu de détention, de même que l'efficacité du renvoi des personnes judiciarisées vers des centres de traitement situés dans la communauté. Ce faisant, nous ne manquerons pas de soulever des questions pratiques et éthiques à cette union parfois forcée que constitue le traitement des toxicomanes en contexte pénal.

UN CONTEXTE RÉPRESSIF

Il fut un temps, que nos arrière-grands-parents ont peut-être connu, où certaines substances psychoactives aujourd'hui illicites, loin de constituer un sujet d'actualité des rubriques judiciaires, occupaient une place commerciale relativement importante. Cette époque est révolue puisqu'il est maintenant question de la *guerre à la drogue*. Un combat robuste, qui fait de nombreuses victimes sur le sol nord-américain et en Europe.

De la vente libre à la criminalisation

En l'espace de quelques printemps, certaines drogues ont changé radicalement de représentation dans l'iconographie sociale. Que s'est-il passé pour qu'apparaisse un tel revirement de situation ?

Angleterre contre Chine

Aux XVIIIe et XIXe siècles, à la suite de la guerre de Sept Ans, les Britanniques, par l'entremise de l'East India Company[1], contrôlaient la production indienne de l'opium (De Choiseul Praslin, 1991). Pendant longtemps, une importante tranche de cette production était exportée vers la Chine, qui fut alors considérée comme un marché stable et assuré de consommateurs.

Les autorités chinoises, après avoir détourné leur regard des conséquences sociosanitaires néfastes de ce marché durant de longues années, finirent par percevoir la situation sous un angle fort différent. Ainsi, voyant son économie s'effondrer à la suite de la fuite de ses capitaux vers des pays européens, la Chine décréta un édit impérial, en 1796[2], interdisant l'importation d'opium (Béroud, 1991). Devant les difficultés répétées à faire respecter

---

1. Une association de marchands anglais, tout d'abord intéressée aux épices et par la suite à l'importation de thé chinois, qui détenait le monopole du commerce avec l'Asie du Sud-Est.
2. Une première interdiction avait été promulguée en 1729, mais n'affectait alors l'importation que par l'imposition de droits de douane.

cette politique : « Elles [les autorités chinoises] sommèrent tous les com-
merçants étrangers de remettre leurs stocks d'opium pour destruction. Les
Anglais eurent beau protester, les plus de 1400 tonnes qui leur apparte-
naient furent jetées dans le fleuve à Guangzhou (Canton) » (Bell, 1991, p. 3).

Ces gestes furent interprétés comme des attaques directes envers la cou-
ronne britannique et la réponse fut impitoyable :

> Au début de 1840 donc, ce qui sera désormais appelé « la première guerre de
> l'opium » sera la réponse britannique aux tentatives chinoises de s'opposer à
> l'entrée forcée de cette drogue en Chine. Cette guerre est vite gagnée par les
> Britanniques à cause de leur supériorité navale. Dans ce qu'ils exigent de la
> Chine, à la suite de leur victoire, se retrouvent de nouveaux ports d'entrée pour
> l'opium, le remboursement de la cargaison d'opium détruit et l'île de Hong-
> Kong [...]. À la suite de cette guerre, le commerce de l'opium s'est d'autant plus
> intensifié que l'Angleterre en avait grand besoin pour équilibrer son budget.
> (Beauchesne, 1991, p. 69-70)

Le traité de Nanking ouvrit alors le marché chinois aux importations
anglaises. Les livraisons d'opium en Chine atteignaient les 12 000 tonnes en
1886, année durant laquelle des mesures restrictives furent établies par les
Britanniques[3] (De Choiseul Praslin, 1991).

Qui étaient les bons ? Qui étaient les méchants ? Existait-il seulement des
bons et des méchants ? L'issue des hostilités accorde généralement un rôle
positif aux vainqueurs. Dans ce qui a peut-être constitué la première véritable grande guerre contre les drogues, l'Angleterre est sortie triomphante.
Les trafiquants ont gagné cette rivalité armée et les nations commerçantes,
telles que la France et le Portugal, applaudirent à l'annonce de cette victoire
(voir De Choiseul Praslin, 1991).

C'est dans ce contexte politique qu'apparurent les premières conventions internationales visant à contrôler le commerce de l'opium et, par la
suite, de plusieurs autres substances psychoactives.

---

3. Le commerce de la drogue avait pris une telle ampleur que des voix critiques
   commencèrent à s'élever en Angleterre, entre autres avec la création d'une Société
   anglo-orientale d'inspiration quaker qui avait pour but la suppression du trafic
   d'opium.

Les conventions internationales

Le XIXe siècle constitua également une étape marquante dans l'histoire des drogues à bien d'autres titres. Ainsi, on a découvert la façon d'extraire la morphine et l'héroïne, on a mis au point la seringue hypodermique, on a isolé l'alcaloïde de la feuille de coca et on a commercialisé le vin Mariani et le coca-cola : « Le grand changement du XIXe siècle avec l'arrivée de ces nouvelles drogues est leur commercialisation de plus en plus rapide dans le marché de la "guérison" et du "produit-miracle" et ce, à l'échelle mondiale » (Beauchesne, 1991, p. 95).

L'accumulation de ces découvertes, appuyée par une commercialisation outrancière de la part des compagnies pharmaceutiques et des grands laboratoires, contribua à une croissance accélérée du nombre de consommateurs et, parallèlement, à un changement graduel d'attitude envers les drogues. Alors que l'on ne se préoccupait guère de la consommation de drogues en Amérique à la naissance du XIXe siècle, l'aube du XXe siècle présentait une situation fort différente. Cette consommation en expansion eut pour conséquence de heurter divers groupements religieux[4] et corporatistes[5] qui appuyèrent de puissantes croisades anti-drogues : « Les Ligues de tempérance prêchaient la prohibition de l'alcool ; elles donneront les premiers échos des cris de guerre à la drogue » (Beauchesne, 1991, p. 101).

On commença à appréhender la pharmacodépendance des usagers de produits dérivés de l'opium. Les minorités chinoises américaines firent alors l'objet de réprobation de la part des entrepreneurs moraux. En effet, certains immigrés chinois consommaient de l'opium sur une base régulière. L'Amérique anglo-saxonne était alors bien décidée à réagir contre ce produit aux caractéristiques *diaboliques* dépeint par certains chroniqueurs à la recherche de sensationnalisme plus que de vérité. Cette action a-t-elle trouvé ses origines dans un bain de racisme envers une minorité qui *dérobait* les emplois des Blancs américains ? Certains l'affirment avec conviction :

---

4. Les Quakers en Grande-Bretagne ainsi que les missionnaires américains à leur retour de l'Extrême-Orient (Nadelmann, 1992).
5. Associations de médecins et de pharmaciens (Nadelmann, 1992).

À la fin du xixᵉ siècle, toutefois, dans l'Ouest canadien, des groupes moraux puritains réclament des restrictions majeures dans ces domaines. Des évangélistes méthodistes, surtout, clament bien haut que les valeurs autres que protestantes, ou encore l'athéisme, ne doivent pas être tolérées, car cela amènera la destruction de la puissance anglo-saxonne. L'alcool, le sexe et l'opium sont, à cet égard, considérés comme les trois sources majeures de vice et de péché qui menacent la famille et le mode de vie anglo-saxon protestant... et blanc. (Beauchesne, 1991, p. 127)

À cette époque, où le Chinois était synonyme d'« immonde opiomane » et de « péril jaune », les États-Unis votèrent, sous la pression des syndicats, les *exclusion laws*, des lois visant à protéger les travailleurs américains. (Béroud, 1991, p. 69)

[L]es première lois anti-opium, appliquées au début sous forme d'ordonnances municipales, à San Francisco en 1875 et à Virginia City (Nevada) en 1876, étaient dirigées contre les fumeurs d'opium, que l'on associait aux immigrants chinois et aux Blancs déviants. L'usage qu'ils faisaient de la drogue était perçu comme un symbole de la décadence des immigrants et comme une arme potentielle qui pourrait servir à miner la société américaine. Dans le Sud, la majorité blanche craignait que l'usage de la cocaïne par les Noirs puisse les inciter à oublier le statut qui leur avait été assigné dans l'ordre social. (Nadelmann, 1992, p. 543)

Amorcé à une époque marquée par le racisme et des guerres commerciales coloniales, le contrôle des stupéfiants axé sur la prohibition s'est étendu à l'échelle internationale à l'insistance des États-Unis. (Sinha, 2001, p. 1)

Quoi qu'il en soit, on se dirigea vers la prohibition de l'usage non médical de ces drogues. C'est ainsi que le début du xxᵉ siècle fut le témoin de la création de nouvelles lois afin d'interdire l'opium au Canada et aux États-Unis. Pourtant, la croisade ne s'arrêta pas là. En 1909, sous l'impulsion des États-Unis, la Commission de Shangaï réunissait 13 pays[6] :

La Commission vota neuf résolutions, qui peuvent sembler n'être que des vœux pieux, mais qui constituaient à l'époque un progrès phénoménal. Dans ces textes, la Commission reconnaissait le droit de la Chine de supprimer totalement l'abus et la production d'opium (résolution n° 1). Elle recommandait la fermeture immédiate des fumeries (résolution n° 7) et l'adoption de mesures draconiennes pour contrôler la production, la vente et la distribution de l'opium et de

---

6. Allemagne, Autriche-Hongrie, Chine, États-Unis, France, Italie, Iran, Japon, Pays-Bas, Portugal, Royaume-Uni, Russie et Siam (Bell, 1991).

ses dérivés à l'échelon national (résolution n° 5). Elle reconnaissait aussi la nécessité de prendre des mesures raisonnables pour empêcher l'expédition d'opium aux pays qui en avaient interdit l'importation (résolution n° 4). (Bell, 1991, p. 4)

Il s'agissait donc de résolutions non contraignantes visant à limiter le commerce de l'opium. Trois ans plus tard fut ratifiée une nouvelle convention internationale à La Haye qui demandait aux pays participants d'instaurer des législations nationales restreignant la production, l'importation, la détention et l'usage d'opiacés (Bell, 1991).

La collaboration mondiale actuelle en matière de drogues repose essentiellement sur la signature de trois conventions des Nations Unies :

- la Convention unique sur les stupéfiants (1961, modifiée en 1972) ;
- la Convention de 1971 sur les substances psychotropes ;
- la Convention contre le trafic illicite de stupéfiants et de substances psychotropes (1988).

Ces conventions signées au cours du dernier demi-siècle avaient pour objectif de circonscrire par une criminalisation la culture, la production, le trafic ainsi que la distribution de certaines drogues, à l'exception de celles utilisées pour des besoins médicaux ou de recherche, de même que l'alcool, le tabac ou le café. Dans la pratique, on questionne la portée de ces mesures qui visaient à limiter le gain en popularité de la consommation de ces drogues (The International Coalition of NGOS for Just and Effective Drugs Policy, 2001). Ces législations favorisèrent cependant la mise en place de stratégies de guerre contre les drogues, sous l'impulsion des États-Unis.

Malgré les impressions erronées et les lacunes importantes sur le plan des connaissances scientifiques relevées au chapitre 2 en ce qui a trait aux effets potentiellement *criminogènes* de certaines substances psychoactives, il est clair que cette conception causaliste a illusionné plusieurs décideurs et parlementaires et a joué un rôle déterminant sur le plan de l'évolution des moyens répressifs envisagés pour interdire la consommation de certaines drogues dans les pays industrialisés (De Choiseul Praslin, 1991). Nous comprenons ainsi davantage dans quel contexte les États-Unis en sont venus à livrer une lutte sans indulgence aux drogues et à ses consommateurs.

La guerre contre les drogues

La stratégie de l'élimination de l'offre de drogues constitue la tactique préférée des gouvernements des États-Unis (Observatoire géopolitique des drogues, 1993a). Plus des deux tiers des budgets américains consacrés aux drogues y sont investis (Van Nostrand et Tewksbury, 1999). Cette stratégie consiste à couper l'approvisionnement en drogues à sa source. La difficulté consiste toutefois à déterminer dans quelle source il importe d'investir les énergies prioritaires (Moore, 1990).

La guerre aux pays producteurs

Pour les uns, les *contrées productrices* constituent la source de drogues illicites (Moore, 1990). À l'exception des drogues chimiques, les nations fournisseuses se distinguent en général assez bien des pays fortement consommateurs. On pense ici à l'Asie du Sud-Est ou à l'Asie du Sud-Ouest pour la production de pavot à opium[7] et à la Colombie, au Pérou et à la Bolivie pour la culture de cocaïer. Dans ces circonstances, la source, en se situant à l'extérieur du pays consommateur, requiert une politique internationale qui s'appuie généralement sur trois types de frappe : la répression militaire ; l'éradication des champs d'opium ou de coca ; et des programmes de développement alternatif (Cortes, 1998). « Les paysans reçoivent 2 000 dollars de dédommagement pour chaque hectare "reconverti" et des projets de développement cofinancés par l'aide américaine (USAID) ou les Nations Unies (PNUCID) sont en principe mis en place » (Observatoire géopolitique des drogues, 1993a, p. 256).

Cependant, dans ces pays généralement en voie de développement, les drogues cultivées appartiennent à la flore naturelle. Elles s'y développent depuis des siècles. La culture de ces plantes relève tout autant de la tradition que de l'économie puisqu'il s'agit d'une des rares productions nationales en demande croissante : « Il n'existe pas aujourd'hui de marché pour les produits alternatifs : aucune culture n'est aussi aisée et rentable que la coca mais aucune culture non plus ne pourrait disposer d'un marché interne pour sa réalisation économique » (Brackelaire, 1992, p. 216).

---

7. Pour la fabrication d'héroïne.

Il est donc très difficile de convaincre les paysans de substituer à leur culture de coca ou de pavot la culture de céréales, de fruits ou de café :

> Malgré tous les efforts internationaux déployés dans le domaine des cultures de remplacement, on a assisté à une augmentation considérable des zones de production et de nombreuses régions sont contrôlées par des organisations qui emploient « la manière forte ». Il ne faut pas oublier que les trafiquants de drogue ont toujours coutume de surenchérir les produits de substitution ou que leur culture se fait en partie dans des régions impraticables ou politiquement neutres (Zones frontalières du Triangle d'Or, Pakistan/Afghanistan)... Il faudrait, pour mener à bien ces cultures de substitution, garantir leurs débouchés, à un prix convenable et à un niveau mondial. (Limburg, 1990, p. 67-68)

De plus, lorsqu'un pays parvient à juguler la culture du cannabis, du coca ou du pavot dans une région, d'autres voient leur production augmenter d'autant (Weisheit, 1990). À titre d'exemple, durant la période s'échelonnant de 1997 à 1998, plus de 1 000 000 d'hectares de champs de cocaïers furent l'objet de fumigation ; toutefois, pour la même période, la production nette de feuilles de coca a augmenté de 50 % (Masey, 2001).

> À la fin du mois de novembre 2001, les superficies de cultures illicites de coca ont atteint un nouveau record : 170 000 hectares. Pourtant, dans le cadre du « Plan Colombie » dont l'objectif est de mettre fin aux productions de drogue, les États-Unis financent d'intenses campagnes de « fumigation » (épandage aérien d'herbicides) des cultures illicites de cocaïers et de pavot. (Labrousse, 2002, p. 1)

En effet, les connaissances techniques de même que le matériel requis pour mener à bien ces opérations agricoles permettent facilement ces déplacements (Moore, 1990). De plus, certains paysans dissimulent la culture de coca ou de pavot parmi des cultures vivrières (Labrousse, 2002). Ce faisant, on contribue toutefois à détruire l'écosystème de ces pays[8]. Plusieurs critiques acerbes s'élèvent donc pour dénoncer ces méthodes qui ne seraient que prétexte à des interventions politicomilitaires et qui auraient peu à voir avec la drogue (Masey, 2001 ; Labrousse, 2002).

---

8. La fumigation en soi contribue à la pollution, mais il faut également prendre en compte l'utilisation d'engrais et de pesticides par les cultivateurs qui désirent obtenir une croissance plus rapide étant donné les profits reliés à une culture illicite.

Les luttes économiques contre les drogues étrangères et concurrentes servent également, par association, à discréditer des régimes politiques étrangers. La guerre à la drogue, surtout aux États-Unis, joue ce rôle et ce, d'autant plus que, ces dernières années, cette stratégie doit pallier la disparition d'un ennemi de l'Amérique fort commode pour justifier toute une série de contrôles économiques et politiques, tant internes qu'externes : le communisme. (Beauchesne, 1995, p. 140)

La guerre à l'importation et la distribution au sein du pays consommateur

On peut cependant penser différemment et considérer que la source d'approvisionnement vient de l'importation et de la distribution dans le pays consommateur (Masey, 2001 ; Moore, 1990). Il s'agit alors d'intercepter et de saisir toutes les drogues que l'on tente de faire entrer et de distribuer dans le pays. La difficulté majeure consiste à déjouer les astuces des trafiquants dans leurs tentatives d'importation et de distribution de drogues. L'opération n'est pas très simple si l'on tient compte, par exemple, de l'étendue des frontières d'un pays comme le Canada ou les États-Unis, et du magma des importations de tout genre qui pénètre dans ces pays chaque semaine.

Les RMR (régions métropolitaines de recensement) à proximité d'aéroports internationaux ou de ports maritimes le long des côtes du Pacifique ou de l'Atlantique, ou des voies d'eau intérieures comme le fleuve Saint-Laurent et les Grands Lacs, constituent d'importants points d'accès pour le passage de contrebande à l'intérieur et à l'extérieur du pays. (Desjardins et Hotton, 2004, p. 6)

Peut-on effectivement exercer un contrôle rigoureux sur chacune des voies d'accès qui pourraient être empruntées ?

On a calculé que, pour doubler l'importance des saisies de drogue, c'est-à-dire en intercepter 10 %, il faudrait multiplier par dix les investissements en moyens d'intervention. Il est donc tout à fait illusoire d'espérer qu'on pourra, dans quelque avenir que ce soit, tarir l'approvisionnement. (Apap, 1991, p. 102)

Les réseaux criminels sont en constante mutation et lorsqu'une route utilisée pour l'importation de drogues est bloquée, les trafiquants utilisent rapidement une autre voie (Reuter, 1990 ; Thoumi, 2002). Selon les hypothèses les plus optimistes, on ne parviendrait à saisir qu'entre 10 et 20 % de toutes les importations en drogues. C'est infime ! Ces saisies n'affectent donc pratiquement pas les organisations criminelles visées[9] (De Choiseul Praslin, 1991 ; Moore, 1990 ; Reuter, 1990). Par ailleurs, si ces opérations parvenaient à endiguer complètement le flot de drogues illicites qui pénètre dans un pays, il est pratiquement assuré que des laboratoires clandestins prendraient aussitôt la relève pour mettre rapidement sur le marché un produit similaire à celui qui a disparu (Weisheit, 1990).

Les énormes profits reliés au commerce illicite des drogues fait en sorte que les travailleurs ne manquent pas. Il s'agit même d'une activité quasi inévitable pour les grands consommateurs d'héroïne ou de cocaïne étant donné le coût élevé de ces drogues (Junger-Tas, Haen, Marshall et Ribeaud, 2001 ; Hunt, 1991). Plusieurs facteurs expliquent l'implication dans le trafic de drogues illicites. Bien sûr, parmi ceux-ci se trouve l'appât du gain rapide. L'utilisateur de substances psychoactives aura tôt fait d'évaluer qu'il s'agit d'un *excellent* moyen pour obtenir sa drogue sans débourser un sou (Hunt, 1991 ; Parent et Brochu, 2002). On estimait, au milieu des années 1980, qu'un revendeur pouvait empocher jusqu'à 30 $ de l'heure (Reuter, MacCoun et Murphy, 1990 ; MacCoun et Reuter, 1992). C'était le quadruple du taux horaire médian de ceux qui, parmi eux, occupent un emploi légitime (Reuter, MacCoun et Murphy, 1990 ; MacCoun et Reuter, 1992). Plus récemment, une étude (Kinlock, O'Grady et Hanlon, 2003) évaluait le revenu moyen hebdomadaire tiré du trafic à 2 126 $. Pourtant, même si la presque totalité des héroïnomanes ou des cocaïnomanes devient un jour ou l'autre impliquée dans un trafic à petite échelle auprès d'amis ou de connaissances, peu d'entre eux en feront une carrière. En fait, le trafic régulier de stupéfiants est contrôlé par un petit nombre de personnes. Ainsi, moins de 10 % des trafiquants seraient responsables des trois cinquièmes de toutes les transactions de drogues (Gossop, Marsden et Stewart, 2000 ; Hunt, 1991 ; Johnson, Kaplan et Schmiedler, 1990). Alors que les probabilités sont élevées pour qu'un jeune revendeur soit lui-même un consommateur de drogues, la situation s'avère très différente pour les trafiquants adultes de haut niveau. Malgré que ces derniers fassent habituellement un usage récréatif de dro-

---

9. Reuter (1990) estime que s'il était possible de saisir 50 % de la cocaïne qui entre aux États-Unis en provenance de la Colombie, cette mesure n'accroîtrait que de 3 % son prix au détail.

gues, peu d'entre eux développeront une dépendance au produit (Hunt, 1991). La toxicomanie marquerait la fin de leur carrière. C'est pourquoi ils consomment habituellement de la marijuana et ne font usage de cocaïne que lors d'occasions spéciales. Contrairement aux revendeurs de rue qui sont généralement attirés vers cette activité à la suite d'un besoin d'argent engendré par leur consommation, les trafiquants importants constituent une classe d'hommes et de femmes d'affaires qui se sont impliqués dans ce genre d'activités pour les bénéfices importants et rapides qu'il est possible d'en tirer (Hunt, 1990).

Au Québec, le nombre d'affaires de drogues enregistrées par la police est en hausse depuis plus d'une décennie. Cette situation est principalement due à l'augmentation du nombre de cas liés au cannabis, répertoriés par les différents corps policiers entre 1991 (34 460) et 2000 (66 171) (Brochu et Cousineau, 2003). Parmi l'ensemble des dossiers qui touchent aux drogues, les accusations de possession prédominent nettement (52 %), suivies des accusations de trafic (32 %)[10] (Statistique Canada, cat. n° 85-205, 1991-2000). Paradoxalement, Brochu et Cousineau (2003) notent une diminution du nombre d'affaires de drogues portées à l'attention des tribunaux au fil des ans, quelle que soit l'accusation (8,2 % en 1995 et 0,9 % en l'an 2000[11]). Les auteurs vont plus loin en mentionnant que :

> la tendance à la baisse de la participation des affaires de drogues au contentieux pénal se traduit par une diminution de leur contribution au nombre des sentences, quel que soit le type de sentence considéré. Ainsi, si les infractions de drogues donnent lieu à 8,2 % des sentences d'incarcération imposées en 1995, elles ne comptent plus que pour 0,7 % de celles-ci en l'an 2000. Concernant la probation, la représentation qu'y occupent les affaires de drogues passe de 9,8 % en 1995 à 1,0 % en 2000. Pour les amendes, la représentation des affaires de drogues sur le total des affaires est de 9,8 % en 1995 et de 1 % seulement en l'an 2000. Enfin, les sentences décernées par les tribunaux, autres que celles mentionnées

---

10. Les cas d'importation et de culture (principalement de cannabis) demeurent marginaux quoique l'on constate au cours des dix dernières années une augmentation importante des accusations de culture, les faisant passer de 203 en 1991 à 2 518 en 2000 (Statistique Canada, cat. n° 85-205, 1991-2000).

11. Pour les mêmes années, les affaires de trafic passent de 3,9 % à 0,6 %, et les affaires de possession de 4,3 % à 0,3 %.

plus haut, sont dues dans 19,1 % des cas à des affaires de drogues, en 1995, proportion qui n'atteint plus que 2,6 % en 2000. (Brochu et Cousineau, 2003, p. 270)

Quoi qu'il en soit, un contexte de mise en application des lois interdisant l'usage ou le commerce de certaines drogues définit ainsi une criminalité chez les usagers (possession) ou les personnes qui en font le trafic. Une autre forme de criminalité est également liée, cette fois indirectement, au contexte pénal en matière de drogues ; il s'agit de la criminalité reliée au système de distribution et d'approvisionnement illicite.

En effet, lorsque l'on discute du lien entre la drogue et la criminalité, particulièrement la criminalité violente, il ne faut pas omettre de considérer la violence qui émerge du *marché clandestin de la drogue*. Dans un contexte où aucun contrôle de la qualité des produits n'est effectué, où le consommateur ne peut faire confiance qu'à la parole du vendeur pour connaître la composition du produit acheté, où il n'existe aucun organisme de protection du consommateur et encore moins de recours juridiques possibles face à un vendeur malhonnête, comment présumer que la violence reliée à la drogue ne provienne que des propriétés pharmacologiques des produits consommés. Ainsi, les trafiquants de tout niveau doivent contrôler leur territoire, se prémunir contre le vol et se faire rembourser les dettes accumulées (Pearson et Hobbs, 2001 ; Chartrand, 2000). Le consommateur doit s'assurer qu'il débourse un prix légitime pour la marchandise qui lui est cédée. En somme, les acteurs impliqués dans ces transactions illicites doivent maintenir leur privilège, défendre leur profit et assurer leur sécurité dans un milieu qui n'est pas toujours sécuritaire (Jacobs, Toaplli et Wright, 2000 ; Tardiff, Marzuk, Lowell, Portera et Leon, 2002). Les petits revendeurs et leurs clients constituent donc à la fois des sources, de même que des cibles de sévices reliées au marché de la drogue (Brownstein, Crimmins et Spunt, 2000). Ainsi, les petits revendeurs n'hésitent généralement pas à se protéger, à s'armer et à utiliser les menaces et la brutalité pour régler leurs contentieux (Brochu, Parent, Chamandy et Chayer, 1997 ; Fagan et Chin, 1990). Enfin, le distributeur pourra également utiliser la violence envers les revendeurs comme une tactique de gestion lui permettant de prévenir divers abus de la part de ses employés qui éprouvent parfois de la difficulté à tenir leurs comptes (Pearson et Hobbs, 2001). En somme, le marché illicite de la drogue se dessine sur un fond de menaces et de violence. La brutalité constitue ici à la fois une stratégie organisationnelle et un argument dans un contexte de compétition économique féroce. Bien souvent, l'agresseur et la victime proviennent du même espace urbain et du même groupe d'âge (Singer, 1981). Le style de vie emprunté par ces personnes et leur implication dans le milieu de la délinquance les fait alterner entre les rôles d'agresseur et de victime (Kingery, Pruitt et Hurley, 1992).

UN CONTEXTE QUI OFFRE L'ACCÈS AUX TRAITEMENTS

Les politiques répressives américaines face aux drogues se sont rapidement trouvées devant des taux importants de récidive ainsi que devant l'engorgement des tribunaux et des centres de détention. Il fallait alors trouver une solution plus efficace pour de nombreux toxicomanes pour qui la répression ne revêtait qu'une allure négative. L'offre de traitement est alors apparue comme une solution économique et efficace. Examinons ensemble l'impact de cette offre sur la criminalité des toxicomanes.

Lorsque l'on discute de programmes de réadaptation pour personnes toxicomanes judiciarisées, on pense d'abord aux traitements offerts en établissement carcéral. En effet, il s'agit bien souvent d'un lieu privilégié pour tenter d'aider les toxicomanes judiciarisés. Pourtant, d'autres types d'assistance sont également possibles. Ainsi, un nombre croissant de personnes judiciarisées sont envoyées dans des centres de soins réguliers de la toxicomanie, en sus ou en remplacement d'une sentence.

Cette section du présent chapitre est entièrement consacrée au thème de l'intervention curative dans le domaine des drogues illicites. On y portera une attention particulière sur l'impact de ces programmes en termes de réduction de la criminalité, mais on y discutera également des limites de l'intervention dans un tel contexte.

Le traitement de la toxicomanie en détention

« Nothing works ! »

« Nothing works ! » (Rien ne fonctionne !) « Les programmes de réadaptation correctionnels ne produisent pas de résultantes positives auprès de leurs clientèles ! » Combien de fois avons-nous entendu ces commentaires depuis la publication de l'article de Martinson (1974) dénonçant les sérieuses limites des programmes de réadaptation destinés aux contrevenants ? Cet article a été suivi de discussions, parfois féroces, entre les défenseurs de ces programmes et certains de ses opposants. Comme la méthodologie évaluative de l'époque éprouvait alors de sérieux problèmes à bien circonscrire l'impact (positif et négatif) des projets mis en place[12], il s'avérait difficile de tirer des conclusions fiables sur la portée de ces schémas d'intervention. Dans bien des cas, le contexte économique et les priorités budgétaires, parfois contradictoires, ne permettaient pas une espérance de vie de ces programmes suffisamment longue pour qu'ils puissent parvenir à maturité. De tels plans restaient à la merci des changements de gestionnaires et de leurs politiques. Ils étaient très souvent *corrompus* par des priorités administratives et sécuritaires[13].

Bien sûr, de prime abord, le milieu carcéral ne fournit pas l'ambiance thérapeutique nécessaire à l'épanouissement personnel et au changement de style de vie des personnes qui le désirent. Il ne faut donc pas s'étonner si les programmes de réadaptation en établissement de détention ont longtemps stagné. Les personnes détenues ont cependant droit aux mêmes services de santé, tant psychologiques que physiques, que l'ensemble de la population. Il est, dans ces circonstances, hors de question de les priver des soins psychologiques et physiques dont elles ont besoin et qui répondent

---

12. Ces plans d'intervention n'offraient généralement aucune composante évaluative. Lorsque cette dernière était présente, l'application des programmes permettait rarement l'utilisation de devis expérimentaux (difficulté à distribuer les sujets au hasard, petits échantillons, suivi à courte échéance, utilisation des statistiques officielles concernant la récidive...)

13. Problèmes éthiques de toutes sortes, difficulté à assurer le respect de la confidentialité, priorité administrative exigeant un transfèrement avant la fin du traitement, budgets insuffisants, difficulté à rester fidèle aux critères d'admission, autonomie du programme insuffisante...

adéquatement à leur situation. Il en va de même des services de réadaptation pour toxicomanes. Les gouvernements sont donc responsables de l'instauration de tels services auprès des personnes détenues. De plus en plus de programmes d'aide aux toxicomanes sont mis en place pour les contrevenants.

« *Something works!* » (Ça marche !)

Les critiques les plus véhémentes des programmes de réadaptation furent formulées il y a près de 30 ans. Elles s'adressaient alors généralement aux stratégies d'intervention classique tirées directement du répertoire thérapeutique offert à l'ensemble de la population, sans aucune adaptation de fond pour le milieu carcéral. Ces programmes de réadaptation visaient, pour la grande majorité, à transformer une personnalité antisociale ou à modifier une trajectoire criminelle en plein essor. L'objectif était peut-être trop ambitieux et les moyens trop ténus. Les développements dans le domaine de la psychologie (entre autres, les théories cognitivo-comportementales et de l'apprentissage social ainsi que les méthodes qui y sont associées) ont cependant permis de constater l'impact positif de certains programmes qui s'attaquent directement à des problématiques spécifiques.

La recrudescence des études sur l'impact des programmes de traitement proposés aux personnes toxicomanes judiciarisées est attribuable à un constat clair provenant des États-Unis : la répression des drogues est coûteuse, sinon ruineuse (Walters, 2001), et n'a pas été prouvée comme étant une mesure efficace afin de réduire la criminalité des toxicomanes. Bien au contraire, la judiciarisation et l'incarcération qui en découle très souvent en Amérique du Nord enchâssent le consommateur dans un style de vie encore plus marginalisé en lui permettant d'établir des contacts qui facilitent son implication dans la délinquance (Brochu et Schneeberger, 2001). L'accès à des services de traitement, à des programmes de maintien à la méthadone ou même de prescription d'héroïne est considéré comme un moyen efficace pour diminuer la criminalité de certains usagers de drogues. Analysons une à une ces mesures.

L'impact des traitements carcéraux sur la réduction de la criminalité

Parmi les programmes correctionnels les plus stables, dont l'impact a été soumis à l'épreuve de l'évaluation, se trouvent les *communautés thérapeutiques*[14]. Ce type d'intervention appliqué en milieu carcéral propose une alternative au phénomène de prisonniérisation[15] qui porte à dénigrer les valeurs sociales traditionnelles (Peat et Winfree, 1992). De façon générale, la grande majorité des communautés thérapeutiques utilisent les mêmes ingrédients :

1. les membres de la communauté sont relativement isolés des autres détenus ;
2. les activités sont structurées et réglementées ;
3. les privilèges sont acquis graduellement[16], mais jamais définitivement ;
4. les membres doivent accepter leurs responsabilités personnelles et communautaires ;
5. il est nécessaire qu'ils effectuent de constants efforts pour transformer leurs valeurs, modifier leur style de vie et pour générer un environnement propice à la réadaptation de chacun ;
6. on leur demande de s'insérer dans une structure hiérarchique relativement rigide ;
7. dans cette structure, les *vieux* membres agissent comme modèles pour les recrues ;
8. la discipline est omniprésente et tout manquement est sévèrement sanctionné ;
9. et les membres bénéficient d'un suivi après leur sortie de la communauté.

---

14. Les mouvements d'entraide tels que les Narcotiques Anonymes (NA) et les Cocaïnomanes Anonymes sont très présents dans les centres de détention. S'appuyant sur le modèle des 12 étapes des Alcooliques Anonymes (AA), ces programmes encouragent le partage d'expériences personnelles et insistent sur l'acquisition de la sobriété. Ces mouvements d'entraide offrent davantage un réseau de support aux personnes intéressées qu'un réel programme de réadaptation.
15. Voir Lemire (1990) pour une discussion du phénomène de prisonniérisation.
16. Les communautés thérapeutiques utilisent beaucoup le système de renforcement positif et de punition.

Des résultats positifs quant à la participation à ces programmes sont régulièrement répertoriés dans les revues scientifiques. Ainsi, une étude réalisée par Lipton (1995) présente un taux d'arrestation plus faible chez les détenus qui ont suivi un programme de communauté thérapeutique durant leur période de détention que chez ceux qui n'ont pas été exposés à une telle mesure de réadaptation (27 % contre 40 % chez les hommes ; 24 % contre 18 % chez les femmes). Dans la grande majorité des études répertoriées, il apparaît toutefois deux éléments cruciaux concernant l'impact de ces programmes : la durée d'exposition au traitement et l'offre d'un suivi thérapeutique postincarcération (De Leon, Melnick, Thomas, Kressel et Wexler, 2000 ; Inciardi, Martin, Butzin, Hooper et Harrison, 1997 ; Siegal, Wang, Carlson, Falck, Rahman et Fine, 1999).

Des adaptations plus radicales des communautés thérapeutiques ont donné naissance aux programmes d'incarcération-choc, mieux connus sous l'expression de *Boot camps*, en Amérique du Nord. Les premiers *Boot camps* furent créés en Georgie, aux États-Unis, en 1983 ; dans les années qui suivirent, ils se multiplièrent à une cadence effarante. Toutefois, les études d'impact eurent tôt fait de jeter une douche d'eau froide sur l'ardeur de ses promoteurs (voir Parent, 2003). À leur apogée, au milieu des années 1990, on dénombrait 75 *Boot camps* dans les services de détention pour adultes, 30 dans les services pour jeunes contrevenants ainsi que 18 autres dans les prisons locales. Ces programmes pouvaient alors accueillir près de 10 000 détenus (National Institute of Justice, 1996 et 2003). Les années 2000 virent fermer la moitié de ces *Boot camps* et la population fut réduite du tiers.

Même si certaines modifications ont été apportées à ces programmes depuis leur création, la philosophie de base demeure identique. Ce modèle d'interventions physique et psychologique, d'une durée de 3 à 4 mois, met l'accent sur l'acquisition d'une discipline rigoureuse et rude, de même que sur une transformation radicale du style de vie (National Institute of Justice, 2003). Alors que la réadaptation s'appuie sur certains ingrédients des communautés thérapeutiques, les dispositions disciplinaires sont issues des camps d'entraînement pour les recrues militaires (voir Brochu et Forget, 1990 ainsi que Brochu et Schneeberger, 2001). On entretient ainsi l'espoir que les jeunes soumis à un tel entraînement physique et psychologique

pourront développer le respect de l'autorité et arborer les valeurs actuellement prônées par les institutions (National Institute of Justice, 2003). Même
si ce type de programme aux archétypes militaires s'inscrit bien dans les
stratégies américaines de guerre à la drogue, les résultats des études d'impact
ne les font pas ressortir sous un jour victorieux (Brochu et Schneeberger,
2001). Bien que les participants rapportent des changements positifs à court
terme en ce qui a trait à leurs attitudes et à leurs comportements, ces transformations ne contribuent guère à une réduction de leur récidive (National
Institute of Justice, 2003).

Les programmes de communautés thérapeutiques et les *Boot camps* représentent les deux principaux modes d'intervention qui se retrouvent dans
les établissements carcéraux nord-américains. À ces programmes s'ajoute
la présence active des membres de mouvements d'entraide (Alcooliques
Anonymes, Narcotiques Anonymes, Cocaïnomanes Anonymes) qui visi-
tent régulièrement les détenus durant leur incarcération et dont l'approche
s'appuie sur le modèle des 12 étapes. Les groupes organisés par les tenants
de ces mouvements encouragent le partage d'expériences personnelles et le
maintien de l'abstinence. Toutefois, l'impact de ces mouvements d'entraide
pour cette population est rarement évalué de façon scientifique.

En somme, on a pu observer un effet positif[17] de certains programmes
visant à aider les toxicomanes à se défaire de leur assuétude aux drogues.
De façon générale, ces programmes partagent un certain nombre de caractéristiques communes :

1. ils profitent d'enveloppes budgétaires distinctes de l'administration
   du pénitencier hôte ;
2. ils conservent une autonomie administrative particulière ;
3. ils peuvent s'isoler, dans une certaine mesure, du fonctionnement
   pénitentiaire pour recréer un environnement thérapeutique ;
4. ils ont établi un ensemble de règles à respecter et de conséquences
   pour les infracteurs ;
5. les intervenants se perçoivent davantage comme des thérapeutes
   soucieux du bien-être des participants que comme des gardiens responsables de la sécurité ;

---

17. Entre autres, la diminution de la consommation et la réduction de la criminalité.

6. le personnel adopte la responsabilité de modèle pour les détenus ;

7. les participants acquièrent de nouvelles habiletés (entre autres pour affronter le marché du travail ou régler des problèmes familiaux) ;

8. et les intervenants établissent un suivi régulier avec les participants qui ont terminé le programme et utilisent, au besoin, les services des ressources de la communauté (Andrews et Kiessling, 1980 ; Chaiken, 1989 ; Gendreau et Ross, 1987 ; Inciardi, 1996).

À quelles conditions ?

En plus de considérer l'impact d'un programme, il faut également examiner les diverses composantes d'une telle intervention effectuée en contexte pénal.

> Au simple énoncé de ces syntagmes – soins (pénalement) obligés, obligation de soins –, l'apparente contradiction des termes inaugure un paradoxe emblématique : mêler des réalités qui, manifestement, appartiennent à des expériences existentielles fort différentes (la peine, le soin), à des notions opposées (coercition de la sanction pénale/libération espérée par les soins), à des règles déontologiques diverses (celles des soignants, médecins ou non, celles des gens de justice, juges ou non), à des espaces distincts (public/privé), à des échelles variées (société/groupes sociaux/individu). (Lameyre, 2002, p. 70)

En effet, le traitement de la toxicomanie chez les personnes placées sous mandat judiciaire soulève de nombreuses discussions parmi les chercheurs et les praticiens de la criminologie. Peut-on vraiment évaluer la problématique toxicomane chez des personnes placées dans un contexte d'autorité ? Quelles sont les limites du *pouvoir* et du *droit* d'intervenir dans un environnement coercitif ? Ne devrait-on pas attendre que la personne ait purgé sa peine et lui conseiller alors de s'inscrire dans un programme de traitement au sein même de sa communauté d'appartenance ?

Un milieu cœrcitif ne favorise certes pas la coopération des personnes qui sont l'objet de mesures restrictives avec celles qui sont chargées de leur surveillance (voir Clément et Ray, 1991 ; Hirschel et Keny, 1990) :

> À première vue, une sentence d'incarcération est plus fortement synonyme de punition que de démarche de réhabilitation. Les détenus qui participent à un programme de traitement ont donc plusieurs obstacles à surmonter, dont les

deux principaux examinés sont la nécessité de confier leurs problèmes à des personnes qui travaillent à titre d'agents correctionnels et de vivre avec la réprobation des autres détenus. (Chayer, 1997, p. 93)

Effectivement, l'intérêt immédiat des contrevenants ne concorde pas vraiment avec les objectifs du système de justice pénale (e. g. protection des citoyens, sécurité...). « En effet, il n'est pas toujours aisé de faire côtoyer des notions telles que contrôle et aide, punition et réhabilitation, confiance et surveillance » (Brochu et Schneeberger, 1999, p. 182).

Les personnes faisant l'objet de procédures pénales recherchent généralement la meilleure façon de rendre leur parcours le moins pénible et le plus rapide possible. Ainsi, certaines choisissent de se présenter devant le juge comme n'étant pas totalement responsables de leurs actes étant donné qu'elles souffrent d'un sérieux problème de toxicomanie. La tactique vise ici à purger l'équivalent de la sentence dans un centre de traitement présentant un faible encadrement disciplinaire ou à obtenir une sentence suspendue (Brochu et Lévesque, 1990 ; Forcier, 1991 ; Schneeberger et Brochu, 2000). Une autre stratégie, qui semble à première vue contradictoire, mais qui se révèle très souvent complémentaire pour les individus alors condamnés, consiste à désavouer tout problème de drogues de façon à ne pas retarder les possibilités d'obtenir une libération conditionnelle (Brochu et Lévesque, 1990 ; Forcier, 1991). En effet, les détenus savent fort bien que la toxicomanie est perçue par les autorités judiciaires comme étant associée à la récidive. Ils veulent donc éviter cet étiquetage. La personne qui fait face au système de justice pénale croit qu'il est souvent nécessaire de brouiller les informations et de ne pas collaborer pleinement avec les intervenants chargés de l'aider (Brochu, Guyon et Desjardins, 1996 ; Brochu et Lévesque, 1991). Même durant le traitement, la partie n'est pas facile :

> Le second type de difficulté rencontré lors de l'évaluation du toxicomane consiste à bien jauger la motivation de la contrevenante ou du contrevenant à régler son problème de dépendance. Pour certains [intervenants], si la motivation de l'individu n'est pas intrinsèque et s'il ne désire pas entreprendre une démarche de traitement pour lui-même et dans le seul but de régler son problème de toxicomanie, la thérapie, croit-on, ne pourra être salutaire. Pour d'autres cependant, cette motivation est quelque chose qui, sans être présente à l'amorce d'une démar-

che thérapeutique, peut s'acquérir en cours de route. (Brochu et Schneeberger, 1999, p. 187)

Non seulement l'évaluation réelle de la problématique est hasardeuse, mais l'intervention doit s'effectuer sous un constant regard éthique et sous une continuelle *redéfinition* des rôles et des limites que l'intervenant s'impose :

> De plus, le personnel qui fait office de thérapeute est également assigné à la surveillance des détenus, pour ce qui est du contrôle sécuritaire et de la gestion de cas, deux rôles qui sont plutôt contradictoires et qui nécessitent, de la part des détenus, une importante période d'adaptation. (Chayer, 1997, p. 94)

D'autres questions tout aussi sérieuses se posent : Qui est le véritable client, est-ce la personne confiée aux soins de l'intervenant ou l'institution qui, très souvent, la lui adresse ? Qu'est-ce qui précipite la demande d'intervention, est-ce un appétit de changement ou le souhait de bien paraître aux yeux des administrateurs carcéraux et des responsables des octrois des libérations conditionnelles ? Comment réagir face à un client adressé par l'administration pénitentiaire sur qui pèse une menace de transfèrement ou de report de la libération conditionnelle en cas d'abandon ou d'échec du traitement ? Quels sont les droits des intervenants d'exercer des pressions (de quel type ?) vers un changement jugé positif (selon quelles normes et par qui ?) ? Les droits de la personne ne sont-ils pas bafoués par certaines de nos actions thérapeutiques dans un cadre carcéral ? La pratique de l'intervention n'est-elle pas corrompue par le contexte coercitif ? Certains programmes actuellement mis en place ne favorisent-ils pas l'excès d'autorité ?

Par ailleurs, peut-on refuser un traitement à une personne qui le sollicite ? « Un certain nombre d'entre eux sont conscients de leurs problèmes et demandent même de l'aide pour les régler. C'est peut-être le cas du tiers des toxicomanes détenus » (Brochu, Guyon et Desjardins, 1996, p. 14). A-t-on le droit de se décharger de la responsabilité de lui proposer des soins de santé appropriés ? Doit-on laisser à cette personne l'entière responsabilité d'un changement de style de vie sans aucun support thérapeutique ? Peut-on croire qu'elle maintiendra son appétit de changement lors de sa libération, si aucun support ne lui a été apporté durant son incarcération ? Aura-t-elle alors suffisamment de détermination pour supporter les pressions d'une nouvelle institution (de traitement) après avoir récemment retrouvé sa liberté ?

On le constate, il est difficile de générer un climat sain et favorable au parcours personnel des individus dans un milieu coercitif. Tant et aussi longtemps que les mêmes intervenants joueront à la fois un rôle sur le plan de la prestation de soins et de la surveillance[18], la suspicion des détenus demeurera le premier obstacle thérapeutique. Aussi, il est important de dissocier au maximum les interventions du personnel responsable de la gestion régulière des cas de celles de l'équipe soignante : « Pour que les services de santé aient une crédibilité auprès de la population de détenus, il faut que la santé soit séparée de la punition » (Lauzon, 1990, p. 4).

Plus la cloison est étanche et moins les problèmes éthiques évoqués précédemment surgissent. C'est ainsi que certains professionnels œuvrant dans l'univers carcéral refusent, après ententes avec les autorités, de rédiger tout rapport concernant l'évolution des clients[19] à qui ils offrent un accompagnement thérapeutique. Ils veulent ainsi, d'une part, éviter que leur clientèle ne soit constituée que de personnes cherchant à bien paraître aux yeux de l'administration pénitentiaire et, d'autre part, rassurer les clients qui hésiteraient à se dévoiler par appréhension des représailles administratives. Cette façon de procéder reconnaît le droit absolu à la confidentialité des informations dévoilées par les détenus lors du processus thérapeutique[20] :

> Ainsi un détenu qui participerait à un programme de réhabilitation et qui se soumettrait volontairement à des tests d'urine de dépistage de drogues devrait avoir droit à la plus stricte confidentialité en ce qui concerne les résultats de ces tests qui sont entre lui et son intervenant(e). Si le résultat est divulgué et que le (la) détenue(e) est victime de mesures disciplinaires, ceci ne peut qu'entraîner une non-participation aux services de réhabilitation offerts. (Lauzon, 1990, p. 4)

S'il apparaît désormais stérile que les patriciens des mondes judiciaire, social et médico-psychologique s'ignorent, il serait tout aussi indigne, car irrespectueux

---

18. Le mot *surveillance* est ici employé au sens large du terme en renvoyant à la fois au contrôle sécuritaire et à la gestion des cas.
19. Lorsqu'un rapport psychologique est demandé par une instance administrative, le client est adressé à un autre psychologue spécialement chargé de l'évaluation.
20. On doit distinguer les démarches volontaires effectuées par le détenu, donnant droit à une confidentialité absolue, des procédures administratives régulières auxquelles le détenu ne doit pas échapper du fait de sa participation à un processus de réadaptation.

de la liberté et de la vie privée des personnes, que leurs démarches soient assimilables (et pis encore, assimilées) les unes aux autres. (Lameyre, 2002, p. 79)

C'est dans cette optique que, pour certains pays, l'intervention socio-sanitaire ne se trouve pas sous la responsabilité de la gestion pénitentiaire, mais relève plutôt de l'administration des services de santé de la région. La bureaucratie interministérielle permet ainsi l'étanchéité souhaitée. Cette étanchéité semble, à première vue, plus facile à réaliser lorsque le processus de justice pénale renvoie les personnes contrevenantes vers des centres de traitement pour toxicomanes situés hors du milieu carcéral.

Le traitement de la toxicomanie en dehors du milieu carcéral

Le renvoi des personnes judiciarisées vers des centres de traitement spécialisés en toxicomanie situés hors du milieu carcéral fait surgir de nouvelles interrogations. L'impact de ces programmes sur ce nouveau type de clientèle ainsi confiée fait partie des inquiétudes les plus importantes. Par aileurs, certains se questionnent sur la motivation des intervenants à accueillir les personnes envoyées par le système de justice pénale. Enfin, il est possible de s'interroger sur le rôle de ces centres de traitement dans une optique d'extension du contrôle social.

L'impact des traitements offerts dans la communauté sur la réduction de la criminalité

Une première recherche intéressante par sa portée provient du *National Treatment Outcome Research Study* (NTORS). Cette vaste étude a été déployée à travers 54 programmes de traitement des toxicomanies offerts en Angleterre. Vu son ampleur, elle a permis de rencontrer plus de 1 000 consommateurs problématiques de drogues. Les trois quarts furent à nouveau rencontrés une année après la première entrevue et près de la moitié lors d'un suivi de 4 à 5 ans. Les résultats montrent que la criminalité acquisitive des personnes bénéficiant d'un traitement résidentiel a été réduite à moins du quart de ce qu'elle était initialement, tant après une année que lors du suivi de 4 à 5 ans (Gossop, Marsden et Stewart, 2000 ; Gossop, Marsden, Stewart et Kidd, 2003).

Une étude américaine de grande envergure (Schildhaus, Gerstein, Brittingham, Cerbone et Dugoni, 2000) s'est attardée à comparer la criminalité pré- et post- traitement d'un échantillon représentatif de 1 060 000 personnes ayant été admises en programme de réadaptation pour la toxicomanie. À la suite du traitement, toutes les mesures d'impact reliées à la criminalité lucrative (vente de drogues, vols, prostitution...) ont été réduites du tiers.

Puisque de nombreuses études scientifiques ont été réalisées dans le but de connaître l'impact de programmes de traitement sur la récidive des personnes qui en ont bénéficié, il est maintenant possible de regrouper ces résultats dans des métaanalyses ayant pour but de connaître l'impact de l'ensemble de ces programmes. C'est ainsi, en s'appuyant sur 78 études, que Prendergast, Podus, Chang et Urada (2002) ont réalisé leur métaanalyse. Pour être inclues dans leur étude, les recherches retenues devaient comparer les effets observés chez les clients ayant bénéficié d'un traitement aux résultats obtenus pour des patients qui n'ont été exposés que minimalement à un programme de réadaptation. Les résultats indiquent que le traitement présente un effet statistiquement et cliniquement significatif sur la consommation de SPA (effet moyen pondéré de 0,30) de même que sur la criminalité des bénéficiaires (l'effet moyen pondéré s'élève à 0,13).

L'impact des programmes de maintien et de substitution

La méthadone, un analgésique opioïde synthétique, est utilisée en thérapie pour permettre à la personne de ne pas ressentir de symptômes de sevrage ; elle peut être employée dans un but d'arrêt de la consommation d'héroïne, de substitution ou de réduction des méfaits. Une métaanalyse, s'appuyant sur 24 recherches visant à étudier l'impact des programmes de méthadone sur la criminalité de ses bénéficiaires, a été réalisée en 1998 par Marsh. Ses résultats indiquent une taille d'effet moyen de 0,70 pour les comportements criminels reliés aux drogues et de 0,23 pour les crimes reliés à la propriété.

En 1994, dans la philosophie de la réduction des méfaits, un nouveau projet était introduit en Suisse et avait pour but d'aider les personnes dépendantes d'héroïne ; il s'agissait de la prescription d'héroïne. Brehmer et Iten (2001) ont alors réalisé une étude ayant pour objectif d'observer l'impact d'une telle mesure sur la criminalité de ses participants (1 031 personnes). Les résultats révèlent qu'au moment de leur admission, 70 % des patients rapportaient avoir été impliqués dans une forme de criminalité (principalement la vente de drogues, le vol à l'étalage et la possession de biens volés). Toutefois, lors d'un suivi de 18 mois après le début du programme de prescription d'héroïne, cette proportion a dégringolé à 10 %. Une autre étude, celle de Ribeaud (2004) s'est, cette fois-ci, attardée aux données policières relatives à ces mêmes individus. Selon les résultats rapportés, lors de leur admission, près de la moitié des participants avaient eu des contacts avec les services de l'ordre (non reliés à l'usage ou à la possession d'héroïne) au cours de l'année qui venait de s'écouler. Cette proportion est passée à un peu moins du tiers après une première année de traitement et à 16 % au cours de la quatrième année. Bien plus, l'incidence est passée de 1,8 crime préalablement au traitement à 0,73 crime au cours de la première année de traitement et à 0,4 crime lors de la quatrième année. Fait intéressant, cette réduction est observée pour tous les types de crimes.

Les Pays-Bas ont également mis en place un programme de prescription d'héroïne. Van den Brink, Hendriks, Blaken, Huijsman et Van Ree (2002) ont étudié l'impact de ce programme en utilisant un devis de recherche plus rigoureux qui inclut des groupes de comparaison. Les résultats indiquent que les personnes bénéficiant du programme d'injection d'héroïne ont considérablement limité leur nombre de jours d'activités illégales (12,9 jours par mois lors de l'admission à 2,9 jours par mois lors d'un suivi de 12 mois). En comparaison, les participants du groupe témoin présentaient une réduction beaucoup plus faible (11,5 jours par mois en début d'étude contre 8,7 jours par mois lors du suivi).

Les tribunaux spécialisés en matière de toxicomanie (*Drug courts*)

Devant la constatation de l'importance de mieux répondre aux besoins de traitement des personnes judiciarisées et de coordonner de façon plus adéquate les renvois vers des services de traitement appropriés et de qualité, la justice américaine a mis en place les Tribunaux spécialisés en matière de toxicomanie (Belenko, 2001). L'objectif principal de ces tribunaux spécialisés vise une meilleure concertation des efforts des services pénaux et des

centres de traitement afin d'exercer un pouvoir coercitif sur les contrevenants éprouvant des problèmes de dépendance par rapport aux drogues
(Belenko, 2001). Afin de mieux connaître l'impact de cette pratique, Belenko
(2001) a analysé 37 rapports d'évaluation de ces tribunaux spécialisés. Selon
les résultats obtenus, près de la moitié des contrevenants ainsi envoyés en
traitement ont suivi avec succès le programme de réadaptation offert. Ces
contrevenants présentaient moins d'arrestations (5,4 %) et un moins grand
nombre de jours d'incarcération (6,6) que les sujets de groupes de comparaison (respectivement 21,5 % et 13,6 jours). Toutefois, même si les résultats
semblent positifs (Goldkamp, 2000 ; Goldkamp, White et Robinson, 2001 ;
James et Sawka, 2002), il faut bien savoir que les études visant à mesurer
l'impact de ces tribunaux font l'objet de nombreuses critiques, entre autres
sur le plan méthodologique (Fisher, 2003) et éthique.

Motivation des clients

Les personnes ayant un casier judiciaire ou faisant l'objet d'un renvoi dans
le cadre de procédures pénales ont souvent une très mauvaise réputation
auprès des intervenants en maison de traitement pour toxicomanes. Éton-
namment, une comparaison des personnes toxicomanes adressées par le
système judiciaire avec les clients qui entament une démarche de traitement plus *libre* et *volontaire* indique très peu de différences entre ces deux
groupes (Farabee, Nelson et Spence, 1993). Un élément capital distingue
toutefois ces deux groupes : une faible motivation interne de la part des personnes judiciarisées (Schneeberger et Brochu, 2000). En effet, ces clients ne
reconnaissent pas toujours l'importance de leurs problèmes.

On croit toutefois qu'un client qui perçoit bien son problème et se sent
affecté par les conséquences trouvera plus facilement l'énergie nécessaire
pour se prendre en main et changer ses comportements ; on croira alors en
la motivation intrinsèque de ce client. À l'opposé, se trouve le client qui n'a
aucune conscience de son problème, qui se présente en traitement seulement pour satisfaire aux exigences de sa mise en liberté et qui abandonnera
le processus dès la fin des pressions judiciaires ; on dira de lui qu'il a une
motivation extrinsèque. La reconnaissance d'un problème constitue donc

souvent, pour l'intervenant, un indice de motivation qui est associée au succès thérapeutique (Broome, Knight, Joe, Simpson et Cross, 1997).

Bien que les programmes de traitement offerts aux personnes toxicomanes judiciarisées aient démontré leur efficacité d'ensemble, il est clair qu'il ne s'agit pas là d'une efficacité universelle et que certaines personnes ne bénéficient pas de la démarche de réadaptation qui leur est offerte sous contrainte judiciaire. La motivation apparaît alors comme un élément clé en ce qui concerne l'impact du traitement sur la clientèle (Broome *et al.*, 1997 ; DeLeon, Melnick, Kressel et Jainchill, 1994). Le concept de motivation est toutefois très difficile à définir et encore plus à évaluer. DiClemente (1999) ainsi que DiClemente *et al.* (1991) décrivent plusieurs niveaux de motivation. Au premier stade, la personne n'est pas éveillée face à son problème (stade 1 : pré-contemplation) ; plus tard, une certaine lucidité s'installe et elle prend conscience de sa situation problématique sans trop vouloir changer (stade 2 : contemplation) ; au troisième stade, elle comprendra la nécessité de modifier ses attitudes et ses comportements sans savoir comment mettre ses vœux en pratique (stade 3 : préparation) ; enfin, le quatrième stade constitue l'étape dans laquelle des actions concrètes sont mises en pratique (stade 4 : actions). Il ne restera alors par la suite qu'à maintenir les acquis, durant le cinquième stade (stade 5 : maintien). Trop souvent, le thérapeute se prépare à travailler avec un individu conscient de ses problèmes et disposé à l'action. Toutefois, ce n'est pas le cas de tous les individus qui sont envoyés en traitement par une tierce personne. Il faut donc accepter le client au stade de motivation auquel il se présente et déployer les habiletés correspondantes pour le faire évoluer (Bergeron et Tremblay, 2004). Ainsi, un thérapeute, conscient des différents stades de motivation et qui sait adapter son intervention, pourra se sentir mieux outillé pour travailler avec la variété de clientèle qui se présente à lui (Prochaska et DiClemente, 1982).

Motivation des intervenants

Il importe également de discuter de la motivation des intervenants à œuvrer auprès des personnes qui ont vécu une *socialisation* de détention et qui apparaissent peu enclines à vouloir se prendre en main (Schneeberger et

Brochu, 1999 et 2000). En effet, certains clients tentent parfois de recréer une atmosphère connue en reproduisant les éléments de base propres à la *loi du milieu* carcéral.

> Il semble donc que le fait de regrouper la clientèle délinquante ou judiciarisée à l'intérieur d'un même programme puisse avoir pour effet de ralentir le processus thérapeutique. On peut croire que ces groupes favoriseraient la création d'une synergie d'opposition au thérapeute et à la démarche qu'il propose. (Brochu et Schneeberger, 2001, p. 85)

Cette loi du milieu a pour effet d'interférer avec le processus thérapeutique traditionnel en décourageant le dévoilement de soi et l'affrontement d'autrui. Certains cliniciens croient alors que l'admission de personnes adressées par le système de justice pénale peut ralentir le processus thérapeutique de l'ensemble des clients. La création d'une alliance thérapeutique avec la personne contrevenante risque alors d'en être affectée et réduit ainsi les chances d'impacts positifs des traitements auprès de cette personne

Extension du contrôle social

Le fait d'offrir un service thérapeutique en dehors du milieu carcéral peut entraîner une extension du contrôle social que les intervenants refusent parfois d'assumer (Brochu et Schneeberger, 1999). Dans leur pratique régulière, la majorité d'entre eux n'ont pas l'habitude d'épier leurs clients et ils n'ont pas l'intention d'assumer un rôle de gardien auprès de cette nouvelle clientèle.

À titre d'exemple, voyons la tendance américaine[21] sur le plan de la gestion pénale des toxicomanes. Pour un bon nombre de contrevenants, par l'entremise des tribunaux spécialisés en matière de toxicomanie, elle consiste à *exiger* l'implication des justiciables dans une *démarche de traitement* de la toxicomanie offerte dans la communauté (comme alternative ou supplément aux sanctions pénales), accompagnée d'une *surveillance probatoire* à longue échéance (durant laquelle on utilise à l'occasion des bracelets électroniques) permettant de superviser leur consommation de drogues

---

21. Ce terme est ici utilisé pour qualifier les États-Unis.

illicites à l'aide de fréquents *tests d'urine* (Belenko, 2001 ; Fisher, 2003 ; Jolin et Stipak, 1992).

Dès que les centres de réadaptation acceptent les personnes envoyées directement par le système de justice pénale, il n'y a plus qu'un pas à franchir pour que la participation au traitement devienne une mesure *alternative obligatoire ou additionnelle* à l'incarcération, ou encore qu'elle soit attribuée en tant que *condition de mise en liberté*. Dans ces circonstances, un danger apparaît : l'absence de séparation claire entre la punition et la réadaptation (Lameyre, 2002). La réadaptation devient punition. On se trouve alors en présence de possibilités d'extension substantielles des contrôles officiels au-delà de ce qui existerait autrement. Bien plus, il serait ainsi possible que les mesures punitives soient utilisées non pas en regard des actes répréhensibles commis, mais plutôt en fonction des probabilités que de tels gestes soient faits[22] (Fisher, 2003 ; Lameyre, 2002). Doit-on accepter en toute conscience une telle situation ?

L'intervention curative auprès des personnes toxicomanes et judiciarisées n'est pas sans poser de problèmes. Tout d'abord, nous éprouvons de la difficulté à rejoindre cette clientèle avec un minimum d'efficacité et de dignité. Nous revenons alors à une question fondamentale : les programmes, aussi efficaces soient-ils pour réduire la criminalité, sont-ils acceptables moralement ?

SYNTHÈSE

Le contexte social dans lequel se transigent des drogues constitue donc un autre élément à considérer lorsqu'on analyse les rapports entre drogue et criminalité. En effet, une bonne partie de la criminalité reliée aux drogues est due au statut illicite de certaines drogues et à leur prohibition. Bien sûr, nous pensons ici à toutes les infractions reliées à la possession de drogue, à

---

22. D'ailleurs, les promoteurs de l'utilisation généralisée des tests d'urine par le système de justice pénale fondent leur argumentation sur le fait que des résultats positifs indiqueraient une rechute sur le plan de la consommation et des cas de récidive à courte échéance. À leurs yeux, l'incarcération des personnes présentant une urine maculée d'une drogue illicite constitue en soi une stratégie de prévention de la criminalité (Wish et Gropper, 1990).

sa culture ou à son trafic. Toutefois, il faut bien garder en tête que la prohibition et la répression entraînent également d'autres types de criminalité ; la criminalité reliée au système d'approvisionnement et de distribution des drogues illicites.

Par ailleurs, nous avions vu, au chapitre 2, que les personnes qui deviennent dépendantes de drogues font face à des coûts très élevés afin de satisfaire leur toxicomanie. La prohibition est en partie responsable des coûts élevés de certaines drogues sur un marché illicite. La criminalité lucrative apparaît aux personnes les plus dépendantes comme une avenue prometteuse. La toxicomanie étant une problématique biopsychosociale, la répression ne peut jouer qu'un rôle complémentaire temporaire aux mesures sociosanitaires qui doivent être favorisées. Un contexte social qui soutient l'accès à des soins de traitement adéquats permet de réduire considérablement la criminalité des personnes dépendantes. Cependant, il importe d'offrir ces services de traitement dans un cadre qui respecte la dignité des bénéficiaires. L'offre de traitement doit garantir une autonomie du client face aux pratiques de réhabilitation qui lui sont proposées. Elle doit protéger le client et le thérapeute face à un abus potentiel du pouvoir des instances pénales. Elle doit tenter de favoriser le réel bien tant du client que de la société.

Les connaissances scientifiques exposées dans les quatre premiers chapitres nous ont permis d'arriver à un certain nombre de constats relatifs aux rapports entre drogue et criminalité :

1. tout produit ayant un effet sur le système nerveux central peut modifier les réponses de la personne intoxiquée ;
2. aucune substance psychoactive n'a de propriétés criminogènes universelles ;
3. toutefois, certaines personnes ont davantage tendance à présenter un agir délinquant lorsqu'elles sont intoxiquées ; il faut alors trouver l'explication de ces comportements non seulement dans la drogue consommée, mais également dans les caractéristiques de ces personnes ;
4. des personnes, une minorité parmi l'ensemble des consommateurs, deviennent dépendantes de certaines drogues ;

5. le contexte répressif fait en sorte que les drogues se transigent à des prix élevés ;

6. des personnes dépendantes de drogues coûteuses qui possèdent peu de revenus s'en remettront à la criminalité afin de satisfaire leur consommation à moins que le contexte social ne leur procure des solutions de rechange ;

7. une intervention thérapeutique adéquate permet de réduire la criminalité des personnes dépendantes ;

8. il importe toutefois d'offrir ces services de traitement dans un climat de respect par rapport à la personne toxicomane ;

9. la prohibition et la répression de certaines drogues génèrent leur lot de criminalité ;

10. les rapports entre drogue et criminalité doivent s'analyser en tenant compte à la fois du produit consommé, de la personne consommatrice et du contexte d'usage.

FIGURE 4.1

Rapports entre substance psychoactive (SPA) et criminalité

SPA
• Intoxication
• Dépendance

Crimes
reliés
à une SPA

Consommateur
• Personnalité
• Troubles mentaux
• Attentes
• Facteurs de risque

Contexte
• Répression
• Accès au traitement

Le prochain chapitre reprendra ces connaissances pour présenter les modèles conceptuels classiques tentant d'expliquer les rapports entre substance psychoactive et criminalité.

5
MODÈLES CONCEPTUELS EXPLIQUANT LES RAPPORTS ENTRE DROGUE ET CRIMINALITÉ

La moitié des jeunes contrevenants et des détenus canadiens affirment que leurs actes délictueux sont reliés d'une façon ou d'une autre aux substances psychoactives (Dufour, 2004; Pernanen *et al.*, 2002). Plusieurs chercheurs ont tenté d'intégrer dans une logique idéelle les résultats de ce type d'études afin de mieux comprendre la nature des liens qui unissent drogue et criminalité. Des modèles conceptuels de plus en plus complexes qui cherchent à rendre compte des nuances de ces liens ont donc émergé. Ces recherches ne présentent pas qu'un intérêt théorique, mais peuvent avoir également un impact direct sur les politiques et l'intervention mises en place.

L'analyse des écrits scientifiques récents permet de distinguer deux grandes conceptions ou explications des liens à l'étude. Le premier type d'explication conçoit un lien causal entre drogue et criminalité. La plus classique et la plus développée de ces conceptions causales est le *modèle tripartite* élaboré par Goldstein (1985). Ce modèle repose sur les différents aspects du rôle des drogues en relation avec l'acte criminel, soit: 1) l'aspect *psychopharmacologique* ou le rôle de l'intoxication; 2) l'aspect *économico-compulsif* ou le rôle de la dépendance; et 3) l'aspect *systémique* ou le rôle de la distribution illicite des drogues. L'intégration de ces trois aspects en une explication tripartite s'appuie sur un grand nombre d'études empiriques menées en Amérique du Nord et en Europe.

FIGURE 5.1

Conception causale : modèle tripartite de Goldstein

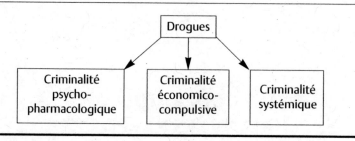

Par ailleurs, un des modèles causaux prêche à contre-courant. Nous le nommerons *modèle causal inversé* parce qu'il affirme que l'usage de drogues constitue une conséquence logique de l'implication dans un style de vie déviant.

Un deuxième type d'explication réfère à une conception purement associative, sans cause directe entre la drogue et l'acte criminel ; il s'agit des *modèles corrélationnels*. Le *modèle corrélationnel sans cause commune*, comme son nom l'indique bien, ne conçoit aucun lien, si ce n'est des liens associatifs, entre drogue et criminalité alors que le *modèle corrélationnel biopsychosocial* s'intéresse aux liens distaux qui unissent drogue et criminalité à un ensemble d'autres facteurs communément appelés facteurs de risque et de protection.

FIGURE 5.2

Modèle corrélationnel sans cause commune

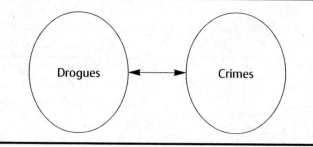

FIGURE 5.3

Modèle corrélationnel biopsychosocial

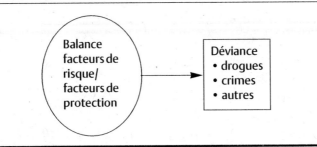

LES MODÈLES CAUSAUX

Le modèle tripartite de Goldstein

Des crimes commis sous intoxication

On l'a vu dans les chapitres précédents, les contrevenants présentent en général un fort taux de prévalence de consommation de drogues. Alors que la prévalence à vie se situe à près de 20 % parmi la population de l'ensemble des pays occidentaux, cette proportion s'élève à plus du triple chez les personnes contrevenantes. Certaines drogues consommées ont la propriété d'agir sur des régions du système nerveux central et modifient alors les émotions, les cognitions et les comportements des personnes intoxiquées. On peut ainsi attribuer, en partie du moins, certaines formes de criminalité aux propriétés psychoactives de diverses drogues (le plus souvent des stimulants, des perturbateurs et surtout l'alcool).

Le *modèle psychopharmacologique* s'intéresse tout particulièrement à l'*intoxication* et à la *violence*, plus précisément au rôle de l'intoxication dans la manifestation de comportements agressifs. Ce modèle a été construit à partir de l'observation de nombreux cas d'intoxication à des substances psychoactives chez des personnes accusées de délits de violence. Selon ce modèle, les facteurs psychologiques et pharmacologiques combinés pourraient faire en sorte que la personne ne se conduise pas « normalement », qu'elle laisse libre cours à certaines de ses pulsions relativement bien contrôlées autrement. L'hypothèse psychopharmacologique veut donc que l'intoxication constitue un facteur déterminant dans la perpétration de délits qui n'auraient normalement pas été commis à jeun.

Selon une variante de ce modèle, un individu peut rechercher expressément l'intoxication dans un but instrumental. En effet, les normes culturelles et l'écologie situationnelle jouent un rôle important sur le plan de l'effet que produira l'intoxication à une substance psychoactive. Ainsi, une personne aux tendances antisociales pourra chercher à consommer une substance qui, selon ses attentes et les normes culturelles, favorisera l'expression de ses penchants belliqueux. D'autres individus, entraînés dans un engrenage déviant, utiliseront des drogues de manière à mieux s'intégrer dans leur nouveau milieu d'accueil : apaiser leur nervosité ou se donner le courage nécessaire à la réalisation d'un méfait déjà planifié. D'autres encore, influencés par l'association symbolique et culturelle attribuée à certaines substances, pourraient trouver dans l'intoxication un prétexte commode pour rejeter la responsabilité de leurs actes socialement réprouvés sur un objet externe : la drogue. On le constate souvent chez les personnes qui font preuve de comportement de violence familiale.

La conduite de ces personnes intoxiquées dépendra aussi d'autres facteurs : caractéristiques physiques et psychologiques de l'individu, liens préalablement établis avec l'entourage, attitude des autres acteurs sociaux présents, niveau de permissivité de la situation, lieu où se déroule l'interaction, disponibilité d'armes, conséquences anticipées... De plus, l'absence de contrôles sociaux normatifs, ou la présence de facteurs sociaux favorables à la manifestation de ces comportements déviants, pourra contribuer à la manifestation d'actions agressives.

Dans la version originale du *modèle psychologique*, l'intoxication provoque le crime qui n'aurait pas eu lieu sans l'influence de la drogue ; dans la deuxième version de ce modèle, la drogue constitue plutôt un outil (au même titre qu'une arme ou un déguisement) et parfois même un prétexte pour arriver à des buts bien précis.

FIGURE 5.4

Modèle psychopharmacologique

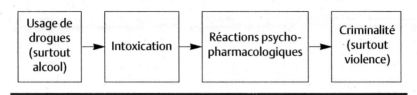

Une étude réalisée auprès de détenus canadiens masculins indique que la proportion des crimes commis sous l'effet d'intoxication à une substance psychoactive se situe entre 50 et 59 %. Toutefois, lorsqu'on demande à ces détenus s'ils auraient commis le même crime sans l'influence d'une substance psychoactive, la proportion se situe entre 33 et 44 % de tous les crimes (Pernanen, Cousineau, Brochu et Fu, 2002).

Ainsi, dans une autre étude, des consommateurs réguliers de cocaïne ont affirmé que leur consommation pouvait contribuer à neutraliser leurs hésitations à s'impliquer dans un crime ou un acte violent (Parent et Brochu, 2002). Bien plus, les propriétés de plusieurs drogues procuraient le courage nécessaire au passage à l'acte aux moins braves d'entre eux et un plaisir accru aux plus téméraires (Brunelle, 2001 ; Dufour, 2004 ; Parent et Brochu, 2002).

En ce qui concerne les drogues illicites, peu d'informations sont disponibles pour estimer le niveau de consommation au-delà duquel le consommateur peut subir des dommages ; dans une philosophie prohibitionniste, toute consommation est à risque. Pour l'alcool, à propos duquel on s'est d'ailleurs éloigné de cette conception prohibitionniste adoptée au début du XXᵉ siècle en Amérique du Nord, il est possible d'établir des niveaux d'intoxication à ne pas dépasser. Ainsi, au Canada, la conduite automobile n'est pas permise au-delà d'une concentration de 80 mg d'alcool par 100 ml de sang. Il s'agit ici d'une mesure idiosyncrasique. Toutefois, on accepte fréquemment le fait que consommer plus de cinq verres en une même occasion devient problématique et à risque.

Des crimes commis dans le but de se procurer des drogues

Le lien le plus important entre drogue et criminalité passe par l'aspect économique, c'est-à-dire par l'achat de substances illicites. En effet, certaines drogues, surtout l'héroïne et la cocaïne, peuvent devenir dépendogènes pour de nombreux usagers. Un consommateur qui a établi une dépendance à l'un de ces produits doit en faire un usage répété au cours d'une même journée afin d'éviter un sevrage physiologique ou psychologique. À l'usage, ces substances deviennent terriblement onéreuses. L'implication criminelle de certains consommateurs qui n'arrivent plus à bien gérer leur consommation est donc attribuée, en partie du moins, au besoin d'argent engendré par la dépendance à ces drogues.

De façon générale, les personnes qui s'engagent dans la criminalité dans le but de boucler leur budget se limitent généralement à un petit trafic auprès d'amis ou de connaissances, tandis que ceux qui s'impliquent dans une criminalité plus diversifiée ont, pour la majorité, commencé à le faire avant même de s'initier aux drogues coûteuses telles la cocaïne ou l'héroïne. Toutefois, en raison de leur dépendance, ils intensifieront leurs activités criminelles lucratives. Dans les deux cas, on peut donc concevoir un lien économico-compulsif entre la dépendance physiologique ou psychologique, le besoin d'argent et l'implication dans une criminalité de nature lucrative.

Donc, le *modèle économico-compulsif*[1] tient compte de la relation causale entre, d'une part, la toxicomanie attribuable à des substances qui induisent une dépendance physiologique ou psychologique intense et qui se transigent à des prix élevés et, d'autre part, l'implication dans une criminalité de nature lucrative. Contrairement au modèle précédent, celui-ci n'attribue pas la criminalité à une impulsivité mal contenue résultant de l'intoxication, mais soutient plutôt que la dépendance à une drogue et le prix élevé de ce produit constituent des éléments incitatifs à l'action criminelle.

---

1. Parfois connu sous le nom de *modèle contrainte-demande* (Sarnecki, 1989).

FIGURE 5.5

Modèle économico-compulsif

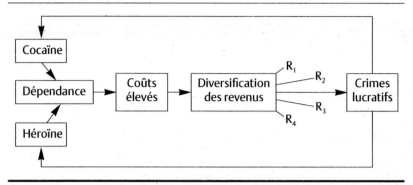

Empiriquement, ce modèle prédit donc une relation linéaire entre consommation de drogues illicites coûteuses et activités criminelles lucratives. En effet, parmi les détenus canadiens, près d'une personne sur cinq affirme avoir commis son délit le plus grave dans le but de se procurer une drogue (Pernanen *et al.*, 2002). En termes économiques, la toxicomanie est souvent perçue comme engendrant une demande inélastique. En ce sens, elle imposerait un désir intransigeant. De plus, ce modèle s'appuie sur les théories qui conçoivent la toxicomanie comme une maladie. En ce sens, les comportements sociaux du toxicomane sont perçus comme étant déterminés par cet état (Grapendaal, Leuw et Nelen, 1995). On réduit alors la signification psychosociale du geste illégal fait par l'acteur social à une équation mécanique simple prenant naissance dans une affection à l'emprise totale, voire héréditaire. On postule que la criminalité constitue une conséquence inévitable de la dépendance aux drogues très pharmacodépendantes et coûteuses. De cette façon, on ignore, on discrédite ou on nie la signification personnelle du geste fait et on ne prend pas en compte l'origine socio-économique de la personne dépendante. Toutefois, tous les détenus toxicomanes interviewés par Pernanen *et al.* (2002) ne disent pas avoir commis leur délit dans le but spécifique de se procurer une drogue. Des solutions de remplacement ponctuent la quête d'argent des toxicomanes. D'ailleurs Grapendaal, Leuw et Nelen (1995) affirment, à la suite de leur étude auprès de toxicomanes hollandais, qu'une minorité de répondants (22 %) utilise la criminalité acquisitive comme source principale de revenu. Bien plus, la consommation de drogues serait plutôt fonction de l'argent disponible que de la dépendance physique. Toujours selon Grapendaal, Leuw et Nelen (1995), cette conception économico-compulsive s'avère également populaire parmi les toxicomanes. Cette construction réductionniste de la réalité servirait les intérêts de chacun des acteurs sociaux impliqués dans cette problématique. Le grand consommateur se soustrait de la responsabilité morale de ses gestes délinquants : ce n'est pas de sa faute, il est dépendant d'une drogue... il est malade. Elle évite au thérapeute d'obliger le toxicomane à faire face à ses comportements illégaux. Cela procure aux forces de l'ordre un prétexte pour justifier leur demande de budget et se disculper face à leur incapacité à enrayer la criminalité. Chacun y trouve son compte en reportant la responsabilité de son inaction sur les propriétés insondables de la drogue.

Le modèle économico-compulsif, concevant la toxicomanie comme une maladie despotique, ne tient pas compte des épisodes de consommation réduite et même d'abstinence qui surviennent à la suite de périodes de disponibilité réduite de la drogue (Faupel, 1991 ; Grapendaal, Leuw et Nelen, 1995 ; Zinberg, 1984). Ces phases cadrent difficilement avec la théorie de la maladie classique, mais présentent toutes une signification phénoménologique importante. Bien plus, ce modèle ignore délibérément les personnes qui exercent un contrôle efficace sur leur consommation (Alexander, 1994 ; Zinberg, 1984). Bien sûr, ces personnes ne font pas l'objet des services offerts par les centres de traitement et ne se retrouvent habituellement pas derrière les barreaux. Elles sont généralement ignorées par les chercheurs parce qu'elles forment une population discrète, très difficile à joindre. Il nous apparaît cependant malavisé de réduire la compréhension du phénomène aux éléments les plus facilement observables.

Il faut plutôt croire, à l'instar de Hunt (1991), que l'implication criminelle économico-compulsive des consommateurs de substances psychoactives illicites sera fonction : a) des revenus de l'usager en rapport avec le prix du produit ; b) de la fréquence d'utilisation de drogues et de l'implication dans un style de vie toxicomane ; c) des antécédents délinquants. De ce fait, le modèle économico-compulsif ne s'appliquerait qu'aux personnes qui ont un revenu limité pour assurer leur consommation de substances psychoactives et qui sont fortement dépendantes de drogues coûteuses.

Bien plus, il ne serait valable que pour une phase limitée de leur parcours addictif (Grapendaal, Leuw et Nelen, 1995).

Des crimes commis en relation avec le système de distribution illicite des drogues

On l'a vu au chapitre précédent, la Convention unique sur les stupéfiants (1961, modifiée en 1972) et la Convention contre le trafic illicite de stupéfiants et de substances psychotropes (1988) ont pour objectif de circonscrire en criminalisant la culture, la production, le trafic, la distribution de même que la possession ou la consommation de certaines drogues. Sous l'impulsion des États-Unis, ces conventions servirent de tremplins pour la mise en place de stratégies de « guerre à la drogue » dans de nombreux pays. Parallèlement à cette répression, un système de distribution illicite des drogues prohibées s'est organisé.

Le système illicite de distribution des drogues édicte néanmoins ses propres lois, comporte de nombreuses obligations et oblige à se conformer à certaines normes. Ces lois internes, ces obligations paracontractuelles et ces normes non dites constituent la toile de fond de nombreuses altercations qui ne seront jamais dénoncées aux autorités judiciaires. Toutefois, chacun des acteurs impliqués sait très bien que les enfreindre peut comporter des conséquences néfastes pour lui et parfois même pour ses proches (Brochu et Parent, 2005).

La violence reliée au système de distribution illicite des drogues est généralement employée lors de la vente, de la collecte de dettes ou lors de conflits territoriaux liés à ce commerce interdit. Il n'est alors plus question ici de crimes reliés aux propriétés intrinsèques des drogues (e. g. intoxication ou dépendance), mais bien d'une criminalité associée à sa répression et qui vise à faciliter la distribution illicite d'un produit. On nomme ces crimes « systémiques », car ils se produisent à l'intérieur d'un système commercial clandestin. De là vient l'appellation du *modèle systémique*.

Les travaux de Johnson, Golub et Fagan (1995)[2] montrent bien que cet environnement, sans contrôle légal autre que celui de la répression, fait en

---

2. Voir également Friedman, Terras et Glassman (2003), Parent et Brochu (2002).

sorte que le milieu des drogues et ses acteurs sont peu connus ; les transactions se font à l'abri des regards indiscrets ; les énormes profits sont dissimulés aux autorités judiciaires, mais convoités par les gens du milieu. Cette situation s'avère alors fort propice à la duperie et aux querelles entre vendeurs et consommateurs qui se sentent lésés dans leurs transactions. Une étude québécoise (Dufour, 2004) nous informe que 42 % des jeunes contrevenants en centres jeunesse se seraient déjà retrouvés dans une situation de vengeance violente à la suite d'un échange de drogue.

Les vols perpétrés dans le milieu de la vente illicite des drogues ne seront jamais dénoncés par crainte d'une arrestation probable, mais feront l'objet d'actes de représailles. Ce marché illicite fort lucratif incite à l'expansion et à l'élimination de la concurrence ; il appelle donc à de nombreuses disputes de territoire entre trafiquants rivaux. Ainsi, au Québec, 43 % des jeunes contrevenants en centres jeunesse rapportent avoir été impliqués dans un événement violent alors qu'ils échangeaient des drogues dans un territoire qui n'était pas le leur (Dufour, 2004). Dans ce milieu, la violence est fréquemment utilisée comme stratégie de « gestion du personnel ». De toutes les facettes de la violence systémique, celle qui est toutefois la plus éclatante est reliée aux dettes contractées et non remboursées : intimidations, menaces, ultimatums et violences constitueront les réponses servant à régler ce différend avec le mauvais payeur (Brochu, Parent, Chamandy et Chayer, 1997). Toutefois, les menaces ont habituellement tôt fait de régler la situation. Il en est autrement pour les guerres de territoires.

FIGURE 5.6

Modèle systémique

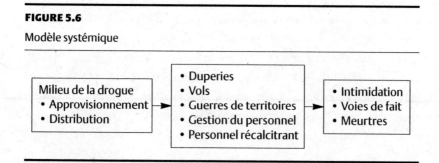

Les journaux rapportent couramment des incidents violents reliés aux méthodes de distribution de substances psychoactives prohibées. C'est ainsi qu'à la fin des années 1980 sont apparus de nombreux articles traitant de la guerre reliée au marché illicite de la cocaïne et du crack que se livraient d'importants distributeurs de drogues du sud des États-Unis. Malgré une moins grande publicité médiatique, il n'en demeure pas moins que cette brutalité s'opère également chez les petits revendeurs.

Les études effectuées à partir du modèle tripartite de Goldstein indiquent que la grande majorité des homicides reliés à la drogue est issue du système de distribution et d'approvisionnement. Plus spécifiquement, on estime que 10 % des homicides chez les jeunes Américains seraient attribuables au trafic de drogues (Slaby, Barham, Eron et Wilcox, 1994). Au Canada, de 1992 à 2002, selon les services policiers, 684 (11 %) homicides sont reliés au trafic de stupéfiants ou à un règlement de compte relié au trafic de drogues (Desjardins et Hotton, 2004). La cocaïne est alors la substance la plus souvent mise en cause dans cette violence systémique (60 %).

Le modèle systémique demeure ambigu quant à la direction de la causalité drogue-crime. En effet, même si le modèle indique que le système de distribution et d'approvisionnement de drogues illicites favorise la criminalité, des études laissent supposer que les individus enclins à la violence perçoivent dans les méthodes utilisées par ce milieu un attrait incontestable puisqu'ils pourront y mettre à profit leurs aptitudes et leur force physique tout en recevant des compensations monétaires importantes (Brochu *et al.*, 1997 ; Ellickson, Saner et McGuigan, 1997). De plus, les dirigeants de ces organisations illégales, voulant maintenir leur réputation auprès de leurs collègues et leur emprise sur un territoire défini, ont tout intérêt à s'entourer de costauds au tempérament fougueux qui n'hésiteront pas à instituer un régime de terreur lorsque cela pourra servir les causes de l'entreprise (Brochu *et al.*, 1997 ; Brochu et Parent, 2005). On se retrouve alors devant le phénomène de la poule et de l'œuf, sans savoir réellement quel élément est le précurseur de l'autre. L'adoption d'un style de vie délinquant a-t-elle favorisé l'implication dans le système de distribution de la drogue ou, à l'inverse, la fréquentation du milieu de la drogue a-t-elle précipité l'implication criminelle ?

On est également en droit de s'interroger sur le rôle initiateur que joue-rait le milieu de la drogue sur la violence observée dans certains quartiers. La détérioration des zones d'habitation, le chômage endémique, l'effrite-ment des valeurs traditionnelles et la délinquance n'avaient-ils pas fait leur apparition bien avant l'arrivée des trafiquants ? Ces lieux ne représentaient-ils pas plutôt un terrain propice au développement de la brutalité ? Dans ces conditions, est-ce vraiment le trafic de drogues qui a généré la violence dans ces quartiers ? Bien sûr, une proportion non négligeable des actes bru-taux observés semble étroitement liée au commerce illicite de substances psychoactives, mais, en revanche, une grande partie de cette violence n'y trouve qu'un prétexte. Enfin, il faut bien noter que la violence reliée au sys-tème de distribution de la drogue est beaucoup plus présente dans les gran-des villes de l'Amérique du Nord que dans les grands centres urbains européens, ce qui laisse croire que le contexte sociopolitique (entre autres l'accès à des armes) n'est pas totalement étranger à cette violence.

Si l'on exclut les récits journalistiques, très peu d'études ont tenté de vérifier empiriquement ce modèle. Un facteur pouvant expliquer le faible engouement des chercheurs face à cette approche réside dans le fait que peu de victimes font appel aux forces policières. Le revendeur n'a sûrement pas intérêt à rapporter le vol de drogues et d'argent dont il fut l'objet. S'il le fait, il aura avantage à maquiller certaines informations. Il pourra rappor-ter le montant d'argent qui lui fut dérobé en prenant bien soin de ne pas divulguer sa provenance. Il devient alors très difficile d'identifier exacte-ment la délinquance systémique et de la départager de la criminalité géné-rale.

Quelques études suggèrent toutefois que la force de la répression serait liée à l'importance de la criminalité systémique. Ainsi, deux économistes américains ont effectué des analyses intéressantes qui méritent d'être rap-portées. Le premier, Resignato (2000), utilise les données sur les arrestations pour affaires de drogues et les statistiques de consommation de drogues illicites dans 23 villes importantes des États-Unis et les met en relation avec la criminalité violente dans ces mêmes villes. Selon les résultats obtenus, les actes criminels violents seraient davantage reliés aux activités policières de répression qu'à la consommation des usagers.

La deuxième étude, celle de Miron (2001), met en rapport le contrôle des armes à feu, la répression des drogues (e. g. les saisies) et la criminalité violente (e. g. les homicides). À la différence de la première étude limitée aux États-Unis, celle-ci compare les statistiques de 66 pays. Encore ici, les résultats indiquent que la répression liée aux drogues illicites explique la différence dans les taux d'homicides rapportés par ces pays et ces taux d'homicides à leur tour expliquent les taux de possession d'armes (qui sont en corrélation et non en relation causale avec la violence).

Ces deux études laissent croire qu'un relâchement des mesures répressives en matière de drogues illicites pourrait avoir une incidence sur la réduction de la criminalité systémique.

Les types de crimes reliés aux drogues qui ne sont pas mutuellement exclusifs

Expliqués ainsi, l'un à la suite de l'autre, les crimes commis sous intoxication, dans le but de se procurer une drogue ou reliés au système illicite de distribution des drogues, peuvent donner l'impression qu'ils sont mutuellement exclusifs. Ce serait toutefois commettre une erreur importante de comprendre ainsi le modèle tripartite de Goldstein. En effet, on peut

FIGURE 5.7

Goldstein : 3 types de relations drogues-crimes qui ne sont pas mutuellement exclusifs

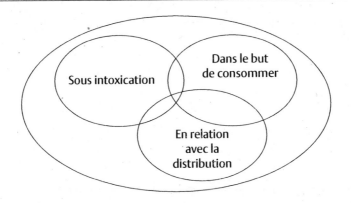

s'attendre à ce qu'il y ait un chevauchement important de chacun des types de crimes définis précédemment. En effet, un nombre important d'individus qui ont commis un crime afin de se procurer des drogues pour leur consommation personnelle le font alors qu'ils se trouvent sous l'influence d'une drogue (Pernanen *et al.*, 2002). Cela pourrait parfois laisser à penser qu'une proportion plus grande de crimes est attribuable aux drogues.

Le modèle causal inversé

À l'opposé de ce qui a été affirmé dans le modèle tripartite de Goldstein, plutôt que de supposer que la criminalité est reliée de façon causale à l'intoxication, au besoin d'argent ou encore au caractère violent du milieu de la drogue, certains croient que l'implication dans la délinquance favorise la consommation de substances psychoactives illicites. On l'a vu antérieurement, un bon nombre de jeunes contrevenants fêtent leurs succès délinquants en consommant des drogues (Brochu et Parent, 2005). Il en est de même pour certains usagers d'héroïne, alors que leur consommation dépend en grande partie de leur revenu criminel (Faupel, 1991 ; Grapendaal, Leuw et Nelen, 1995).

Cependant, le rôle du milieu délinquant ne s'arrête pas là. En plus de l'argent provenant des activités criminelles, le style de vie délinquant fournit les contacts nécessaires à l'achat de drogues illicites de même qu'une légitimation (e. g. modèles, normes, protocoles, règles...) de la consommation (Brochu et Parent, 2005 ; Grapendaal, Leuw et Nelen, 1995).

FIGURE 5.8

Modèle causal inversé

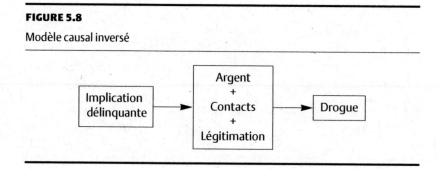

À l'appui de leur modèle, les chercheurs citent habituellement des études révélant la préséance du comportement délinquant sur la consommation de drogues illicites ainsi que des enquêtes démontrant que l'implication criminelle des usagers de drogues ne prend pas fin avec les périodes d'abstinence. La délinquance initiale, d'une part, et la criminalité résiduelle, d'autre part, constitueraient des preuves selon lesquelles la délinquance prendrait ses origines dans une constellation de facteurs autres que la simple consommation ou la dépendance envers une drogue. Ce modèle a, en quelque sorte, donné naissance au modèle corrélationnel biopsychosocial qui fait appel à la notion de syndrome de comportements déviants.

Les modèles causaux transmettent difficilement avec exactitude toute la complexité du rapport entre drogue et criminalité. On croit que cette impuissance vient de la facilité avec laquelle les tenants de ces modèles négligent de considérer la personne comme un acteur social capable de raisonnement logique et tributaire de l'environnement dans lequel il évolue. D'autres chercheurs ont cependant réussi à se défaire de ce schéma cognitif linéaire et ont adopté une vue plus englobante. Nous classerons leur conception sous l'appellation « modèles corrélationnels ».

LES MODÈLES CORRÉLATIONNELS

Les tenants des modèles corrélationnels supposent qu'il n'existe pas de causalité simple et directe entre la consommation de drogues, ou la toxicomanie, et les manifestations criminelles. Pour certains, ces deux comportements auraient des origines totalement indépendantes (*modèle sans cause commune*). Pour d'autres, un troisième facteur serait responsable de l'adoption de ces deux comportements déviants (*modèle à causes communes*).

Le modèle sans cause commune

Selon le modèle sans cause commune, la consommation de drogues et les manifestations de comportements délinquants seraient uniquement liées par la synchronie de leur apparition pendant la période de l'adolescence (Brunelle, Brochu et Cousineau, 2003 ; White, 1990). En effet, ce stade de vie est caractérisé par l'expérimentation d'une diversité d'activités nouvelles et parfois contestataires. Peu de ces jeunes feront l'expérience de plus d'une forme de déviance. L'argument le plus souvent invoqué pour soutenir cette thèse consiste à mentionner que les deux comportements ne suivent pas un itinéraire de développement identique. Ainsi, la consommation de drogues illicites et la délinquance sévère ne rejoindraient pas nécessairement les mêmes personnes (White, Pandina et LaGrange, 1987). De plus, de façon générale, le processus de mûrissement semble plus long chez les usagers de drogues que chez les jeunes contrevenants, puisqu'il n'est atteint que vers la fin de l'adolescence ou au début de l'âge adulte plutôt qu'au milieu de l'adolescence (Harrison et Gfroerer, 1992 ; Hirschi et Gottfredson, 1983 ; White, 1990). Les jeunes délaisseraient donc les activités délinquantes bien avant de mettre fin à leur consommation de drogues illicites.

Ce modèle d'explication est peu convaincant, car il est difficile à soutenir empiriquement. De plus, il est bien clair que notre pensée linéaire nous interdit de destituer les drogues de leur rôle causal sans auparavant avoir trouvé une autre explication à la criminalité.

Le modèle à causes communes

Malgré les arguments présentés ci-dessus, certains chercheurs croient que la consommation de drogues et la délinquance sont unies par un ou plusieurs facteurs communs autres que la simple synchronie des événements. Ils se basent alors sur le fait qu'une minorité de jeunes manifeste un très grand nombre de comportements qualifiés de déviants (Elliott, Huizinga et Menard, 1989 ; Fréchette et Le Blanc, 1987 ; Gottfredson et Hirschi, 1990 ; Kinlock, O'Grady et Hanlon, 2003). Selon les tenants de cette position, cette concentration de problèmes chez une même personne ne pourrait s'expliquer uniquement par la coïncidence synchronique, mais il faudrait plutôt faire appel à des données présentes dans le développement de l'adolescent. Certains chercheurs ont donc tenté d'identifier les facteurs qui pourraient être à la base de cette propension à la consommation de drogues et à la délinquance. Comme les premiers chercheurs à s'intéresser à ce thème avaient généralement une formation en psychologie, c'est du côté de la personnalité qu'ils ont poussé leur recherche.

La personnalité est composée de l'ensemble des caractéristiques dominantes de la personne qui renvoie à sa façon habituelle d'agir et de réagir

(Tétreault, 2005). Ainsi, bien que la personnalité soit unique à chaque individu, il est possible d'observer des ressemblances et des similarités entre les personnes. Ces correspondances stables ont été identifiées comme des traits de personnalité qui organisent la pensée, les émotions ainsi que les comportements d'un individu (Nadeau, Acier et Miranda, 2005).

Les psychologues ont eu tendance à considérer l'agir antisocial comme la manifestation de problèmes plus profonds. On a alors tenté d'isoler des traits de personnalité susceptibles d'expliquer l'agir délinquant. Ainsi, les théories de la personnalité criminelle essaient de démontrer que les personnes qui font des gestes délinquants régulièrement présentent un ensemble commun de traits de personnalité qui les différencie des autres personnes qui n'agissent pas ainsi. Ce serait la présence ou plutôt la prédominance de ces traits de personnalité[3] qui expliquerait le comportement criminel tant et aussi longtemps qu'elle dominera à l'intérieur du panorama psychologique de la personne (Fréchette et Le Blanc, 1987 ; Pinatel, 1963).

Un certain nombre d'études effectuées auprès de toxicomanes en traitement ont permis de déterminer la présence de mêmes traits « antisociaux » au sein de cette population (Gibbs, 1982 ; Muntaner, Walter, Nagoshi, Fishbein, Haertzen et Jaffe, 1990 ; Donovan, Soldz, Kelley et Penk, 1998). Entre autres, l'utilisation du Minnesota Multiphasic Personality Inventory (MMPI) indique régulièrement une élévation importante à l'échelle de la déviance psychopathique (Pd) chez les toxicomanes en traitement. Cette constatation peut donc laisser croire que certains traits de personnalité expliqueraient à la fois la délinquance et la consommation abusive de drogues.

Cependant, plusieurs critiques ont été adressées à ce type de recherche. La première considère que, trop souvent, les études des traits de personnalité des consommateurs de drogues illicites sont réalisées auprès de personnes en traitement qui gèrent mal leur consommation et qui sont, pour la plupart, très mal intégrées socialement. Ces études sont alors réalisées sans utilisation de groupe contrôle ou de comparaison, ce qui fait que les traits antisociaux peuvent être attribuables à des facteurs externes non contrôlés.

---

3. Selon Pinatel (1963), les traits qui distinguent les délinquants des non-délinquants seraient l'égocentrisme, la labilité affective, l'agressivité et l'indifférence envers autrui.

Le deuxième type de critique a trait au lien chronologique entre la consommation de drogues illicites et l'acquisition de traits antisociaux. Est-ce que ce sont les traits de personnalité qui ont donné lieu à une forte consommation de drogues ou est-ce le fait de fréquenter le milieu de la drogue qui a pu influencer la personnalité?

FIGURE 5.9

Modèle corrélationnel : traits de personnalité communs

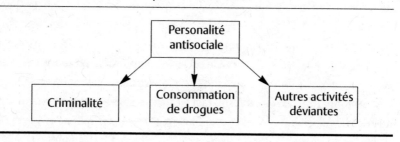

Au milieu des années 1980, plusieurs chercheurs ont constaté que les facteurs de personnalité ne pouvaient à eux seuls expliquer la délinquance et la consommation abusive de drogues ; ils ont donc ajouté aux variables personnelles déjà observées un ensemble de facteurs biopsychosociaux. Le modèle biopsychosocial s'inspire donc d'un premier modèle qui s'intéressait alors à la psychopathologie. En effet, comme l'on fait les premiers psychologues qui se sont intéressés à ces manifestations déviantes, les chercheurs qui optent pour le modèle biopsychosocial ne considèrent pas qu'il y a causalité directe entre usage de drogues et criminalité. Ils tentent plutôt d'identifier des causes extérieures à ces deux manifestations déviantes.

De nombreuses études indiquent que la criminalité, tout comme l'abus de substances psychoactives, se répartit très inégalement dans la population. Seul un petit nombre d'adolescents présenteraient une très haute fréquence de comportements déviants. Cette marginalité structurale serait associée à un syndrome général de déviance (Cornwyn et Benda, 2002; Donovan, Jessor et Costa, 1999; Newcomb, 1997). La délinquance, la consommation de drogues de même que certains autres comportements déviants ou marginaux (tels des expériences sexuelles précoces et souvent non protégées, la conduite automobile dangereuse, certains comportements ordaliques) constitueraient des manifestations reliées à la présence de facteurs de risque dans le passé de l'acteur social. Ces facteurs de risque « prédisposeraient » à adopter un style de vie dans lequel l'intoxication, la conduite en état d'ébriété, la toxicomanie et les activités criminelles font partie du quotidien. L'apparition de l'une de ces conduites pourrait même parfois ouvrir la voie ou stimuler l'expression de nouveaux comportements hors normes, sans que ces derniers soient pour autant reliés par une causalité directe (Brochu, 1994 ; Grapendaal, Leuw et Nelen, 1995 ; Harrison et Gfroerer, 1992). En revanche, une série de facteurs de protection aurait, comme le nom l'indique, un rôle important à jouer dans le domaine que les chercheurs et les intervenants nomment la « résilience ». Somme toute, les études relevant du modèle biopsychosocial indiquent clairement qu'il est difficile de placer substances psychoactives et crimes dans des ordres causaux exclusifs puisque la relation relèverait également de liens distaux.

FIGURE 5.10

Modèle corrélationnel : facteurs biopsychosociaux

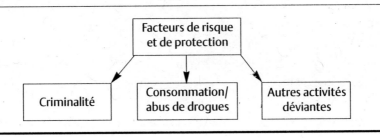

Les facteurs de risque les plus communs (Tremblay, 1992 ; Brochu, 1996 ; Vitaro, Dobkin et Janosz, 1997) seraient d'origine biologique (hérédité), psychologique (troubles de la personnalité et inadaptation scolaire, professionnelle et sociale), contextuelle (milieu familial inadéquat, rupture de liens avec les institutions de socialisation, affiliation à des pairs déviants) ou sociale (pauvreté, chômage endémique, logement insalubre, conditions de vie difficiles). Ce modèle explicatif, portant une attention sur les facteurs de risque, offre une vision beaucoup plus dynamique des liens entre drogues et criminalité que les modèles causaux précédents.

Ce modèle psychosocial semble très approprié pour connaître les facteurs d'initiation à la consommation illicite de drogues et aux actes délinquants chez les adolescents. Toutefois, il n'apporte que peu d'indices pour la compréhension du développement de la nature du lien qui unit drogue et criminalité chez les personnes qui sont sur une trajectoire comportant ces deux éléments.

SYNTHÈSE

Trois observations se dégagent de l'analyse effectuée dans ce chapitre. La première est que l'humain semble dépendant d'explications causales linéaires simples. On a alors tendance à attribuer une action à un élément qui la précède. Si cet élément s'avère déviant ou illégal, on ne cherche pas plus loin l'explication. Il devient donc ainsi très aisé d'expliquer la criminalité par la consommation d'un produit illégal. Pourtant, l'usage de drogues illicites ne constitue un facteur déterminant du développement de comportements criminels que pour une minorité de toxicomanes (Grapendaal, Leuw et Nelen, 1995[4]).

On peut ensuite observer que les nouveaux modèles développés pour tenter de mieux comprendre la nature des liens qui unissent la drogue et la criminalité apportent un message clair : cette relation s'avère beaucoup plus complexe qu'on ne l'a d'abord cru. Les modèles causaux empruntés à la thermodynamique du XVIIIe siècle ne peuvent rendre compte de toute cette complexité.

Enfin, il apparaît que la naissance ainsi que le développement des modèles conceptuels tentant de mieux cerner la nature du rapport drogue et criminalité sont empreints d'une logique compétitive plutôt qu'intégrative. On laisse ainsi en plan les résultats des recherches qui confirment les hypothèses des modèles concurrents et on tente de faire reposer le modèle naissant sur de toutes nouvelles bases. On a même parfois l'impression, à la description de ces modèles de compréhension, que les chercheurs n'observent pas tous le même phénomène... c'est peut-être le cas !

---

4. Selon leur étude hollandaise, seulement 20 % des toxicomanes rencontrés ont commis des crimes après que leur consommation d'héroïne est devenue significative dans leur vie.

Trop souvent, en sciences sociales et humaines, on a tendance à croire qu'expliquer signifie trouver les causes. Bien sûr, la recherche des causes constitue bien une façon d'expliquer, ce que fit d'ailleurs maintes fois l'école positiviste. Toutefois, d'autres processus sont aussi valables. Ainsi, on peut tenter de distinguer la structure d'un phénomène ; c'est ce que tentait de faire Durkheim avec le phénomène criminel. On peut également tenter de découvrir le processus ; c'est ce que font les chercheurs qui empruntent un cadre théorique phénoménologique.

Les modèles de compréhension du rapport drogue et criminalité qui viennent d'être dépeints, quoique cruciaux pour la compréhension du phénomène, se révèlent toutefois incomplets parce que trop statiques. Des études ont permis d'observer que ce rapport n'est pas caractérisé par une fixité temporelle (Brochu et Parent, 2005 ; Brunelle, Cousineau et Brochu, 2005 et 2002). On note alors une mutation plus ou moins importante de ces liens au fil d'une trajectoire personnelle. Au cours des différentes étapes de la vie du consommateur, de multiples possibilités d'interactions peuvent affecter la direction de son parcours et, bien sûr, le type de relations entre la drogue et la criminalité le concernant. Le prochain chapitre tentera de dépeindre les trajectoires de consommation et de criminalité des personnes qui poursuivent leur parcours dans la drogue jusqu'à la dépendance.

6

LES LIENS ENTRE DROGUE ET CRIMINALITÉ SELON LE TYPE DE CONSOMMATION ET LA TRAJECTOIRE EMPRUNTÉE

Lorsqu'une discussion de salon s'égare sur le thème des drogues illicites, s'ensuit alors habituellement un débat vigoureux qui laisse souvent entrevoir une méconnaissance des réalités actuelles. Bien que souvent ignorées du grand public, les études des deux dernières décennies ont permis le développement considérable de nos connaissances dans le domaine de la consommation de drogues illicites. Ainsi, malgré le fait que l'usage de substances psychoactives chez les adolescents et les jeunes adultes s'est considérablement répandu au cours des dernières années (Santé Canada, 2004) et ce, de façon à ne plus en faire une activité marginale partagée par les seuls initiés (Boys, Marsden et Strang, 2001 ; Hotton et Haans, 2003), on sait que pour la grande majorité des consommateurs, il s'agira d'un usage relativement peu fréquent de cannabis ou d'expériences isolées qu'ils pourront raconter à leurs amis, sans plus.

Contrairement à la thèse de l'escalade, les études de prévalence indiquent clairement que la consommation de drogues illicites ne mène pas inévitablement à la toxicomanie et que l'usage de cannabis ne conduit pas nécessairement à la consommation de cocaïne ou d'héroïne. Même si la thèse de l'escalade fait la joie de certains politiciens, les scientifiques ont depuis longtemps renoncé à ce type d'explication qui s'appuie exclusivement sur les propriétés psycho-pharmacologiques du cannabis (Decorte, 2000). En fait, seulement une minorité de consommateurs deviendront dépendants d'une drogue et en feront le centre de leur vie (Hough, 2001).

Il n'en reste pas moins que certains usagers, un jour ou l'autre, consommeront régulièrement des drogues. Jusqu'au milieu des années 1990, ces usages réguliers de drogues illicites étaient souvent associés à la déviance, si ce n'est à la délinquance (Brochu, 1995). Récemment, l'image des drogues illicites ainsi que les significations de son usage se sont considérablement modifiées. Une certaine tolérance s'est installée au sein de la population. De nouvelles drogues ont également été popularisées (entre autres l'ecstasy) et rapidement associées aux soirées festives (Duff, 2005 ; Parker, Aldridge et Measham, 1998). Ces transformations ont fait émerger une nouvelle catégorie de consommateurs : les usagers récréatifs réguliers. Pour eux, la consommation de drogues est dictée par le plaisir et s'inscrit bien à l'intérieur de l'organisation de leurs loisirs sans pour autant les mener à la déviance. Contrairement aux usagers déjà inscrits dans un parcours déviant, les consommateurs récréatifs utilisent généralement des drogues à un rythme beaucoup moins effréné (Decorte, 2000).

La réalité actuelle permet donc d'observer quatre grands types de consommation : expérimentale ou occasionnelle, régulière récréative, régulière déviante, addictive. On a de fortes raisons de croire que les liens entre drogue et criminalité associés à ces divers types de consommation s'avèrent habituellement fort différents. En effet, on sait que les usagers expérimentaux ou occasionnels de drogues illicites ne sont habituellement pas impliqués dans la délinquance, si ce n'est que par le fait de se procurer leur drogue sur un marché illicite (Brochu et Parent, 2005). On en sait beaucoup moins sur les usagers réguliers récréatifs, mais, encore ici, la criminalité n'apparaît pas comme une caractéristique commune de ces consommateurs (voir Simpson, 2003). À l'opposé, ce sont sur les usagers réguliers déviants et les consommateurs dépendants que nous avons le plus d'informations. C'est sur ces deux dernières catégories de consommateurs que ce chapitre s'attardera.

LES RAPPORTS ENTRE DROGUE ET CRIMINALITÉ
CHEZ LES CONSOMMATEURS RÉGULIERS DÉVIANTS
ET LES CONSOMMATEURS DÉPENDANTS DE DROGUES ILLICITES

Certains jeunes aux prises avec des conditions de vie pénibles et éprouvant d'importantes difficultés d'ordre familial et scolaire vont s'associer entre eux pour vivre des expériences alternatives. Ces dernières pourront les conduire vers une culture marginale où la consommation d'alcool et de cannabis, l'intoxication, la petite criminalité, les expériences sexuelles précoces et non protégées, la conduite automobile à risque, etc., constituent des situations courantes et valorisées. Plusieurs de ces jeunes risquent alors d'entamer, plus ou moins consciemment, un parcours qui les mènera vers un usage régulier déviant de drogues proscrites et coûteuses, et possiblement vers la dépendance. La consommation de drogues n'inscrit pas nécessairement son usager dans une trajectoire déviante ; c'est plutôt la répétition de l'acte, ses conséquences ainsi que sa signification individuelle qui le font. La marginalisation va accroître cette dérive (Derivois, 2004).

À l'instar de Becker (1963), certains chercheurs contemporains, tels Grapendaal, Leuw et Nelen (1995), Hser, Anglin, Grella, Longshore et Prendergast (1997) ou encore Duprez et Kokoreff (2000) ont étudié les parcours des usagers de drogues en utilisant la notion de carrière. Cette notion, qui s'appuie sur la carrière professionnelle (Rubington, 1967), emprunte à la sociologie des professions les éléments d'adhésion, de cheminement et de retraite. En d'autres termes, la notion de carrière d'usage de drogues est caractérisée par une séquence longitudinale au cours de laquelle se retrouve une série d'épisodes, de changements de comportement et de perspectives individuelles (Kokoreff et Faugeron, 2002 ; Simpson, 2003).

D'autres préfèrent le terme trajectoire au mot carrière (voir Brochu, Da Agra et Cousineau, 2002). En effet, le terme trajectoire introduit à la fois les notions de temps et de développement dans l'explication des relations entre drogue et criminalité. De plus, il restitue tout son sens au terme relation puisqu'il interprète les variables en jeu dans une perspective dynamique d'interaction. En somme, la perspective de trajectoire s'intéresse aux interrelations entre les systèmes en évolution à travers le temps. En ce sens, les études adoptant une perspective de trajectoire s'inscrivent bien dans la lignée de certains travaux de Castel (1992, p. 14) :

> Construire la ligne biographique du toxicomane, ce serait bien sûr retracer son parcours de drogué dans ce qu'il implique de spécifiquement lié à la drogue ; mais ça serait aussi analyser la manière dont se cristallisent autour de cette ligne d'autres éléments de l'équipement social d'un individu.

Que la préférence se porte vers le mot carrière ou le terme trajectoire, dans les deux cas on y trouve la notion de transformation et éventuellement d'évolution. Ces concepts de changement et de mutation serviront ici de toile de fond.

Ce chapitre s'inspire, en très grande partie, des études qualitatives réalisées auprès de consommateurs de drogues au Québec. Ainsi, les études réalisées sous la direction de N. Brunelle (2001 ; voir également Brunelle, Cousineau et Brochu, 1997 ; 2002a ; 2002b ; 2002c ; 2005, et aussi Brunelle, Brochu et Cousineau, 2000 ; 2005) se sont intéressées aux trajectoires déviantes chez les adolescents. Pour leur part, Brochu et Parent (2005) se sont attardés à mieux comprendre le parcours des consommateurs réguliers de cocaïne, et Marsh (2002) le parcours des consommatrices régulières de cocaïne.

LES TRAJECTOIRES DÉVIANTES DE CONSOMMATION DE DROGUES ILLICITES

D'entrée de jeu, il importe d'insister sur le fait qu'une trajectoire ne constitue pas un parcours linéaire unidirectionnel. La consommation de drogues peut varier énormément en quantité, en fréquence et en produits consommés à travers le temps. Des périodes de consommation soutenue et d'abstinence peuvent alterner. L'usage intensif de drogues et l'implication criminelle peuvent être momentanés ou constituer une des caractéristiques les plus permanentes d'un style de vie (Pudney, 2002).

Les trajectoires de consommation menant à l'addiction peuvent généralement se diviser en trois phases plus ou moins longues durant lesquelles les relations entre drogue et criminalité se transforment. Pour plus de clarté,

nous nommerons ces phases : expérimentation/consommation occasionnelle, consommation régulière et addiction.

Expérimentation/consommation occasionnelle

De façon générale, les usagers de drogues illicites entament leur trajectoire
de consommation par un usage expérimental ou occasionnel de cannabis
guidé par le plaisir de la consommation et l'attrait de nouvelles expériences
vécues entre copains (Boys, Marsden et Strang, 2001 ; Erickson et Weber,
1994 ; Hammersely et Ditton, 1994 ; Harrison, 1994 ; Mugford, 1994 ; Hotton
et Haans, 2003 ; Waldorf, Reinarman et Murphy, 1991 ; Young, Mikulich,
Goodwin, Hardy, Martin, Zoccolillo et Crowley, 1995). Nous sommes loin
de l'image caricaturale qu'on a trop souvent propagée selon laquelle l'initiation à la consommation s'accomplirait par l'entremise de groupements
de délinquants qui contraindraient le bon adolescent studieux à consommer malgré lui (Decorte, 2000). Bien sûr, le contexte social qu'offre la
fréquentation des pairs a une grande importance à ce stade, puisque la
consommation de drogues illicites dépend alors des contacts avec d'autres
usagers (comme beaucoup de comportements déviants tels que la délinquance). Toutefois, les premières expériences sont habituellement caractérisées par une démarche volontaire de consommer (Decorte, 2000). Ce n'est
donc pas tant la pression potentiellement insoutenable de la part des pairs
que la sélection de ces pairs qui est associée à la consommation de drogues
illicites. Initiés par des compagnons plus expérimentés, certains consommeront alors un éventail de substances psychoactives diverses (Decorte,
2000). Néanmoins, à ce stade, la personne est habituellement faiblement
engagée dans la consommation de substances psychoactives, l'usage est
sporadique et peu coûteux ; en conséquence, elle ne subit aucune pression
pour s'engager dans la criminalité. L'usage de drogues ne dépend alors pas
des revenus, mais s'effectue plutôt en fonction des événements, des conjonctures et des propositions de consommation (Brochu et Parent, 2005).

On ne perçoit pas, à ce stade, de relation directe entre la drogue et la
criminalité. Toutefois, pour les jeunes contrevenants et les adolescents impliqués dans une trajectoire déviante, consommation et criminalité répon-
dront parfois aux mêmes besoins de recherche d'identité et d'appartenance

(Brochu et Parent, 2005 ; Brunelle, 2001). Bien sûr, pour les jeunes déjà impliqués dans la délinquance, une partie de l'argent provenant de leurs infractions pourra alors être consacrée à l'achat de drogues, tout comme elle sera utilisée pour une diversité d'autres dépenses (Brunelle, Brochu et Cousineau, 2000). Il faut toutefois éviter, à ce stade, d'établir une relation causale artificielle entre ces comportements délinquants et la consommation de drogues illicites.

FIGURE 6.1

Expérimentation/consommation occasionnelle

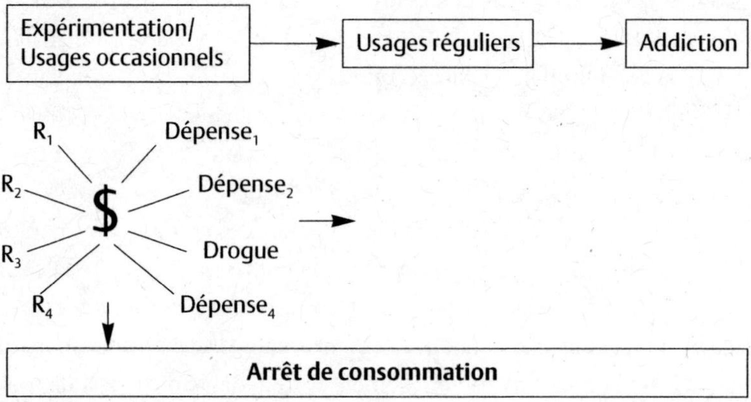

Consommation régulière

Pour Brunelle, Cousineau et Brochu (2002b), certains jeunes vont consommer des drogues plus régulièrement en adoptant une trajectoire dite continue par les auteurs. La continuité ici réfère aux motivations à consommer qui sont de l'ordre soit du *modeling* ou de l'imitation de la recherche d'un plaisir ludique accru. Les jeunes concernés ici se présentent comme étant généralement satisfaits du contexte de leur vie passée et actuelle, même si celui-ci peut apparaître lacunaire aux regards extérieurs.

La trajectoire en continu adoptée dans un processus d'apprentissage et de modelage

Pour un bon nombre d'adolescents, l'exemple à imiter se trouve à l'intérieur même du cadre familial (Brunelle, Cousineau et Brochu, 2002a). Ainsi, dans bien des cas, le père, la mère ou un membre de la fratrie sont des consommateurs de drogues. Parfois, le jeune se positionne en témoin passif des comportements déviants manifestés par des personnes qu'il idéalise, ou il devient l'objet d'une initiation précoce par un membre de la famille (voir également Brochu et Parent, 2005). Dans ces circonstances, l'identité de consommateur ou l'appartenance déviante prend une connotation positive qui l'aidera à structurer ses expériences futures et son style de vie. Il s'agit d'une trajectoire continue par rapport au mode de vie adopté par la majorité (ou les acteurs les plus influents) des membres de la famille (voir également Bouhnik, 1996). Toutefois, ce type de trajectoire ne décrit pas l'expérience de la majorité des adolescents qui s'initient à la consommation de drogues ou à d'autres activités déviantes par l'entremise de pairs.

La trajectoire en continu adoptée pour la recherche de sensations ludiques fortes

Pour la majorité des adolescents, la trajectoire de consommation de drogues illicites s'inscrit en continu avec un ensemble d'autres activités ludiques qui ont précédé ou qui accompagnent leur itinéraire marqué par la recherche de sensations fortes (Brunelle, Cousineau et Brochu, 2002b; Erickson et Weber, 1994). On amorce la trajectoire de consommation pour l'attrait d'un plaisir nouveau renforcé par l'interdit qui l'entoure; on la poursuit pour revivre l'allégresse initiale ainsi que pour les nouveaux « petits bonheurs » qui apparaissent au gré des rencontres avec la drogue jusqu'au point où la consommation de drogues illicites devient régulière (Brunelle, 2001). Erickson et Weber (1994) avaient d'ailleurs déjà documenté le fait que chez de nombreux adultes qui faisaient usage de cocaïne, le plaisir ludique demeurait la motivation principale pour consommer.

Certains jeunes, une minorité cependant, qui poursuivront leur trajectoire déviante d'usage de drogues se limiteront à une consommation de cannabis. D'autres usagers, après avoir fait l'expérience de plusieurs substances, en préféreront une en particulier (ou un groupe de substances) alors que d'autres encore seront plus volages et chercheront la défonce à l'aide de tout produit qui leur tombera sous la main. Parmi les drogues qui sont actuellement les plus consommées, on trouve la cocaïne.

La trajectoire de consommation régulière de cocaïne

C'est habituellement à la toute fin de l'adolescence et le plus souvent au début de l'âge adulte, après qu'il y a eu usage d'autres drogues, que s'amorce une consommation régulière de cocaïne (Decorte, 2000). L'accès à la cocaïne s'est effectué sans grand problème puisque l'usager connaissait bien le milieu de la drogue.

La cocaïne attire par ses propriétés vantées dans le milieu : elle permet de festoyer toute la nuit ; elle favorise un sentiment de puissance et d'invincibilité ; elle rend les expériences sexuelles encore plus agréables ; elle est meilleure que les amphétamines ; elle présente des effets subtils ; elle permet de contrôler son poids ; elle est utilisée depuis des centaines d'années en Amérique du Sud ; elle stimule la créativité ; elle n'est pas dangereuse ; elle libère... (Decorte, 2000). Bien sûr, les consommateurs n'ont aucun moyen de vérifier la véracité de ces allégations qui sont largement véhiculées dans le milieu de la drogue. Il n'en demeure pas moins que la cocaïne a une réputation qui titille la curiosité et l'envie de plusieurs néophytes. Cette curiosité s'avère d'ailleurs être la motivation la plus fréquemment rapportée pour justifier la première consommation de cocaïne.

Au début de leur parcours d'usage régulier, les consommateurs achètent habituellement de petites quantités de cocaïne et ce, à faible fréquence (Decorte, 2000). Cette dépense peut alors entrer aisément dans leur planification budgétaire au même titre que toute autre activité de loisir. Comme ils ne sont pas dépendants, le temps disponible et l'accès à la drogue constituent alors les deux principaux éléments régulateurs de leur consommation (Brochu et Parent, 2005 ; Faupel, 1991). De nombreux usagers de cocaïne conservent un emploi rémunérateur qui leur fournit alors un important paramètre de contrôle : une structure de vie (des heures régulières de travail, la nécessité de performer ; des contacts sociaux...). De plus, certains consommateurs trouveront dans l'usage de cocaïne un élément qui pourra accroître leur performance au travail lors des périodes

plus difficiles. La cocaïne leur permettra de travailler de longues heures...
pour un temps du moins.

L'accès à cette drogue est habituellement très facile ; il l'est encore davantage pour un consommateur régulier. Non seulement y a-t-il un accès renforcé, mais la qualité du produit s'accroît alors que les prix diminuent pour
les clients réguliers (Decorte, 2000). On comprend alors que les effets positifs du produit feront en sorte de stimuler la volonté d'en consommer
davantage, alors que, parallèlement, le monde de la drogue en facilitera
l'accès. Pourtant, même dans ces conditions favorables à la consommation,
la trajectoire de consommation n'apparaît pas linéaire, mais présente des
variations fort importantes selon les personnes, les contextes et les périodes (Decorte, 2000).

Dans la grande majorité des cas, à ce stade, la consommation sera assu-
jettie aux revenus disponibles (Decorte, 2000). Pourtant, certaines personnes contracteront graduellement des dettes. Ce seront d'abord des dettes à
court terme ; le temps de recevoir une paye ou un chèque d'aide sociale. Par
la suite, quand le consommateur est mieux connu du milieu et qu'il a
prouvé qu'il pouvait rembourser ses dettes dans des délais raisonnables, il
lui deviendra plus aisé de se procurer sa cocaïne à crédit (Brochu et Parent,
2005). Si les dettes deviennent difficiles à gérer, le milieu criminel apportera une réponse commode à ce problème. En effet, l'illégalité de certaines
drogues et leurs transactions dans des milieux interlopes encouragent le
recours à des revenus illicites lorsque les besoins financiers se font pres-
sants et importants. Que les consommateurs de drogues doivent commettre des actes illégaux pour rembourser leurs dettes importe peu au milieu
de la drogue. En revanche, il va leur faciliter la tâche pour leur permettre de
les acquitter rapidement. Aussi, au fil de l'argent dépensé pour leur consommation et au hasard des rencontres favorisées par la fréquentation du
milieu des drogues illicites, certains consommateurs réguliers vont s'investir dans des activités aux limites de la légalité ou parfois même franchement
criminelles. Ces activités permettent ainsi de consommer de façon régulière
sans pour autant affecter leurs finances ou leur train de vie (Brochu et Parent,
2005).

Tous les revenus criminels sont souvent investis dans une consommation qui ne se limite toutefois pas exclusivement à l'achat de drogues, mais

qui comprend un vaste ensemble de dépenses fastueuses. Les flambeurs arrivent à dépenser d'énormes sommes d'argent en de courts laps de temps (Brochu et Parent, 2005). À ce stade, le train de vie grandiose, plus que la consommation régulière, est bien souvent responsable de la criminalité de ces usagers de cocaïne. La criminalité devient alors le prolongement du style de vie fabriquée autour de la consommation de cocaïne.

L'implication criminelle ne comporte pas les mêmes normes rigides qu'impose un emploi régulier et permet ainsi de se plonger encore davantage dans un style de vie rythmé par la consommation de cocaïne. L'argent rapidement et facilement acquis renforcera chez plusieurs usagers l'envie de consommer encore davantage. On se retrouve ici en présence de comportements de renforcement mutuel : dans le milieu de la drogue, les profits sont habituellement investis dans une consommation accrue de drogue qui demande alors de diversifier des activités criminelles qui procurent un surplus de revenus...

La personne qui n'est pas dépendante de la cocaïne conserve la liberté de s'impliquer dans les activités lucratives qui lui conviennent le mieux. Bien sûr, la majorité des personnes qui se restreignent à des activités légales se trouvent dans l'obligation de réduire leur train de vie. Un niveau de vie beaucoup plus grand s'offre à ceux qui s'impliquent dans la criminalité lucrative. Toutefois, à ce stade de son parcours de consommation, l'usager régulier de cocaïne n'est habituellement pas disposé à renier ses valeurs fondamentales ni à accomplir n'importe quelle activité criminelle afin de se procurer de l'argent. Pour ceux qui s'impliquent dans la criminalité, deux activités sont habituellement privilégiées : la revente de drogue auprès d'amis et d'un cercle restreint de connaissances ainsi que des vols ou des fraudes en milieu de travail (Brochu et Parent, 2005).

La vente et le trafic de drogues représentent les activités criminelles les plus fréquentes à cette étape de consommation régulière de cocaïne. Elles procurent une facilité d'accès à de grandes quantités de substance de meilleure qualité à prix réduit, ce qui peut engendrer éventuellement un effet pervers : un accroissement de l'usage pouvant rapidement devenir difficile sinon impossible à gérer adéquatement. Ainsi, de nombreux petits vendeurs de substances psychoactives se font prendre au jeu de la consommation et n'arrivent jamais à vraiment bénéficier des énormes occasions de profits financiers que cette activité semblait leur promettre (Brochu et Parent, 2005).

Un certain nombre de consommateurs réguliers trouveront, sur leur lieu de travail, diverses possibilités leur permettant de maintenir leur niveau de vie. Ainsi, quelques-uns vont commettre des fraudes, des détournements ou d'autres types d'actes illégaux lucratifs. Ces personnes ne se seraient probablement jamais impliquées dans ce type de criminalité, n'eût été leur consommation de drogues (Brochu et Parent, 2005). Au stade de la consommation régulière d'une drogue illicite coûteuse, la drogue elle-même peut favoriser la criminalité.

En somme, bien souvent, lorsque la personne consomme régulièrement de la cocaïne, une transformation de l'association drogue et criminalité apparaît graduellement. À cette étape, il est possible d'observer une certaine relation de renforcement mutuel entre certaines formes de criminalité et la consommation de cocaïne. L'usage de drogues pourra l'inciter à s'impliquer dans des activités délinquantes et celles-ci permettront à leur tour d'assumer les coûts d'une consommation régulière (Brochu et Parent, 2005).

Bien que l'on observe couramment des trajectoires de consommation de cocaïne qui se développent sur une décennie, elles n'ouvrent pas nécessairement la porte à la dépendance (Decorte, 2002 ; Hammersley et Ditton, 1994 ; Weiss, Mirin et Bartel, 1994). Certains usagers expérimenteront un jour ou l'autre des périodes de perte de contrôle, mais ils sont généralement en mesure de réguler leur usage (Cohen et Sas, 1996 ; Decorte, 2000 et 2002 ; Ditton *et al.*, 1991 ; Erickson, Adlaf, Murray et Smart, 1987). En définitive, non seulement la consommation contrôlée de cocaïne est-elle possible, mais il s'agit bien de la norme dans la société actuelle (Harrison, 1994).

Toutefois, il arrive qu'un usage régulier et fréquent de cocaïne précipite un certain nombre de consommateurs dans la dépendance. Il semble que ce soit les consommateurs les plus déviants, ceux qui font usage des modes de consommation les plus brutaux (e. g. injection) et ceux qui mélangent plusieurs types de drogues (en particulier des opiacés) qui présentent davantage de risques de poursuivre leur consommation jusqu'à la dépendance malgré le dysfonctionnement que cela entraîne dans la grande majorité des situations (Brain, Parker et Bottomley, 1998 ; Erickson et Weber, 1994 ;

Harrison, 1994 ; Weiss, Mirin et Bartel, 1994). Habituellement ces consommateurs ont entre eux des contextes d'enfance semblables (Reinarman, Murphy et Waldorf, 1994).

FIGURE 6.2

Consommation régulière

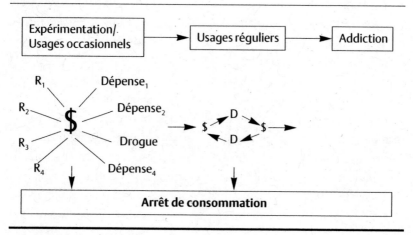

Addiction

La consommation régulière de drogues, le type d'effet ressenti, les raisons de la consommation ainsi que l'accès facilité à la drogue que procurent les activités de trafic peuvent faire en sorte qu'il devienne très difficile, sinon impossible, pour certains de gérer adéquatement leur usage. Toutefois, il s'agit de *pattern* exceptionnel de consommation de drogues.

Le consommateur de drogue ne devient certainement pas délibérément un drogué. Bien que la consommation soit associée à une recherche active de plaisir, à une quête effrénée de bonheur et que, par le fait même, les notions de libre choix et de volonté entrent en jeu lors des premières expérimentations de drogues, rares sont ceux qui adhèrent délibérément et résolument à une trajectoire addictive. Brunelle, Cousineau et Brochu (2002b) ont tenté de mieux comprendre le pourquoi et le comment des trajectoires addictives des jeunes consommateurs engagés dans cette voie. Selon cette étude, la trajectoire addictive d'un certain nombre d'adolescents qui développent une

toxicomanie suit un parcours discontinu, puisque ceux-ci en viennent généralement à consommer pour oublier leurs problèmes, alors qu'initialement ils
le faisaient par plaisir et curiosité. La consommation vise alors à rompre avec
un passé ou un présent outrageusement pénibles ; elle fait partie d'une trajectoire en discontinuité. Cette insatisfaction, ou ce mal-être, peut exister
depuis la petite enfance ou être récente dans l'histoire de la personne, et répondre à un événement marquant. Elle peut aussi résulter des conséquences
de l'usage régulier qui incitent certains jeunes à consommer davantage pour
fuir leur réalité (par exemple, problèmes avec les parents ou à l'école) (Brunelle,
Brochu et Cousineau, 2005).

La trajectoire discontinue

Brunelle (2001) définit les trajectoires discontinues par une insatisfaction
profonde et une dislocation par rapport à un contexte de vie déviant ou
non. Cette rupture est associée au type de consommation des usagers.
Brunelle (2001) observe deux facteurs reliés à la consommation de ces
jeunes : 1) une affiliation déviante ; 2) la recherche d'un plaisir amnésique
pouvant éventuellement conduire le consommateur à l'autodestruction.

Une affiliation déviante. Le sentiment de rejet et d'abandon familial laisse
des cicatrices profondes. Certains jeunes vont rompre avec leur milieu familial et tenter de recréer un sentiment d'appartenance différemment. Ins-
tinctivement, ils seront enclins à s'affilier à des pairs déviants. Ces jeunes
décrivent leurs amis ou leur gang comme leur milieu d'appartenance familial (Brunelle, Cousineau et Brochu, 2002b). La drogue étant bien présente
dans ces milieux, les jeunes qui fréquentent des pairs déviants ont alors tôt
fait d'en consommer... pour faire comme les autres, par solidarité, par affiliation. Une telle alliance avec des pairs procure des avantages bien réels : la
reconnaissance, une identité, un statut, des contacts, des ressources à ceux
qui en ont amèrement manqué dans le passé (Brunelle, 2001).

*La recherche d'un plaisir amnésique pouvant éventuellement conduire le
consommateur à l'autodestruction.* Bien que la consommation de drogues
apporte son lot de plaisirs et de contentements, plusieurs jeunes affirment
que c'est plutôt dans l'oubli et l'évasion qu'il faut rechercher les réelles origines de leur abus. Ce sont bien souvent des conflits familiaux soutenus et

débilitants ainsi que des expériences de victimisation que le jeune consommateur tente ainsi de gommer en se recréant un monde temporaire contrefait (Brunelle, Brochu et Cousineau, 1998). Au fil du temps et des consommations, le plaisir ludique laisse souvent sa place au plaisir amnésique.

Certains jeunes engagés dans une trajectoire addictive par le biais de la recherche d'un plaisir amnésique vivent parfois des périodes caractérisées par des manifestations autodestructrices (Brunelle, 2001). Durant ces périodes, ils canalisent leurs énergies agressives vers eux-mêmes en recherchant une délivrance, un soulagement des maux qui les accablent. La drogue est alors utilisée comme un agent toxique au service de cette autodestruction.

Les substances psychoactives constituent bien souvent des béquilles utilisées pour combler certains problèmes d'adaptation personnelle, mais leur utilisation empêche le développement d'apprentissages qui permettraient de s'en défaire.

La trajectoire addictive qui mène à la criminalité

Une fois que la personne a atteint le stade de l'addiction, la drogue structure alors sa vie. La dépendance à des drogues telles que la cocaïne, qui se transigent à des prix élevés, a certainement un fort impact économique chez la personne qui en devient dépendante. La criminalité constitue alors une option difficile à éviter pour l'usager qui n'est pas disposé à mettre un terme à sa consommation. Les délits commis à ce stade de la trajectoire, on le comprendra, le sont essentiellement à des fins lucratives pour satisfaire la demande en drogues et la dépendance. Toutefois, la criminalité ne constitue pas la seule activité rémunératrice. Ainsi, certains usagers, qui ont su malgré tout conserver leur emploi, tenteront de travailler des heures additionnelles s'ils sont encore en mesure de le faire. Ils réduiront au strict minimum l'ensemble de leurs dépenses et feront appel à toute leur inventivité et leur hardiesse pour se procurer de l'argent ou des biens nécessaires à leur survie (Brochu et Parent, 2005).

Cependant, les consommateurs dépendants réalisent rapidement qu'il devient extrêmement difficile de remplir les obligations reliées à un emploi tout en satisfaisant leur dépendance ; heureusement, un certain nombre d'entre eux choisiront l'emploi plutôt que la dépendance. Ce choix n'est pas à la portée de tous. Quoi qu'il en soit, les solutions de rechange licites s'épuiseront à vue d'œil (e. g. les amis ne veulent plus prêter de l'argent à ce mauvais payeur, la famille ne veut plus héberger ce mauvais coucheur). Rapidement, les moyens légaux ne permettent plus de satisfaire, à eux seuls, les exigences d'une consommation compulsive et la criminalité apparaîtra comme la seule issue (Brochu et Parent, 2005).

Les usagers devenus dépendants qui ne s'étaient pas déjà initiés à la criminalité, une minorité, auront alors recours à des moyens illicites ; les autres y auront recours plus souvent ou les varieront en fonction du coût des drogues consommées, augmentant ainsi les risques d'arrestation. La personne qui commence à s'impliquer criminellement s'initiera souvent à une criminalité lucrative par des délits perpétrés auprès de proches. Par la suite, elle pourra poursuivre sa trajectoire délinquante en commettant des crimes dont la gravité et les risques s'amplifieront, afin de se procurer toujours plus d'argent pour sa consommation de drogues (Brochu et Parent, 2005).

Bien que la personne commette fréquemment ses crimes alors qu'elle est intoxiquée, ces actes délictueux heurtent souvent les valeurs profondes du consommateur et peuvent faire surgir un important sentiment de culpabilité chez celui qui n'était pas déjà impliqué dans ce type d'activités avant de devenir dépendant. Deux choix s'offrent alors à lui : cesser de consommer ou se sentir coupable. De nombreux toxicomanes tenteront d'oublier ce sentiment en consommant encore davantage, engendrant ainsi un véritable cercle vicieux dans lequel seule la dépendance sort gagnante (Brochu et Parent, 2005).

En somme, pour les usagers réguliers déviants et les toxicomanes, les relations entre la drogue et la criminalité se modifient selon l'étape du parcours. Trois types de rapports entre la cocaïne et la criminalité ont pu être identifiés par Brochu et Parent (2005). Au stade de l'initiation, aucun lien entre la drogue et le crime n'est observé si ce n'est le lien créé par les activités directement rattachées à l'approvisionnement en drogues ou s'il y a une délinquance déjà active dans le parcours de l'usager (Erickson et Cheung, 1999 ; Johnson, Dunlap et Maher, 1998). Pour l'usager régulier, la situation est fort différente puisque le contact quasi quotidien avec le milieu de la drogue offre de multiples occasions de faire des gestes criminels et que, parallèlement, le coût de la consommation exerce une pression accrue ; des liens entre drogue et criminalité pourront alors émerger. Il s'agira de liens bidirectionnels et de renforcement mutuel entre la criminalité et la consommation de cocaïne. Plus tard, si la consommation se poursuit jusqu'à ne plus être contrôlée adéquatement, des liens économico-compulsifs apparaîtront. Néanmoins, il faut bien se rappeler que ces parcours ne constituent pas l'aboutissement naturel de toutes les trajectoires de consommation puisque la grande majorité des usagers va se limiter à une consommation expérimentale ou occasionnelle de cannabis, sans plus.

FIGURE 6.3

Addiction

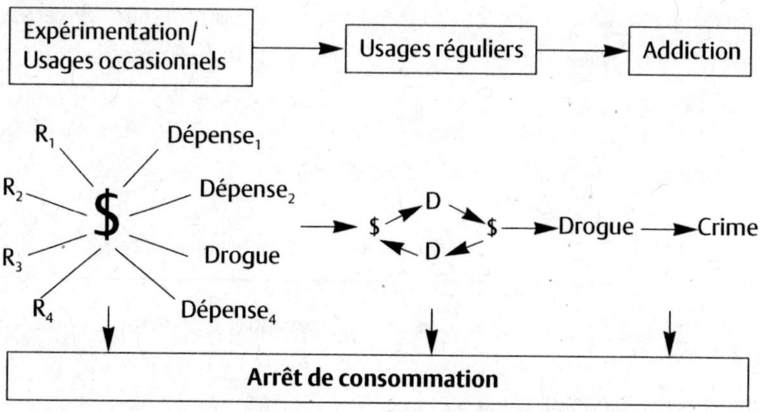

Par ailleurs, on peut croire que les femmes qui empruntent une trajectoire de consommation régulière déviante pourraient présenter une succession de liens drogues-crimes distincte. Les résultats de Marsh (2002), dans son étude de maîtrise, nous éclairent sur la consommation régulière de cocaïne des femmes.

ÉLÉMENTS DE TRAJECTOIRE DISTINCTIFS CHEZ LES FEMMES

L'étude de Marsh (2002) fut fort importante pour dépeindre le cheminement des femmes consommatrices régulières de cocaïne et a permis de
dégager les principaux éléments qui le distinguent du parcours des hommes. Ainsi, il apparaît que le parcours des femmes comprend quatre stades
de consommation : le stade d'apprivoisement, le stade de consolidation, le
stade d'explosion et le stade d'asservissement.

Selon Marsh (2002), le stade d'apprivoisement constitue la première
étape d'un parcours de consommation de cocaïne chez les femmes et
s'apparente à celui de la consommation expérimentale ou occasionnelle
chez les hommes. À ce stade, les femmes font leurs premières expériences
avec la cocaïne sans envisager la possibilité que cette drogue prenne une
place aussi importante dans leur vie future. Les expériences de consommation se répètent de façon fortuite au gré de la disponibilité de la cocaïne,
lors d'occasions festives. Les coûts reliés à cette consommation s'avèrent
minimes puisque la majorité du temps, la drogue leur est offerte à titre ami-
cal par des copains ou un compagnon.

Le stade de consolidation est caractérisé par une consommation régulière, mais espacée, de faibles quantités de cocaïne. La consommatrice
atteint ce stade graduellement, et peu à peu la cocaïne devient plus présente
dans ses activités récréatives. Non seulement son nouvel entourage accepte
cette consommation de plus en plus régulière, mais il la valorise et l'encourage. Enfin, la consommatrice n'observe aucun effet délétère relié à son
usage de cocaïne. Bien sûr, à ce stade, la cocaïne n'est plus totalement gra-
tuite. De toute façon, la consommatrice n'apprécie plus d'être à la remor-
que de son entourage pour consommer. Les dépenses en drogues ne sont
pas encore très importantes et la femme réussit à intégrer ce type de dépenses dans son budget normal (Marsh, 2002).

Un pas de plus dans la trajectoire de consommation de cocaïne et la
femme se retrouve au stade d'explosion qui est, cette fois-ci, caractérisé par
une consommation quasi quotidienne et parsemée d'excès. Les structures
sociales (e. g. liens familiaux, emplois...) encore en place ne résistent plus et
s'effacent une à une, faute d'avoir été entretenues convenablement. À ce
stade, la femme doit faire face, pour la première fois, aux limites de ses

rèvenus légaux et envisage le recours à la criminalité. Elle s'initiera alors à la vente de drogues, à la fraude ou au vol à l'étalage. Elle trouvera dans ces activités criminelles de puissants agents de renforcement : l'autonomie, une certaine liberté et l'accès à une vie de luxe (Marsh, 2002).

Le dernier stade de cette trajectoire est caractérisé par l'asservissement à la drogue. La consommatrice doit alors faire usage d'une plus grande quantité de cocaïne afin de ressentir les effets recherchés. La consommation devient très coûteuse. Pourtant, la femme ne peut plus s'en passer et son implication criminelle en est exacerbée. Toutefois, Marsh (2002) nous indique une double dépendance à ce stade : dépendance à la drogue et dépendance envers la criminalité. Les femmes constatent qu'elles ne peuvent plus se passer ni de la cocaïne ni de leurs revenus illicites.

La question relative au rôle de la drogue dans la structuration de la criminalité d'un individu ne trouve que des réponses partielles dans les recherches scientifiques. En effet, ces études s'appuient trop souvent sur des échantillons composés majoritairement, sinon exclusivement, de personnes dépendantes de l'héroïne ou de la cocaïne. On l'a constaté dans ce chapitre, les personnes dépendantes de ces drogues ne constituent qu'une minorité de consommateurs qui sont les plus impliqués dans des activités criminelles habituellement lucratives.

SYNTHÈSE

Ce chapitre s'est attardé au parcours de consommation des usagers réguliers déviants et des dépendants, mais il est entendu que d'autres catégories de consommateurs existent. En effet, on peut distinguer des groupes de consommateurs réguliers de drogues qui n'inscrivent pas leur consommation dans une trajectoire déviante, qui participent à la société et s'y intègrent (études/emploi ; relations familiales et sociales...). Ces usagers consomment habituellement pour le plaisir et leur consommation est bien intégrée à leurs loisirs. Ces catégories de consommateurs, peu étudiées, constituent la majorité des usagers. À l'instar de Simpson (2003), on peut croire que quatre éléments distingueront le type de consommation : la quantité de substance consommée ; le type de drogue choisi ; la méthode d'administration ; et l'attitude face à la drogue et la place qu'elle occupe dans la vie du consommateur.

Après avoir rapidement exploré les types de consommation, ce chapitre s'est consacré à l'étude des trajectoires des consommateurs réguliers déviants ou addictifs. Nous avons pu alors observer l'usage soutenu de cocaïne chez les personnes dont la structure de vie est fragile et peu encadrée (principalement en ce qui a trait à la fréquentation scolaire ou au maintien d'un emploi stable). Il faut donc bien se garder de généraliser à tous les consommateurs les relations entre drogue et criminalité dépeintes dans ce chapitre. Le terme trajectoire définit ici une séquence longitudinale d'usage de drogues. La trajectoire type présentée était composée de trois étapes : expérimentation/consommation occasionnelle ; consommation régulière ; addiction. Il faut bien comprendre qu'une étape ne conduit pas inévitablement à la suivante, mais que l'accès à une étape ouvre et ferme un certain nombre d'avenues de vie.

La consommation de substances psychoactives vient cimenter l'implication délinquante des personnes déjà initiées au crime, alors que la dépendance y précipite celles qui la connaissaient peu. Ainsi, à l'instar de plusieurs autres recherches, les études effectuées au Québec indiquent clairement qu'il existe des liens solides et persistants entre l'usage addictif de drogues fortement prohibées et une criminalité ayant pour but de soutenir financièrement cette consommation pour ceux dont le revenu est relativement faible (en proportion des dépenses nécessaires à l'achat de drogues) et l'encadrement social déficitaire (décrocheurs, sans-emploi, sans liens familiaux adéquats...). Toutefois, la criminalité n'apparaît pas nécessairement au début de la trajectoire, mais s'y insinue graduellement : d'abord sous formes anodines (un service à offrir à une personne qui nous a dépanné), pour devenir graduellement une source de revenus attirante et enfin un gain indispensable au maintien de la consommation. En effet, lorsque la drogue prend une place centrale dans la vie d'un individu, il lui devient alors difficile de se la procurer uniquement par des moyens légaux.

Les travaux de Brunelle présentent bien le fait que l'initiation à une trajectoire addictive s'apparente à un phénomène d'autosélection non volontaire. L'usage, dans ces cas, est polysémique et extrêmement chargé de sens et de symboles reliés au passé. Il apparaît que les personnes qui entament cette trajectoire, le plus souvent inconsciemment, bien qu'elles le fassent d'abord par plaisir, sont habituellement des personnes caractérisées par un mal-être qu'elles tentent de fuir par des expériences « déviantes telles que l'usage de drogues ».

Pour la personne en rupture sociale, la dépendance fournit un état d'équilibre en lui donnant des repères qui structurent sa vie. Au fur et à mesure qu'on avance dans le parcours addictif, la consommation perd son sens. Plus la personne fait un usage abusif de drogues, plus sa vie s'organise autour de la consommation (le monde de la drogue, le produit et ses effets) jusqu'à un point où la drogue devient l'unique élément de structure de la vie : trouver les moyens d'acheter la drogue, se procurer le produit, le consommer et reprendre le cycle (Cormier, 1993). Or, pour un très grand nombre de toxicomanes, la criminalité lucrative constitue souvent la seule source de revenus encore disponible pour l'achat de drogues.

Une fois amorcée, la trajectoire addictive se caractérise par de nombreux méandres. Les aléas du marché gouvernent parfois la consommation. L'abstinence fait souvent place à la rechute. Les arrestations ponctuent la trajectoire. Néanmoins, il est possible de distinguer au fil de cette évolution une transformation des relations entre la drogue et la criminalité. La drogue, qui était au départ une source de plaisir auquel se désaltérait le jeune contrevenant pour fêter ses succès criminels, conduira l'usager régulier vers une délinquance reliée au marché de distribution illicite du produit (le crime permettra une entrée d'argent suffisante pour s'offrir des drogues, mais en revanche la drogue permettra l'expansion de la criminalité), et le dépendant vers une criminalité lucrative accentuée par le besoin en drogues et la crainte du sevrage.

Au fil de l'évolution de la trajectoire addictive et du parcours criminel se tisse une toile qui lie de plus en plus étroitement ces deux comportements déviants. Le rapprochement s'effectuant, il deviendra graduellement impossible de dissocier les deux conduites. La toxicomanie se manifestera alors sournoisement. D'abord sous la forme d'une habitude coûteuse, certes, mais qui se satisfait aisément du produit du crime. Pour certains, graduellement, elle se métamorphosera pour en arriver à exiger un apport monétaire constant et bien supérieur aux revenus légaux du consommateur. Elle servira alors de courroie d'entraînement à l'intensification d'une trajectoire criminelle souvent déjà bien amorcée. La transgression de nombreuses limites fait en sorte que non seulement le consommateur adopte une déviance comportementale, mais également une identification déviante. C'est ainsi qu'un style de vie particulier se forge progressivement.

La notion de trajectoire nous aide donc à comprendre que, contrairement à ce que les modèles conceptuels classiques des rapports entre drogue et criminalité tendent à laisser croire, les liens qui se tissent entre le consommateur de drogues et les activités criminelles ne sont pas statiques, mais plutôt processuels. De plus, ils sont porteurs de signification. Quel est le sens de la consommation ? Quel est le sens de l'overdose ? Quel est le sens de la délinquance ? La notion de trajectoire peut-elle à elle seule représenter le processus de construction de l'identité toxicomane ?

7

LES TRAJECTOIRES
DE LA DROGUE ET DE LA CRIMINALITÉ
DANS UN STYLE DE VIE DÉVIANT

Ce dernier chapitre vise l'intégration des connaissances qui ont été présentées précédemment. Plus spécifiquement, nous tenterons d'exposer différents éléments intégrés de compréhension afin de déceler la complexité des liens qui unissent drogue et criminalité. Bien entendu, nous nous appuierons sur les modèles conceptuels présentés au chapitre 5 et sur les notions de trajectoires analysées au chapitre 6. Sans vraiment les définir, nous avons décrit, dans les chapitres précédents, des reconstructions schématiques de la réalité des consommateurs de drogues en nous attardant plus spécifiquement à leur relation à la criminalité. Toutes ces reconstructions faisaient appel à des hypothèses plus ou moins avouées. Tandis que certaines d'entre elles appuyaient leur modélisation sur des notions de causalité, d'autres préféraient la notion de trajectoire ou encore de style de vie.

CAUSALITÉ, TRAJECTOIRE ET STYLE DE VIE

Dans une logique essentiellement déterministe, plusieurs auteurs, Goldstein (1987) en tête, ont tenté de démontrer comment la consommation de drogues pouvait mener à la criminalité. Que ce soit par les changements psychopharmacologiques induits par l'intoxication, le besoin d'argent provoqué par la dépendance ou la violence du système de distribution illégale des drogues, les substances psychoactives constitueraient la cause d'une grande partie de la criminalité. L'analyse des différents modèles causaux laisse apparaître que ces derniers se sont bien souvent construits dans une logique de compétition. Le modèle causal inversé en est une bonne illustration puisqu'il attribue les origines de l'abus de drogues à la délinquance.

Est-il possible que les modèles conceptuels présentés au chapitre 5 n'étudient pas exactement le même phénomène ? Ou plutôt, l'observeraient-ils à des moments distincts de la trajectoire ? En effet, les modèles conceptuels populaires émettent en quelque sorte l'hypothèse d'une relation stable. Toutefois, le chapitre précédent nous indique que la nature des rapports entre drogue et criminalité peut prendre des allures différentes selon le moment du parcours.

Les notions de carrière et de trajectoire ont alors été utiles pour compléter les explications statiques présentées jusque-là (Faupel, 1991). Ces notions possèdent le grand avantage de bien décrire les processus d'apprentissage et d'engrenage observés chez les usagers qui en viennent à consommer de façon régulière, sans oublier qu'elles tiennent compte des transformations des liens qui unissent la drogue et la criminalité (Brunelle, 2001). En ce sens, il est probable que les modèles conceptuels analysés précédemment ne représentaient que l'aboutissement d'observations ponctuelles et partielles du phénomène en question. Bref, les résultats ne proposeraient qu'une facette du problème.

La consommation de drogues constitue un comportement complexe et en constante transformation qui s'appuie sur une multitude de facteurs passés et actuels, publics et intimes, objectifs et subjectifs (Harrison, 1994). Donc, notre conceptualisation des rapports entre drogue et criminalité ne doit pas se limiter à intégrer les notions d'intoxication, de dépendance et de marchés illicites, censurant ainsi l'expérience intime et subjective. Bien que cette notion de trajectoire ait été fort adéquate au chapitre précédent pour bien décrire la consommation comme un processus en mutation, cette allégorie ne rend pas bien compte des éléments relatifs à la manière de vivre, au vécu subjectif ou à l'interprétation des faits (Brochu et Parent, 2005).

Le concept de style de vie, quant à lui, constitue un construit qui permet de comprendre la réalité subjective de l'acteur social en constante interaction avec son environnement. Ce concept tient compte simultanément des éléments individuels et sociaux, qui favorisent l'amorce d'une trajectoire déviante, et des facteurs d'activation et de désistement (Parent et Brochu, 2005). Le style de vie déviant représente alors un construit qui définit un penchant pour l'adoption de comportements non conformes, marginaux, illégaux, antisociaux... Cette attitude et les comportements qui en résultent finissent par fournir une identité à la personne qui les adopte (Brochu et Brunelle, 1997). C'est sur cette notion que s'appuie principalement le présent chapitre.

Les études qualitatives, ethnologiques et phénoménologiques, par leurs contacts plus assidus avec les acteurs concernés, semblent nous indiquer l'importance à accorder à l'idiosyncrasie de même qu'à l'évolution du rapport entre drogue et criminalité. L'accumulation des connaissances acquises au cours des 30 dernières années ainsi que les études effectuées au sein du groupe de Recherche et d'intervention sur les substances psychoactives du Québec (RISQ) de l'Université de Montréal fournissent suffisamment d'éléments pour l'élaboration d'un modèle intégratif de compréhension de ces relations. Pour ce faire, les notions de facteurs de risque, de style de vie déviant, et de facteurs de progression et d'interruption sont envisagées. La présentation schématique partielle de la page suivante met en place ces éléments. Maintenant que nous les avons nommés, reste à mieux les définir et à les articuler ensemble.

Avant de poursuivre notre analyse, il convient de mentionner que, malgré les limites de sa transcription figurative, ce modèle ne se veut pas une conception linéaire. Si certaines conditions sont préalables à l'adoption de comportements, elles ne suffiront jamais à les expliquer entièrement. La personne humaine, douée d'une volonté propre, même lorsque intoxiquée ou dépendante d'une drogue, attribue des significations phénoménologiques à ses comportements et à son cheminement. Ces significations personnelles peuvent continuellement influencer la trajectoire empruntée. En ce sens, on peut pratiquement croire que le modèle présenté constitue une conception probabiliste.

FIGURE 7.1

Présentation schématique partielle du modèle intégratif

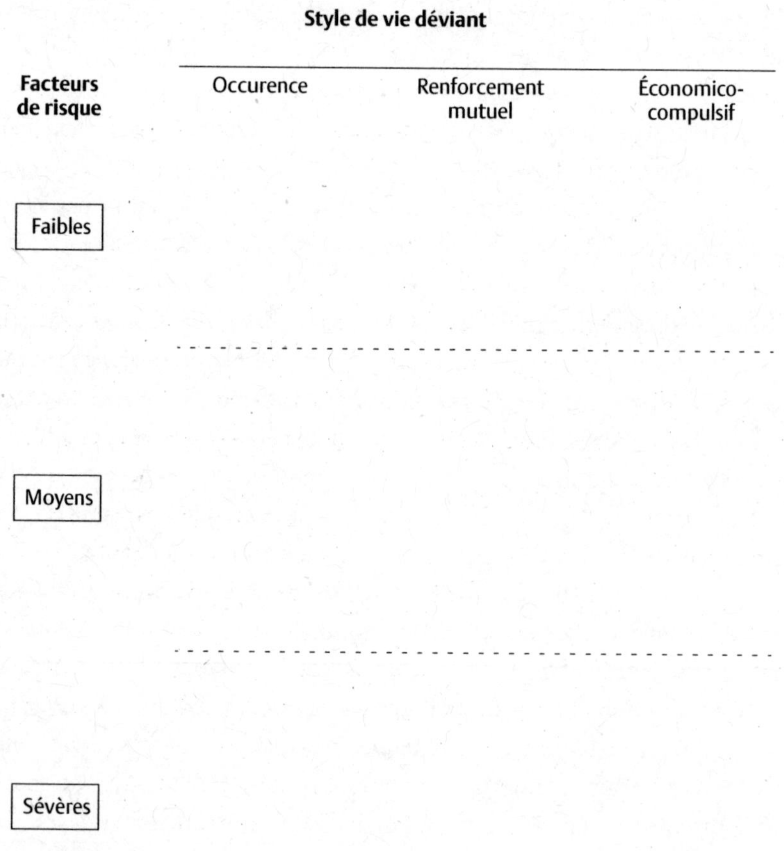

	Style de vie déviant		
Facteurs de risque	Occurence	Renforcement mutuel	Économico-compulsif
Faibles			
Moyens			
Sévères			

DES FACTEURS DE RISQUE

Tel qu'il est mentionné au chapitre 3, une distanciation face aux institutions de socialisation, un encadrement éducatif déficitaire, des conditions d'existence pénibles, l'attirance et l'attachement pour des pairs délinquants ou abuseurs de drogues ainsi que la précocité d'expériences déviantes constituent des facteurs de risque favorisant l'apparition d'un style de vie déviant par rapport aux normes prônées par les classes sociales dominantes. Grâce à la notion de facteurs de risque, on peut maintenant observer à la fois des situations, des contextes et des environnements qui risquent de mener à l'insertion dans un style de vie déviant.

En ce sens, les mêmes variables influencent à la fois la probabilité de manifester des comportements délinquants divers et de consommer des substances psychoactives illicites (Brochu, 1995). Toutefois, nos études nous placent en rupture paradigmatique avec les recherches traditionnelles sur les facteurs de risque qui donnent une valeur actuarielle à ces derniers afin de prédire le comportement déviant. On ne peut présumer que la seule présence de facteurs de risque entraîne automatiquement un comportement déviant. Une étude effectuée auprès de consommateurs réguliers de cocaïne (Brochu et Parent, 2005) nous permet de conclure qu'il est inutile de tenter de prévoir l'apparition d'un comportement déviant par l'addition de facteurs de risque. Il faut plutôt considérer ici l'importance de ces facteurs aux yeux de l'acteur social, la synergie que ces éléments produisent entre eux et la présence de contre-facteurs. Bref, l'importance subjective, la synergie des éléments en présence et l'existence de contre-facteurs confèrent aux facteurs de risque leur intensité.

Il faut concevoir la personne comme un acteur social qui aménage sa vie en fonction de ce qu'elle est, de ce qu'elle vit, de ce qu'elle ressent et de ce qu'elle comprend (Brochu et Brunelle, 1997). En ce sens, on peut croire que les facteurs de risque revêtent aux yeux de l'acteur social plus ou moins d'importance en fonction de la signification qui leur est attribuée et des interprétations qui leur sont associées (Brunelle, 2001).

Bien plus, non seulement faut-il tenir compte de ces éléments subjectifs afin d'évaluer l'intensité des facteurs de risque en présence, mais il faut également prendre en considération leurs effets d'interaction. Ainsi, en ce qui concerne les liens avec les institutions de socialisation, on peut facilement envisager que les contacts avec les parents soient plus ou moins rompus ou que la fréquentation scolaire soit plus ou moins assidue. Toutefois, les effets négatifs de l'absence scolaire pourront être décuplés pour un élève dont les liens parentaux sont ténus ou absents ; il s'agit ici d'un phénomène de synergie.

Enfin, ces facteurs de risque auront plus ou moins d'impact selon la maturité de l'individu (e. g. contrôle de soi, degré d'empathie et d'attachement), le capital social (e. g. ressources) et la présence de facteurs de protection (e. g. climat familial et éducationnel, loisirs, valeurs morales...) (Born, Chevalier et Humblet, 1997 ; Cloutier, 1996 ; Loeber et Farrington, 1998 ; Loeber, Farrington, Southamer-Loeber, Moffitt et Caspi, 1998 ; McCord, 1995 ; Patterson, Forgatch, Yoerger et Stoolmiller, 1998 ; Petraitis, Flay et Miller, 1995). C'est ce que nous appelons les contre-facteurs.

Le jeu dynamique entre la subjectivité de l'acteur social, les effets d'interactions et la présence de contre-facteurs fera en sorte que les facteurs de risque revêtiront une intensité plus ou moins grande dans la vie de la personne. Les dangers de s'engager dans une voie déviante fluctueront en fonction de cette intensité. Le schéma intégratif présente ici, pour les besoins de l'illustration, trois niveaux d'intensité de risque : faibles, moyens et sévères.

UN STYLE DE VIE DÉVIANT

Les recherches longitudinales, de même que les vastes études nationales conduites auprès d'adolescents ont bien démontré que l'usage expérimental de drogues conduit rarement à la criminalité. C'est donc ailleurs qu'il faut trouver les explications à la criminalité. Pourtant, les drogues cohabitent bien avec l'expression d'autres comportements déviants. Comment expliquer cette association autrement que par des modèles causaux linéaires ? Le modèle psychosocial, présenté au chapitre 5, décrivait un large schéma de déviance sociale dans lequel s'inscrivaient aussi bien la délinquance que la consommation de drogues illicites de certains adolescents. C'est précisément ce schéma que nous allons emprunter, le qualifiant de style de vie et le meublant de niveaux d'imprégnation et de stades de progression.

Le construit de style de vie (Cormier, 1984) s'appuie sur des postulats phénoménologiques selon lesquels la personne et sa subjectivité inhérente occupent des places centrales dans la compréhension de ses comportements. Ce concept apparaît particulièrement intéressant puisqu'il permet d'intégrer le développement des connaissances relatives aux facteurs de risque tout en observant ces éléments sous un prisme différent. En ce sens,

les comportements de l'usager sont perçus comme étant porteurs de significations personnelles plutôt que d'un déterminisme extérieur. On peut
ainsi croire que le geste délinquant fait par le consommateur peut avoir
plus d'une signification et ne se limite pas toujours à l'acquisition instrumentale de drogues (Grapendaal, Leuw et Nelen, 1995). On l'a vu au cours
des chapitres précédents, tous les usagers de drogues illicites ne deviennent
pas toxicomanes ; la délinquance ne constitue pas l'unique moyen de subsistance des personnes qui abusent de substances psychoactives illicites et
tous les toxicomanes ne sont pas impliqués dans la criminalité à un même
niveau. La criminalité ne revêt pas seulement une utilité économico-
compulsive, mais sert globalement à la réalisation d'aspirations marginales
compte tenu du contexte socioculturel.

La notion de style de vie permet de comprendre la construction identitaire de même que l'adoption de certains comportements déviants de la
part des personnes soumises à un agrégat de facteurs de risque. En effet, on
peut ainsi tenir compte des expériences d'échec et de rejet (familial, scolaire, économique, ethnique...) telles qu'elles ont été perçues, de l'estime de
soi ainsi formée, des croyances qui en résultent, des sens attribués aux événements de vie et des comportements déviants manifestés dans un tout
intégré (Brochu et Brunelle, 1997 ; Kaplan, 1995). Ainsi, certaines personnes aménagent parfois, autour de comportements d'échec face aux attentes
sociales, un style de vie qui peut être qualifié de déviant (Becker, 1963 ;
Brochu et Brunelle, 1997 ; Dembo, Williams, Fagan et Schmeidler, 1994 ;
Kaplan, 1995). La notion de déviance a parfois été associée à des conceptions moralistes, manichéennes ou pathologisantes. Afin de ne pas attribuer
un sens péjoratif à ce concept et pour éviter toute confusion, il importe
donc de bien spécifier le sens qui lui sera accordé dans ce texte (voir Brochu
et Brunelle, 1997 ; Brochu, Da Agra et Cousineau, 2002 ou Da Agra, 1986
pour une discussion plus complète de ce concept). D'entrée de jeu, mentionnons qu'il s'avère important de permettre des écarts face aux routes
déjà tracées ; cela génère l'expression d'une saine créativité qui ouvre souvent la voie au progrès. Par ailleurs, on est bien obligé de constater qu'il
existe des itinéraires alternatifs ponctués d'expressions déviantes mal-
saines pour son acteur, son entourage ou pour les institutions sociales en
place. Ainsi, une consommation *abusive* de substances psychoactives ou

l'expression délinquante sont généralement associées à cette déviance mal-saine. Il n'existe pas de consensus social concernant la notion de déviance, mais de façon générale on observe une tendance chez plusieurs chercheurs (Brochu et Brunelle, 1997 ; Brochu, Da Agra et Cousineau, 2002 ; Da Agra, 1986 ; Grapendaal *et al.*, 1995) à utiliser le mot déviance comme définissant la transgression d'une règle qui découle d'un construit social, et ce, dans une perspective relativement neutre. C'est cette avenue que nous empruntons dans ce chapitre.

Des niveaux d'imprégnation

Bien entendu, en correspondance avec les notions de facteurs de risque, le *style de vie* ne doit pas se concevoir comme une entité dichotomique, présente ou absente, mais doit plutôt s'envisager selon des niveaux d'impré-gnation. Ce style de vie plus ou moins déviant pourra intégrer la consom-mation de substances psychoactives illicites, l'implication criminelle, et probablement ces deux comportements à la fois. Le style de vie déviant représente donc un construit qui définit une tendance à adopter des com-portements plus ou moins condamnés socialement ; à opter pour la non-conformité aux règles de la culture dominante. Cette tendance se manifeste cependant avec plus ou moins de force selon les individus, leur contexte de vie et leur cheminement.

Ainsi, une personne à faible tendance déviante (exposée à des facteurs de risque de moindre intensité) peut très bien évoluer dans un emploi tout en étant contestataire lorsque cela n'est pas trop incompatible avec son tra-vail ou sa vie sociale. En effet, elle peut adhérer à un grand nombre de valeurs prosociales qui l'empêchent d'évoluer à l'intérieur d'un style de vie déviant. Elle tente alors d'opérer un mariage de raison entre ses tendances marginales et les valeurs véhiculées par les classes sociales dominantes. Sa consommation de drogues illicites, bien qu'elle puisse s'étaler sur une période relativement longue, n'entre pas en conflit avec ses activités : elle est inté-grée à plusieurs d'entre elles et peut même être mise au profit de certaines activités professionnelles (Peele, 1989). Cette consommation demeure tou-tefois une activité de luxe pour laquelle on ne grève pas son budget.

En comparaison, une personne à forte tendance déviante accorde une signification personnelle différente à la notion de travail. Elle éprouve beaucoup de difficultés à s'adapter au carcan d'un emploi de bureau de « 9 à 5 ». Elle pourrait alors opter pour un cheminement criminel plutôt qu'une trajectoire plus conventionnelle. Les drogues illicites risquent d'être plus présentes au sein du contexte social dans lequel elle évolue. Cette forte imprégnation déviante risque alors de favoriser l'accentuation de la fréquence et de l'intensité des activités de consommation et de l'implication délinquante.

Pour les besoins de l'illustration schématique, nous associerons, au départ, chacun des niveaux de risque à un apport monétaire provenant d'implications déviantes plus ou moins importantes : faible – revenus légaux ; moyen – menus larcins ; sévère – délinquance plus franche. Nous le verrons dans la section qui suit, ces niveaux de risque constituent également des indices d'une trajectoire plus ou moins longue impliquant les drogues et la délinquance.

Des stades de progression

Ce style de vie n'est cependant pas caractérisé par une fixité temporelle ou une trajectoire unique et inaltérable. Il est possible d'observer une évolution plus ou moins importante mue par des éléments personnels (Derivois, 2004) ainsi que par l'apport de variables extérieures (ces facteurs seront analysés dans la section portant sur les facteurs de progression et d'interruption). Chaque individu est en constante évolution. Il tente de s'adapter tant à ses réalités internes qu'aux pressions externes. Il ne s'agit pas d'affirmer que nous expérimentons tous des mutations complètes et soudaines, mais que nous suivons un parcours personnel. Le style de vie se trouve donc affecté par ces transformations. C'est ce que Da Agra (1999) nomme l'explication processuelle. C'est ainsi que l'étude du lien qui unit drogue et criminalité doit tenir compte du processus d'évolution de la personne à l'intérieur de son contexte de vie.

À chacun des stades, les multiples possibilités d'interactions peuvent affecter la direction de la trajectoire. Les jeunes usagers amorcent habituellement cette progression par la consommation de drogues utilisées par les adultes de leur entourage (généralement le tabac et l'alcool dont, il faut bien le rappeler, l'achat demeure illicite pour un adolescent), certains passent ensuite à l'usage de substances illicites plus ou moins acceptées par la société (marijuana) et d'autres encore poussent leur consommation jusqu'à des produits fortement prohibés (cocaïne, crack, héroïne, etc.). Le type d'utilisation suit également une certaine gradation. Comme on l'a vu au chapitre précédent, les consommateurs entreprennent leur parcours par un usage occasionnel ou expérimental, certains passent à une utilisation régulière, enfin quelques-uns seulement deviennent dépendants. Les relations entre drogue et criminalité se trouvent donc inévitablement affectées par ce cheminement ; elles peuvent alors prendre des allures fort différentes selon l'étape de la trajectoire individuelle. Le modèle intégratif présenté ici identifie trois stades durant lesquels ces relations apparaissent, se modifient et se cristallisent ; il s'agit des stades d'occurrence, de renforcement mutuel et économico-compulsif.

Le *stade d'occurrence* est caractérisé par une consommation irrégulière généralement faible. Cette utilisation est fonction des contacts avec d'autres usagers ainsi que de l'argent disponible. Dans cette première étape de cheminement, il est permis de croire que la consommation de drogues constitue une activité à laquelle l'adolescent ou le jeune adulte participe au gré des circonstances, des rencontres et des offres. Bien entendu, pour la personne qui adopte un style de vie faiblement déviant, il est probable que l'argent nécessaire à la consommation provienne d'un travail ou de diverses occasions légales. À l'opposé, la personne qui adopte un style de vie fortement déviant risque de s'être procuré cet argent à la suite d'activités délinquantes. Toutefois, pour ces deux personnes adoptant un style de vie déviant à imprégnation distincte, l'argent disponible constitue à la fois un incitatif et une limite importante à l'usage de drogues. En ce sens, au stade d'occurrence, il est donc possible de croire, à l'appui du modèle causal inversé, que la criminalité favorise l'usage de drogues chez les personnes délinquantes : la délinquance procure l'argent ; les amis fournissent les contacts et le soutien social à une telle consommation. Il s'agit là d'une dépense discrétionnaire soumise aux aléas du revenu et des occasions. Cette étape constitue, pour certaines personnes, une ouverture qui permet d'accéder à des doctrines de vie alternatives, à une orientation divergente face à ce qui est prohibé et à un milieu d'affiliation qui permettra de pousser plus loin une orientation déviante à peine amorcée.

FIGURE 7.2

Présentation schématique du stade d'occurence

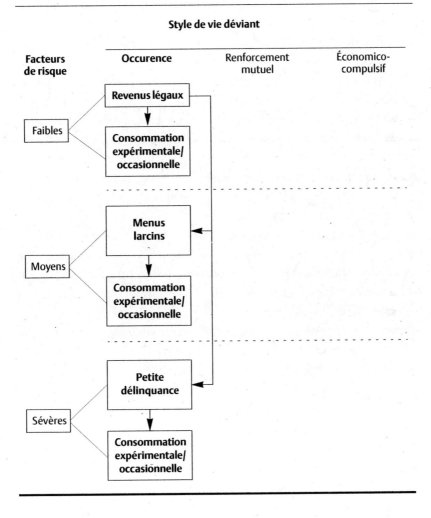

Par la suite, si la personne entreprend une consommation régulière de drogues illicites coûteuses, il y a de forts risques pour qu'apparaisse une compromission graduelle dans le trafic. D'abord de façon très ponctuelle sous la forme de services à rendre à des copains, puis de façon mieux organisée sur une base régulière. Cette implication, on l'a vu plus tôt, semble quasi inévitable pour subvenir aux besoins d'une consommation soutenue de substances psychoactives illicites onéreuses, surtout pour une personne qui provient des couches socio-économiques les moins favorisées. Non pas que l'assuétude fasse déjà sentir ses exigences, mais plutôt parce que l'usager y voit une occasion de réduire ses coûts tout en ayant une plus grande facilité d'accès à la marchandise convoitée (Grapendaal, Leuw et Nelen, 1995). Cette implication dans les affaires de drogues peut également entraîner une certaine criminalité systémique (Goldstein, 1992). Cette facilité d'accès à la drogue pourra à son tour produire un effet pervers : une augmentation importante de l'usage (Brochu et Parent, 2005) (voir la présentation schématique du stade de renforcement mutuel). Ainsi, au *stade de renforcement mutuel*, l'argent disponible constitue encore le facteur le plus important expliquant la consommation, et il est permis de croire que la personne ne se serait pas mêlée à ce trafic si elle n'avait jamais consommé de drogues illicites. En ce sens, l'illustration de ce stade dépeint un lien bidirectionnel entre les sources d'argent et la consommation régulière : la drogue devient simultanément la cause et la conséquence de la délinquance. Il n'est donc pas question ici d'une causalité linéaire, mais plutôt d'un rapport circulaire entre la drogue et la criminalité. Ce processus de renforcement mutuel a pour effet de prolonger à la fois les trajectoires de consommation et de délinquance. Parallèlement, le niveau d'implication dans une criminalité non reliée au commerce de la drogue est fonction de l'imprégnation initiale d'un style de vie déviant. Cette description générale du stade de renforcement mutuel brosse le portrait des personnes qui ont un style de vie moyennement ou sévèrement déviant ; les autres n'ayant probablement pas poursuivi ce cheminement au-delà d'une consommation irrégulière.

FIGURE 7.3

Présentation schématique du stade de renforcement mutuel

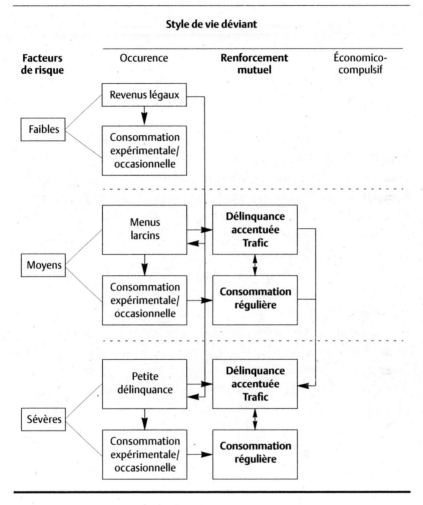

La proximité de la drogue et la valorisation de tout ce qui entoure la consommation pourront précipiter certaines personnes vers la dépendance.

Enfin, pour la personne qui éprouve des problèmes de dépendance, la drogue réclame son pécule. Si l'on se fie à la parole des toxicomanes, elle aurait des exigences à la fois impitoyables et onéreuses. La délinquance se met alors au service de la consommation : la personne a atteint le *stade éco-nomico-compulsif*. C'est ici que le modèle du même nom trouve tout son sens et sa force conceptuelle. La criminalité lucrative initiale se voit multipliée de beaucoup ; on discute alors de l'effet catalyseur de l'assuétude envers un produit coûteux (voir la présentation schématique du stade économico-compulsif). Pourtant, dans la mesure où l'usage de substances psychoactives constitue un processus conscient et délibéré, on peut croire que cette multiplication des activités criminelles apparaît principalement chez les personnes qui ont déjà fait un choix délinquant, les autres ayant mis fin à leur consommation lorsque celle-ci demandait une compromission délictueuse trop importante. En somme, le niveau d'implication déviante préalable à l'initiation toxicomaniaque constitue un élément de prédiction important de l'implication délinquante du toxicomane (Hser, Anglin et Chou, 1992). Cette progression vers la dépendance semble donc beaucoup plus probable pour la personne qui a déjà adopté un style de vie fortement déviant.

Le concept de style de vie fait ici référence à la construction progressive d'une identité déviante qui favorise l'abandon de certaines valeurs et l'intégration graduelle de nouveaux comportements. Sans trop s'en rendre compte, l'acteur social participe activement à cette construction identitaire.

Notre insistance sur les stades de progression pourrait laisser l'impression que l'adoption d'un parcours déviant n'est qu'une question de temps. À l'instar de Derivois (2004), nous devons alors insister sur le fait que la progression à travers une trajectoire déviante se réalise par la conjonction de la répétition et de la symbolisation de l'acte. En soi, une consommation isolée de drogues ne présente habituellement que peu d'effets délétères à long terme ; c'est la répétition qui pourra enfoncer l'usager dans une trajectoire de consommation. Encore ici, la répétition n'est habituellement pas suffisante à elle seule pour expliquer les trajectoires les plus déviantes. Il faut trouver des éclaircissements sur cette trajectoire dans la complexité du fonctionnement psychique ainsi que dans la symbolisation de l'acte posé et répété jusqu'à ce que celui-ci devienne le centre de l'identité.

FIGURE 7.4

Présentation schématique du stade économico-compulsif

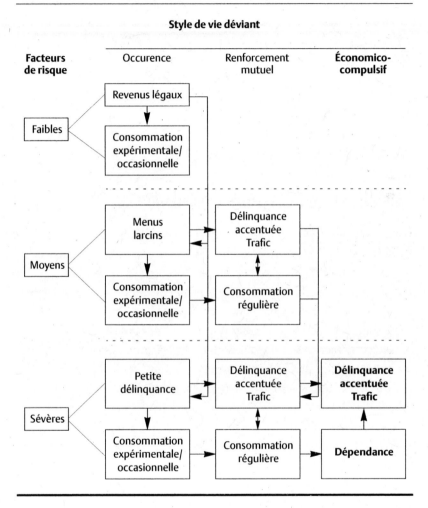

En somme, la notion de style de vie constitue un construit qui tient compte à la fois des dispositions personnelles de l'acteur et de ses propensions à adopter des comportements ou des manières de vivre plus ou moins adaptées, marginales ou déviantes, donnant ainsi un sens à son existence et définissant son identité personnelle. Les drogues font certainement partie de ce style de vie, mais n'en constituent toutefois pas l'unique élément.

Afin d'émerger de l'imbroglio dans lequel se trouve notre compréhension actuelle des relations entre drogue et criminalité, il importe de tenir compte de la complexité des phénomènes entourant cette liaison et de bien saisir les multiples interactions entre les contingences idiosyncrasiques, contextuelles et temporelles. Grâce à ces nuances phénoménologiques, la notion de style de vie déviant permet alors de mieux comprendre l'ajustement dynamique de l'acteur social face à son environnement et le rôle spécifique des drogues et de la criminalité dans cette accommodation.

C'est à l'intérieur d'une interaction acteur/contexte que le style de vie se crée, se construit et se renforce. Voyons plus en détail ces facteurs de progression et d'interruption du style de vie déviant.

LES FACTEURS DE PROGRESSION ET D'INTERRUPTION

Bien que les facteurs de risques généralement identifiés durant l'enfance et l'adolescence jouent un rôle certain sur le plan de l'imprégnation de la déviance, à l'instar de Cusson (2005), nos études (Brunelle, Cousineau et Brochu, 2002a, 2002b, de même que Brochu et Parent, 2005) nous laissent croire que des facteurs plus actuels exercent une influence prépondérante sur la trajectoire déviante. C'est ce que nous nommons les facteurs de progression et d'interruption. Les relations que la personne établit à l'âge adulte, les activités auxquelles elle s'adonne et les impulsions que ces relations et ces activités génèrent auront ainsi une influence capitale sur ses choix et sur la suite de son parcours.

Les facteurs de progression et d'interruption constituent donc des conditions qui favorisent la poussée ou la cessation des comportements déviants étudiés. Il faut bien mentionner que les mêmes variables peuvent constituer, pour certaines personnes, des facteurs de progression alors que, pour d'autres, il s'agira de facteurs d'interruption. La mort d'un ami peut être prétexte à la défonce, mais peut également être la douche froide nécessaire à l'arrêt de la consommation. Dans le même sens, un déménagement ou une incarcération peut favoriser chez une personne le maintien de la consommation, chez son voisin la progression vers des drogues plus fortes et chez son ami l'interruption définitive de l'usage. Ces variables de progression ou d'interruption peuvent être fort différentes des éléments de risque initiaux. Elles ont, malheureusement, été beaucoup moins bien étudiées que les facteurs de risque. S'appuyant sur des études québécoises récentes (Brunelle, Cousineau et Brochu, 2002a, 2002b, de même que Brochu et Parent, 2005), il est tout de même possible de décrire les variables qui apparaissent ici les plus communes.

Les facteurs de progression

Trois facteurs apparaissent particulièrement importants pour expliquer les pentes ascendantes d'une trajectoire de consommation : les propriétés et les effets des substances en tant que telles, un milieu de vie stigmatisant et l'apparition d'un évènement marquant (Brochu et Parent, 2005 ; Brunelle, Cousineau et Brochu, 2002).

La substance psychoactive

Le choix des substances psychoactives consommées peut constituer en soi un facteur de maintien et de progression dans un style de vie déviant (Brochu et Parent, 2005 ; Brunelle, Cousineau, et Brochu, 2002a, 2002b ; Marsh, 2002 ; White, 1990). En effet, les *types* de drogues qui induisent une tolérance de même qu'une forte dépendance psychologique ou physique favorisent l'escalade vers une consommation de plus en plus importante ou, à tout le moins, la perpétuation d'une consommation de base. Pour bien en saisir l'impact en tant que facteur de maintien ou de progression, il faut tenir compte des *quantités* utilisées, du *mode d'utilisation* de même que de la *fréquence des usages*. Ainsi, la consommation de cocaïne ne tient pas le même rôle pour une personne qui en inhale une fois par mois que pour celle qui s'en injecte sur une base quotidienne.

Deux éléments reliés à la drogue ressortent plus particulièrement de nos études et peuvent favoriser une progression dans la consommation et l'enfoncement dans un style de vie déviant : la tolérance au produit ; et les inconvénients liés à la substance ou à un mode de consommation (Brochu et Parent, 2005).

Après un usage régulier ou intensif, les consommateurs n'arrivent plus à retrouver l'état initial que leur procurait la drogue ; ils doivent augmenter leur dose afin de regagner, partiellement du moins, les effets recherchés. En général, la progression dans la consommation s'effectue toutefois de façon relativement subtile, puisque l'augmentation de la quantité consommée se fait très graduellement et souvent alors que la personne n'a plus la pleine possession de ses moyens car elle se trouve en état d'intoxication (Brochu et Parent, 2005).

La progression dans un style de vie déviant peut également se traduire par l'adoption d'un nouveau mode d'usage. Un tel changement se trouve souvent lié aux désagréments entourant la voie d'administration délaissée (Brochu et Parent, 2005). Ainsi, on passera de la cocaïne prisée à la cocaïne injectée pour éviter les saignements causés par la prise ; on passera de l'héroïne sniffée à l'héroïne injectée pour des questions de coûts et d'effets ressentis.

Le milieu de vie stigmatisant

Le milieu n'est pas une donnée constante. En effet, la modification de notre milieu d'appartenance peut suivre un tracé plus ou moins linéaire. On peut donc distinguer le milieu d'origine (voisinage dans lequel la personne vit) qui constitue bien souvent un facteur de risque et qui continue d'influencer le développement de la personne même lorsqu'elle est devenue indépendante de sa famille. Il y a aussi le milieu de la drogue, dans lequel on inclut les consommateurs, les trafiquants, les ruelles, les piqueries de même que les *crack houses*, et enfin tout ce qui entoure ces activités ou ces lieux. Il y a également le milieu du criminel, constitué de voleurs et de receleurs, de clubs louches et de bars de danseuses (Cusson, 2005).

Le milieu offre certaines constantes dont il est facile de prédire l'effet. Ainsi, la ségrégation sociale (e. g. accès limité à des emplois bien payés et chômage endémique, logement insalubre...), qui sévit dans certains milieux d'origine, favorise l'adoption et le développement d'un style de vie souvent qualifié de déviant (Burr, 1987 ; Morgan et Joe, 1996 ; Sipilä, 1985). Aussi, Cusson (2005) affirme-t-il qu'un style de vie rangée est attrayant pour les gens provenant des couches socio-économiques les plus démunies, en autant qu'il offre la possibilité aux travailleurs non qualifiés de se trouver un emploi bien payé. Toutefois, dans bien des cas, la solution délinquante apparaît beaucoup plus attrayante alors que les emplois, pour ces personnes, se caractérisent par de mauvaises conditions de travail assorties d'un faible salaire.

Cette ségrégation isole la personne dans un milieu marginal dont elle a peine à sortir. Elle engendre une blessure sociale souvent trop profonde pour espérer guérir sans laisser une cicatrice troublante qui empêche un rétablissement social complet. Cette ségrégation contribue donc au maintien d'un style de vie déviant en repoussant la personne dans une sous-culture. L'insertion dans le milieu de la drogue ou dans certains milieux criminels aura alors souvent pour but l'atteinte d'une certaine satisfaction compensatoire ou encore revêtira des fonctions amnésiantes ; il s'agit pour ces groupes d'une stratégie idéale pour compenser, fuir, oublier ou anesthésier la réalité (Bouhnik, 1996 ; Brunelle, Brochu et Cousineau, 1998 ; Brunelle, Cousineau et Brochu, 2002a, 2002b ; Glauser, 1995).

Un événement marquant

Pour d'autres, cette projection dans un style de vie déviant est reliée à un événement marquant qui devient un point tournant dans la vie de l'individu. Il s'agit généralement d'événements reliés à des pertes : une rupture amoureuse, une perte d'emploi, le deuil d'une personne chère... (Brochu et Parent, 2005 ; Brunelle, Cousineau et Brochu, 2002). Dans bien des cas, ces séparations équivalent à une altération importante des structures habituelles de la vie et la perte de liens sociaux importants. Lors de ces pertes, la consommation permet de fuir des sentiments intenses et difficiles à assumer. Pour des personnes déjà initiées à la consommation de substances psychoactives, la drogue devient le remède tout trouvé pour traverser ces circonstances trop bouleversantes (voir à ce sujet Cohen et Sas, 1996 ; Erickson et Weber, 1994 ; Harrison, 1994). L'impact de ces événements de vie sur l'implication déviante dépend de la nature de ces épisodes, mais aussi du moment où ils apparaissent et de la signification qu'on leur accorde (Brunelle, Cousineau et Brochu, 2002).

Bien que certains aspects reliés aux drogues et à ses modes de consommation puissent favoriser la progression à l'intérieur d'une trajectoire de consommation et l'enfoncement dans un style de vie déviant, il apparaît que cette ascension est plus fréquemment associée à l'interaction à un milieu stigmatisant et à l'apparition soudaine d'évènements marquants (Brochu et Parent, 2005 ; Brunelle, Cousineau, et Brochu, 2002a, 2002b).

Les facteurs d'interruption

Les personnes rencontrées au fil de nos études sur les trajectoires déviantes présentent clairement des périodes durant lesquelles leur implication déviante est en décroissance. Ainsi, a contrario des facteurs de progression qui fournissent une impulsion aux comportements déviants, certains éléments de vie constituent des sources de distanciation face à ce mode d'existence. Cet espacement peut prendre différentes formes : abandon complet ou partiel ; réduction de l'implication dans certaines sphères (Brochu et Parent, 2005). Dans bien des cas, ces éléments de rupture avec le mode de vie déviant relèvent de pressions diverses.

Les pressions d'amis

Selon les dires de plusieurs répondants, la fréquentation d'amis ou d'amoureux qui ne sont pas impliqués dans un style de vie déviant est souvent accompagnée d'une distanciation par rapport à ce mode de vie à la suite de pressions plus ou moins formelles de ces personnes (Brunelle, Cousineau et Brochu, 2002a, 2002b). Les pressions ressenties se trouvent renforcées si elles sont accompagnées de la grossesse de la conjointe ou d'une naissance récente (Brochu et Parent, 2005). La personne ressent alors un sentiment d'appartenance familiale et sociale, du moins temporairement, qui l'aide à réduire son implication déviante (Brunelle, Cousineau et Brochu, 2002a, 2002b).

Les pressions internes

Le fait de s'adonner à des activités déviantes peut faire prendre conscience des limites morales qui sont graduellement franchies et peut causer un réveil brutal des valeurs personnelles ; la personne risque ainsi de se rendre compte qu'elle a outrepassé un seuil limite. La prise de conscience, que l'on soit impliqué dans des services de prostitution ou dans des activités reliées à la mendicité, a parfois cet effet de freinage par rapport à l'imprégnation dans un style de vie déviant (Brunelle, Cousineau et Brochu, 2002a, 2002b ; Mercier et Alarie, 2002).

Les pressions organisationnelles

D'autres pressions favorisant un retrait du mode de vie déviant proviennent des structures organisationnelles dans lesquelles la personne est impliquée. Un premier type de pressions organisationnelles vient du milieu de l'emploi, pour qui a une telle occupation, bien sûr. En effet, une fonction rémunérée comporte son lot d'exigences parmi lesquelles se trouvent une présence assidue sur le lieu de travail et un rendement honorable. Quatre cents coups et folles nuits blanches cohabitent difficilement avec assiduité et productivité au boulot. En un mot, l'engagement dans un travail régulier structure, du moins dans une certaine mesure, l'ensemble des activités quotidiennes. Si ce n'est pas le cas, des conséquences organisationnelles se feront rapidement sentir. Ces pressions constituent de puissants freins à l'implication dans un style de vie déviant pour ceux qui valorisent les activités professionnelles (Brochu et Parent, 2005). En fait, plusieurs vont se plier à cette pression car ils ont l'impression de trop avoir à perdre en défiant les règles de l'emploi ; ils laisseraient alors se dégrader leurs conditions de vie (e. g. statut, argent...), qu'ils considèrent relativement satisfaisantes (Brunelle, Cousineau et Brochu, 2002a, 2002b).

Les pressions reliées au milieu délinquant

Le milieu délinquant comporte son lot d'excitations et de craintes. Il ne s'agit certainement pas d'un milieu qui pardonne facilement aux personnes qui ne respectent pas les règles internes. Les menaces et la violence font alors partie du quotidien du transgresseur. Les inquiétudes, les intimidations, les risques et les périls reliés aux sous-cultures déviantes, au milieu criminel et au système illicite de distribution de drogues peuvent constituer d'excellents motifs d'interruption de ce style de vie (Brochu et Parent, 2005).

Les pressions reliées au milieu déviant peuvent également être d'un tout autre ordre. Elles peuvent parfois être le fruit d'un processus de mûrissement ou encore l'abandon d'un style de vie bien rempli de sensations fortes qui ne répond toutefois plus aux aspirations de la personne qui l'a trop longtemps eu, car, il faut bien le dire, le milieu délinquant est corrosif (Brochu et Parent, 2005).

Ces facteurs de régression constituent en quelque sorte des freins à l'intensification du style de vie. Certains, avec les mêmes freins, vont s'arrêter définitivement, d'autres ne les utiliseront que pour ralentir la progression ou effectuer un arrêt momentané. Il faut toutefois bien prendre conscience qu'il n'est pas aisé d'abandonner définitivement un style de vie qui s'est forgé graduellement sur une longue période. Ce processus d'abandon se fait plus facilement au cours des toutes premières étapes du parcours déviant ou après une trajectoire qui amène son lot de frustrations. Il se fait d'autant plus aisément si la personne a conservé un certain niveau d'intégration sociale. Dans une étude effectuée auprès de consommateurs réguliers de cocaïne (Brochu et Parent, 2005), les procédés qui sont apparus les plus efficaces comportaient une transformation des rapports à soi et aux autres ainsi qu'un changement radical de régime de vie (éviter les lieux de consommation habituels, changer de cercle d'amis, découvrir de nouveaux intérêts).

Avec l'ajout des facteurs de progression et d'interruption, il est maintenant possible de faire la présentation schématique complète du modèle intégratif.

SYNTHÈSE

On le voit bien, les relations entre drogue et criminalité varient en fonction des facteurs de risque, de l'imprégnation déviante, de l'étape de progression de la personne dans sa trajectoire ainsi que des facteurs de progression et d'interruption. Le concept central exploité dans ce chapitre a trait au style de vie. Cette notion représente un construit qui tient compte de plusieurs orientations personnelles et sociales insufflées par l'exposition aux facteurs de risque et qui définit une tendance à adopter des agissements ainsi que des manières de vivre plus ou moins adaptées, marginales ou déviantes. Le style de vie adopte graduellement des gestes répétés et des significations accordées à ces comportements. Progressivement, le style de vie fournit à la personne une identité. Ce concept permet de tenir compte

FIGURE 7.5

Présentation schématique complète du modèle intégratif

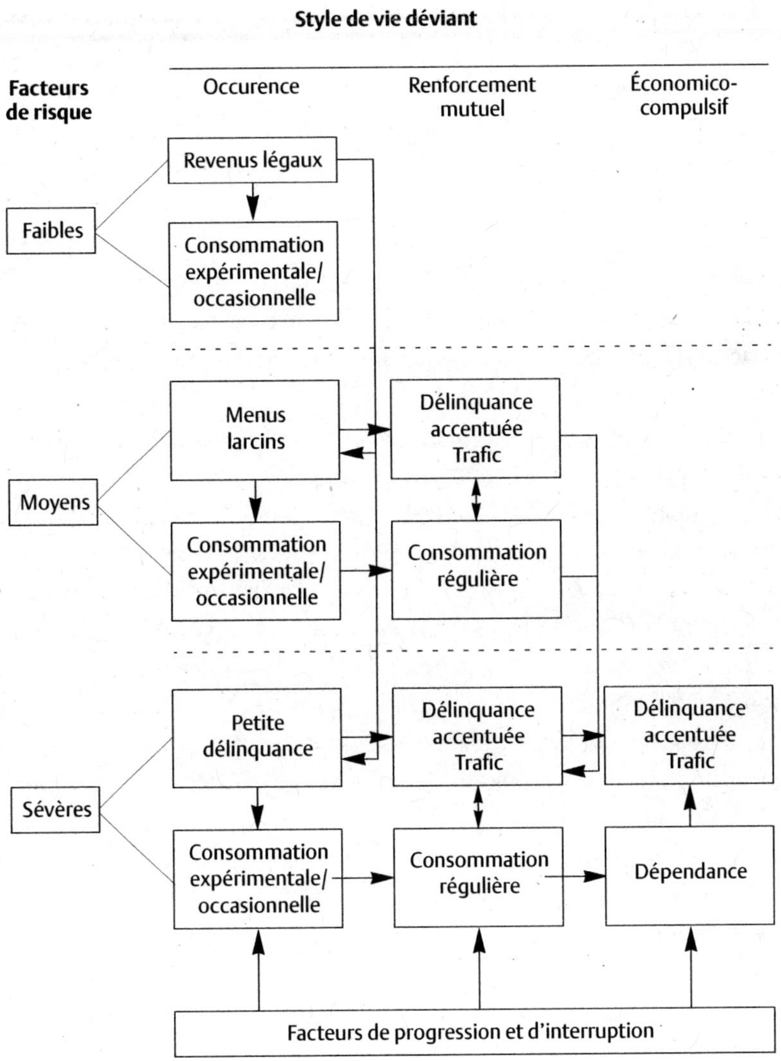

Style de vie déviant

de la complexité du phénomène de l'insertion déviante, et des nombreuses interactions entre les contingences individuelles, contextuelles et tempo-relles qui poussent le consommateur de substances psychoactives vers diverses formes d'implication criminelle (Brochu et Brunelle, 1997 ; Brochu et Parent, 2005).

Selon le modèle présenté plus haut, une personne pourra passer, en quelques semaines ou en quelques années, d'une consommation irrégu-lière de drogues motivée et soutenue par les succès délinquants (crimes, argent, drogues) à une criminalité économico-compulsive (drogues, argent, crimes) imposée par la dépendance à la drogue, alors que son voisin se limitera à une consommation de drogues récréative régularisée par ses entrées d'argent (argent, drogues). Les styles de vie de ces personnes seront certes différents au départ et se modifieront éventuellement afin de tenir compte des diverses contingences de vie reliées à la consommation. Ainsi, au départ, le style de vie déviant du consommateur de cocaïne est bien sou-vent orienté vers le défi, la puissance et le paraître. Toutefois, pour la per-sonne qui en devient dépendante, le style de vie sera davantage influencé par les nombreuses démarches visant à se procurer l'argent nécessaire à l'achat du produit et à ressentir de nouveau les effets de la consommation.

Donc, à l'origine, le style de vie est construit à partir de l'adoption de certains comportements, de la reproduction des gestes les plus symbo-liques et de la signification attribuée à ces derniers. Par la suite, le style de vie commande à son tour le choix des comportements priorisés et devient en quelque sorte le propulseur des activités qui s'organisent ainsi en un tout cohérent.

En un sens, le modèle intégratif présenté dans ce chapitre suggère une rupture conceptuelle avec le paradigme positiviste, qui a proposé au cours des 30 dernières années un ensemble de théories assimilatives et réduction-nistes. Nous avons plutôt tenté de développer un modèle qui s'appuie sur un paradigme phénoménologique qui redonne à la personne toute son humanité tout en la faisant interagir avec un ensemble de systèmes. Tous ces modèles développés afin de mieux appréhender la nature des rapports drogue et criminalité présentent un avertissement éclatant : ces relations sont beaucoup plus complexes qu'on ne l'avait d'abord cru.

CONCLUSION

Les questions concernant les drogues illicites sont entourées de mythes persistants assaisonnés à souhait de sensationnalisme délirant (Da Agra, 1991). On a ainsi trop souvent l'impression que consommer des substances psychoactives illicites équivaut ni plus ni moins à s'abandonner à l'emprise totalitaire de ces drogues qui prendront alors le contrôle intégral de notre existence; en tant que parent d'adolescents, on préjuge d'un engagement sans équivoque dans une trajectoire déviante et dans une carrière criminelle.

Il est vrai que, pour les personnes dépendantes, la drogue est au cœur de leur existence; voilà même la définition de la dépendance. Toutefois, pour la très grande majorité des consommateurs de drogues illicites à travers le monde, l'assuétude ne fait pas partie de leur quotidien. Beaucoup d'opinions sur la drogue et ses utilisateurs se révèlent non fondées et plus ou moins raisonnables, d'autres sont simplistes, la majorité est caricaturale. L'iconographie des substances psychoactives illicites démontre bien que ces chimères jouissent d'une espérance de vie fort longue, probablement parce qu'elles jouent un rôle fonctionnel important sur le plan politique.

Nous avons tenté, tout au long de cet ouvrage, de déterminer jusqu'à quel point et de quelle manière la consommation de drogues contribue à inspirer le comportement criminel et vice-versa. Cet examen des recherches scientifiques nous a permis de départager la réalité et le leurre. Il en ressort que certains rapports entre drogue et criminalité existent bel et bien. En effet, les études de prévalence associent généralement ces deux éléments de façon claire. Bref, il est évident que la grande majorité des personnes contrevenantes consomment des psychotropes illicites ; il est aussi exact d'affirmer que plusieurs toxicomanes s'impliquent dans de très nombreux crimes, la plupart dans un but lucratif.

De façon générale, nous avons observé que la criminalité violente émane de deux sources reliées à la drogue : la violence, associée à l'intoxication, plutôt rare pour les produits illicites, qui affecte principalement les personnes présentant certaines dispositions ; et la criminalité systémique, inhérente au marché illicite de la drogue, donc à son illégalité. Par ailleurs, on peut noter un type de criminalité plus commun chez certains consommateurs réguliers ou dépendants : il s'agit de la délinquance lucrative, qui se traduit habituellement par l'implication dans la revente de drogues, dans des vols ou des fraudes. Encore là, cette implication est modulée par un certain nombre de variables : elle est directement reliée aux revenus de l'usager, au coût des drogues ainsi qu'aux politiques sociales mises en place (intensité de la répression des activités de trafic ; revenu minimum garanti, accès à des services de traitement ou des programmes de substitution...).

Toutefois, les études scientifiques sur les substances psychoactives vont plus loin en nous indiquant que, même si quelques drogues illicites ont le potentiel pour induire des effets spécifiques pouvant mener éventuellement certaines personnes à la criminalité, leurs propriétés n'agissent pas de façon causale unique chez toutes les personnes intoxiquées ou dépendantes. Bien plus, le contexte d'utilisation peut favoriser ou non le recours à la criminalité. Il vaut mieux alors expliquer la criminalité de certains usagers de drogues par une interaction entre drogue, individu et contexte. Il devient alors évident que les rapports entre drogue et criminalité ne peuvent se réduire à un ensemble de relations causales linéaires élémentaires. Un schéma intégrant l'idiosyncrasie et reconnaissant les différents parcours du toxicomane et du délinquant représente mieux cette réalité ; la notion de trajectoire a donc été utilisée. Cette représentation a pour avantage d'expliquer les rapports entre drogue et criminalité selon leur évolution, suivant un schème processuel : celui de la construction d'un style de vie.

Le concept de style de vie nous aide à comprendre l'organisation des valeurs, des attitudes et des comportements dans un ensemble intégré. Ce schème constitue le propulseur principal des activités et les explique en tenant compte de leurs différents aspects (Cusson, 2005). Répétons-le, la constitution d'un style de vie doit se comprendre à l'intérieur d'un cadre processuel. Le rapport à la vie et aux autres, qui comprend un amalgame d'attitudes, d'aversions et de penchants divers, fait en sorte que nous prenons part à certaines activités plus qu'à d'autres. À leur tour, ces activités ouvrent la porte à des potentialités ou des occasions. Il en est ainsi pour les conduites déviantes autant que pour les activités socialement intégrées. L'ensemble de ces inclinations, de ces activités et de leur portée favorisera l'adoption d'un style de vie plutôt qu'un autre. La répétition et la symbolisation de ces conduites cristalliseront par la suite cette façon de vivre (Derivois, 2004). On peut donc dire de ce concept qu'il est constamment en évolution et en transformation. En effet, personne n'est consciemment attiré par un style de vie déviant toxicomane où sevrage, overdose, dettes, violence, victimisation, stigmatisation et maladies sont des donnes quasi quotidiennes. Toutefois, avant d'en arriver là, certains toxicomanes avaient une vie plutôt caractérisée par la fête, le plaisir, le *présentisme* (Cusson, 1981), la liberté et l'intensité : longues nuits folles arrosées d'alcool, saupoudrées de drogues et agrémentées de sexe ; valorisation du paraître et de la consommation sous toutes ses formes ; argent promptement acquis et rapidement dilapidé... En somme, un rythme de vie trépident qui apporte des résultats immédiats, plaisants et gratifiants. Il s'agit de l'étape festive du style de vie déviant (Brochu et Parent, 2005 ; voir également Cusson, 2005). Lorsque ce style de vie n'est adopté que pour compenser un avenir sans gratification possible, pour camoufler un mal de vivre trop profond et pour que la fête cache la souffrance, on est inévitablement destiné à l'échec, et cet échec ouvre la porte à la toxicomanie. Le style de vie déviant du toxicomane, à la fin de sa trajectoire addictive, contraste abruptement avec le clinquant de sa lune de miel avec la drogue. On le voit bien, la substance, au départ, ne constitue qu'un élément parmi bien d'autres qui caractérisent le style de vie déviant ; plus l'usager progressera dans sa trajectoire addictive, plus la drogue le rattrapera (e. g. perte d'emploi, isolement social, dépendance...) et deviendra alors l'élément central de son mode de vie.

À la lumière de ces connaissances, reprenons une à une les questions formulées à titre d'introduction à cet ouvrage afin d'y répondre brièvement et ainsi tenter de débusquer certains préjugés tenaces.

LES RAPPORTS ENTRE DROGUE ET CRIMINALITÉ : QUI EN SONT LES ACTEURS PRINCIPAUX?

L'adolescence constitue une période trouble de recherche de soi et d'expérimentations variées. On s'aperçoit bien qu'on n'est plus un enfant, ne serait-ce que par les transformations physiques qui s'opèrent en soi. On n'est cependant pas encore véritablement un adulte et on nous le rappelle assez régulièrement. Durant ce stade d'évolution vers la vie adulte, l'adolescent devient plus critique envers les sources traditionnelles d'influence (au grand désarroi de ses parents) pour accorder plus d'importance à certaines sources extérieures au noyau familial. Les copains acquièrent pendant cette période une place capitale, une emprise plus importante que la famille ou l'école. On croit l'adolescent alors plus facilement vulnérable : il vient tout juste de sortir du giron familial et le cadre scolaire n'occupe plus la place prépondérante qu'il tenait au début. Les parents craignent que les amis n'exercent une mauvaise influence sur leur enfant, oubliant alors que ces jeunes sont eux-mêmes fils ou filles de parents préoccupés. Il faut arrêter de considérer les adolescents comme une « clientèle sociale » que l'on doit étudier avec nos microscopes : la grande majorité des mineurs n'ont besoin que d'amour et d'une liberté suffisante pour s'épanouir. N'oublions pas que la distanciation face au noyau familial et aux zones classiques d'influence est généralement bénéfique : elle permettra à l'adolescent de devenir un individu autonome et lui évite d'être le clone de ses géniteurs ou la reproduction parfaite des générations précédentes. Il faut donc réfléchir aux droits des adolescents de se présenter en fracture sociale sans être étiquetés comme marginaux, délinquants ou toxicomanes. En effet, la plupart des jeunes, malgré certaines frasques anodines, manifestent une tendance marquée à la « normalité » : ils veulent poursuivre leurs études encore un certain temps ; ils rêvent de décrocher un emploi qui leur permettra de s'actualiser ; ils s'ingénient à découvrir le partenaire idéal ; et ils esquissent des projets d'une destinée relativement tranquille durant laquelle ils se sentiront heureux tout en apportant leur contribution personnelle à la société.

Toutefois, ceux chez qui les institutions de socialisation n'auront pas fait germer l'attachement aux valeurs sociales pourront se retrouver dans un parcours déviant. Pour certains, cette influence ne sera que passagère et la maturité leur permettra de bien régler leurs problèmes d'adaptation sans poursuivre plus avant leur trajectoire déviante. Seule une minorité ira s'enfoncer radicalement dans une trajectoire où la consommation abusive de drogues et la criminalité feront bon ménage. Ces jeunes risquent alors d'être inclus dans les statistiques concernant la consommation abusive de drogues des personnes détenues ou l'implication criminelle des toxicomanes. La consommation de substances psychoactives illicites prendra pour ces derniers une signification phénoménologique particulière : il s'agira de l'adoption d'un style de vie déviant.

LES RAPPORTS ENTRE DROGUE ET CRIMINALITÉ : POURQUOI UNE TELLE RELATION ?

Seule une minorité d'adolescents, parmi ceux qui consomment occasionnellement des substances illicites, va donc s'initier à un parcours franchement criminel. Un bon nombre d'usagers de drogues qui s'inscrivent dans une telle trajectoire accumuleront une série de crimes. Dans un premier temps, il s'agira d'une délinquance de base qui interviendra, pour la majorité, bien avant le contact assidu avec la drogue parce que ces usagers auront d'abord et avant tout adopté un style de vie déviant. La consommation régulière de substances psychoactives illicites pourra, par la suite, être liée au trafic de ces drogues, à la criminalité systémique relevant de ce trafic, et à l'intensification des activités délinquantes parce que la criminalité et la drogue constituent l'une pour l'autre des bougies d'allumage. Enfin, pour ceux qui poursuivront leur trajectoire jusqu'à la dépendance, apparaîtra une criminalité économico-compulsive parce que la dépendance exige sa ration quotidienne de drogue.

Pour les personnes qui adoptent un style de vie déviant, la consommation de substances psychoactives illicites et le parcours délinquant empruntent des avenues adjacentes qui parfois s'entrecroisent. Ces deux comportements sont en relation avec des facteurs de risque communs. Au départ, l'expérimentation de drogues illicites et la délinquance ne sont pas automatiquement unies de manière causale. Mais plus elles perdurent, plus elles se renforcent mutuellement jusqu'à ce que la dépendance toxicomaniaque s'installe. Ce n'est qu'à ce moment-là que prend naissance le rapport causal entre la toxicomanie et la criminalité économico-compulsive.

LES RAPPORTS ENTRE DROGUE ET CRIMINALITÉ : COMMENT INTERVENIR?

La réalité de la consommation de substances psychoactives, de son abus et de ses attaches avec le comportement criminel ne peut se décrire que par la relation dynamique d'un acteur social influencé par son passé (facteurs de risque) et son présent (facteurs de progression et d'interruption). Comme on l'a vu précédemment, le paradigme positiviste et ses modèles conceptuels simples ne pourront jamais traduire avec justesse cette réalité complexe. Bien plus, ils donneront naissance à des politiques sociales condamnées à l'échec.

Dans ces circonstances, comment intervenir ? Trois avenues s'offrent à ceux qui veulent contribuer à réduire les liens qui unissent drogue et criminalité : la mise en place de politiques des drogues appropriées ; la prévention auprès des jeunes ; et une prise en charge adéquate des contrevenants toxicomanes.

La mise en place de politiques des drogues appropriées

La consommation abusive de substances psychoactives et la criminalité constituent autant, sinon davantage, un symptôme de difficultés et d'exclusion sociale que la manifestation d'un problème individuel. La société actuelle génère des marginaux et des déviants et certaines de ses lois y contribuent fortement. Il en est ainsi des législations sur les drogues.

Bien sûr, la consommation de substances psychoactives constitue un comportement sur lequel il s'avère nécessaire d'exercer un certain contrôle. On le fait avec l'alcool et le tabac à l'intérieur d'un cadre de distribution légale de ces produits. La question que nous devons nous poser est de savoir si le contrôle pénal des drogues présentement illicites constitue le meilleur type de contrôle que l'on peut actuellement exercer.

Les parlementaires débattent amplement des problèmes de toxicomanie. De façon générale, ces discussions débouchent sur le renforcement des pouvoirs policiers. Pourtant, les vraies victoires de la guerre à la drogue se font toujours attendre. En observant la haute prévalence de consommation de substances psychoactives illicites des dernières années et les coûts astronomiques des moyens répressifs mis en place dans le cadre des lois actuelles sur les drogues, on peut néanmoins conclure que les stratégies contemporaines de guerre contre les drogues constituent des dinosaures qui engouffrent quotidiennement des crédits considérables sans démontrer, hors de tout doute, leur efficacité. On ne pourra plus alimenter ces luttes répressives encore bien longtemps sans négliger d'autres questions sociales prioritaires. Les politiques actuelles en matière de psychotropes nous enferment dans un carcan de dérapages judiciaires où les affrontements avec les consommateurs, causés presque exclusivement par l'usage du droit pénal et le déploiement de stratégies paramilitaires, détournent notre attention des moyens sociaux efficaces pour résorber les problèmes de consommation excessive de substances psychoactives chez les personnes provenant des strates sociales les plus défavorisées. Bien plus, ces politiques répressives, par leur impact sur le coût des drogues, fragilisent encore davantage les consommateurs provenant de ces couches sociales défavorisées et encouragent ainsi leur passage à une criminalité lucrative. Il s'agit donc d'une thérapeutique qui vise à abattre la personne malade. Il ne suffit pas de faire disparaître la cocaïne ou l'héroïne de la surface du globe pour que se résolvent d'eux-mêmes les problèmes de toxicomanie et le malaise profond des toxicomanes.

Le débat prohibitionniste-antiprohibitionniste prend une part de plus en plus importante dans les discussions entourant les drogues, la toxicomanie et la criminalité (Comité spécial du Sénat sur les drogues illicites, 2002). Plus qu'une discussion empirique, il s'agit fondamentalement d'une querelle de paradigmes. Le modèle positiviste, qui met de l'avant des opérations guerrières à l'encontre des consommateurs de drogues, s'appuie généralement sur des conceptions causalistes des rapports entre drogue et criminalité. La personne est perçue comme une créature faible qui se laisse facilement influencer par l'intoxication et la dépendance ; la substance psychoactive s'empare ainsi de sa volonté. La disponibilité d'un produit la place alors dans une situation à risque de consommation, d'abus et de criminalité. À l'opposé, le paradigme humaniste croit que les personnes sont douées de capacités de réflexion et d'actions dirigées vers leur mieux-être. Ces personnes vivent en interaction avec les systèmes environnants qui exercent sur elles une influence relative. Ce paradigme favorise alors plutôt des stratégies de réduction des méfaits de même que des actions concrètes de normalisation des rapports face à la consommation de substances psychoactives aujourd'hui illicites ; bien plus, il valorise la promotion du mieux-être comme une véritable solution aux problèmes sociaux (Quirion, 2001).

Peut-on prescrire l'abstinence à des toxicomanes en se servant du pouvoir de la loi ? Plutôt que de se contenter d'interdire, il faut tenter de comprendre pourquoi le comportement que l'on désire ainsi proscrire est si prévalent. Se pourrait-il que le cycle répression-marginalisation-répression soit si étourdissant qu'il embrouille les raisonnements ? On oublie l'origine de la marginalisation, on justifie la judiciarisation des toxicomanes par la nécessité de rejoindre ces derniers pour leur offrir des services de traitement approprié et, en complément, on leur colle un casier judiciaire et on leur dérobe leurs droits civils. Les politiques répressives en matière de drogue n'apparaissent pas la solution à privilégier en matière de toxicomanie, surtout si on souhaite soustraire ces personnes à la vie délinquante. Il est grandement préférable de travailler en amont.

La prévention

Les initiatives préventives, afin d'être efficaces, doivent s'inscrire à l'intérieur de stratégies globales, sinon elles ne demeureront que des activités vouées à l'échec à plus ou moins longue échéance. À l'opposé des programmes de prévention traditionnels segmentés, une stratégie de prévention qui veut avoir un impact doit se construire sur une approche multimodale. Non seulement faut-il tenir compte de l'individu dans son intégralité, mais encore faut-il le mettre en relation avec son environnement (Cormier, Brochu et Bergevin, 1991).

L'acteur à risque

Il faut se démarquer des grandes manœuvres américaines en vogue qui consistent principalement à engendrer des appréhensions irrationnelles à propos des drogues illicites et à inciter des écoliers à dénoncer les petits trafiquants du milieu. Ces offensives américaines, inspirées de la morale du début du xxᵉ siècle, souffrent de trois problèmes majeurs : 1) les personnes les plus à risque ridiculisent les informations véhiculées par ces campagnes parce qu'elles ne cadrent pas avec les renseignements reçus d'autres sources qu'elles considèrent plus crédibles ; 2) il n'est pas suffisant d'alarmer les adolescents et de leur répéter de dire non aux drogues pour qu'ils s'abstiennent de consommer, il faut plutôt les amener à acquérir une attitude saine par rapport aux drogues et à la vie en général ; et 3) les jeunes n'agissent pas simplement par mimétisme, leurs comportements sont chargés de significations, leurs messages doivent être compris. Une stratégie préventive devrait plutôt fournir un ensemble d'éléments de protection visant à contrecarrer les facteurs de risque présents dans l'environnement de la personne et lui proposer une trajectoire alternative à une éventuelle déviance malsaine (Brown et Horowitz, 1993 ; Zimmerman et Maton, 1992). En somme, il s'agit de conscientiser la personne plutôt que de dramatiser une situation, de l'aider à adopter une attitude saine plutôt qu'un mode de vie s'appuyant sur des clichés. Il importe également de développer des stratégies préventives qui tentent de combattre ou d'amoindrir l'impact des facteurs de risque. Une tendance perverse guette cependant les programmes de prévention s'appuyant sur l'identification des facteurs de risque : celle d'identifier trop rapidement et sommairement les jeunes à risque afin de leur offrir un programme taillé sur mesure. Dans une société de plus en plus soucieuse des montants d'argent investis, il devient attrayant de modifier la cible classique de la prévention primaire (e. g. toute personne susceptible de développer un jour le problème) pour la restreindre aux personnes les plus à risque (e. g. celles provenant de milieux sociaux, économiques ou familiaux défavorisés, par exemple). Ce faisant, le programme de prévention peut alors se transformer subtilement en outil de stigmatisation sociale, alors que l'on identifie précocement les futurs déviants sociaux afin de les mettre au pas en employant des moyens qui les éloignent des sources de

valorisation et de normalisation (Shellenberger, 1996). Il faut donc se protéger des actions préventives qui font en sorte que l'on accentue le contrôle
social exercé sur les plus démunis ; il faut contrer l'excès d'enthousiasme
des agents de prévention qui veulent à tout prix protéger les jeunes de
« l'enfer de la drogue » (Vourc'h et Marcus, 1993). S'attaquer aux facteurs de
risque ne signifie pas nécessairement ou seulement cibler les personnes qui
en furent les victimes afin de tenter de les réduire, mais plutôt également et
surtout agir sur ces facteurs pour les faire disparaître.

Le milieu à risque

Les notions de « fléau de la drogue » ou « d'enfer de la drogue » constituent
des artifices qui occultent le fléau infernal de la misère dans lequel certains
toxicomanes sont emprisonnés. En effet, la toxicomanie et la délinquance
ne constituent pas des problèmes strictement individuels. Nous l'avons vu,
un ensemble de facteurs de risque favorisent l'adoption d'un style de vie déviant. Ces facteurs sont d'ordre psychosocial (voir à ce sujet Zimmerman
et Maton, 1992). Il serait illusoire d'espérer un impact positif important des
stratégies de prévention qui concentreraient exclusivement leurs actions
sur les individus à risque. Ne l'oublions pas, ces personnes sont à risque
parce qu'elles appartiennent habituellement à des zones d'exclusion multiple. Elles ne vivent pas dans un vacuum. Ce qui les attire vers la déviance
ne relève pas uniquement de facteurs personnels. Il faut alors poser notre
regard sur l'interaction de la personne avec les conditions matérielles,
sociales et psychologiques de son milieu. En ce sens, la prévention sociale
constitue une stratégie qui vise à modifier globalement les terrains propices
à l'éclosion et au développement de la déviance en vue de les améliorer. Ces
zones sont connues ; il s'agit des conditions de vie générale, du milieu familial et de l'école. En analysant attentivement les facteurs environnementaux
transformant ces lieux en zones problématiques, des mesures de redresse-
ment concrètes, aptes à promouvoir le mieux-être de la population, pourraient être appliquées. Le rapport de la Table ronde sur la prévention de la
criminalité (1993) du gouvernement du Québec indiquait clairement des
pistes d'intervention souhaitables : système universel de garderie pour les
enfants d'âge scolaire ; programme de soutien auprès de très jeunes mères

monoparentales ; soutien aux élèves afin de prévenir l'abandon scolaire ; amélioration des conditions de logement ; accès aux loisirs. À cela pourrait s'ajouter des programmes de rattrapage extrascolaires pour les jeunes décrocheurs, de véritables politiques de formation professionnelle, des programmes de transition de l'école au travail et une politique sérieuse d'emploi (Chalom, 1993). Il faut cependant être bien conscient que ce type d'approche constitue davantage un investissement pour l'avenir qu'un remède à court terme. De plus, ce faisant, il faut éviter l'ingérence des organismes sociaux responsables de l'application de ces programmes auprès de ces familles. Un programme efficace doit être un programme respectueux ; compassion et solidarité doivent en constituer les principaux guides.

La prise en charge

La prise en charge pénale ou psychosociomédicale des toxicomanes est devenue, en Amérique du Nord, une industrie très florissante. Les prisons affichent « complet », car elles sont bondées de personnes incarcérées pour affaires de drogues ; les centres de traitement pour toxicomanes accueillent un très grand nombre de personnes judiciarisées à la suite de la mise en place d'une pléthore de tribunaux spécialisés en matière de drogue.

L'offre de services de réadaptation pour personnes toxicomanes s'inscrit dans une stratégie de prévention du crime qui entraîne généralement moins d'effets pervers que la prise en charge pénale. Bien que l'effet des traitements offerts aux personnes toxicomanes contrevenantes semble préférable à leur incarcération, tant en termes philosophiques qu'en termes de rechute toxicomane et de récidive criminelle, il apparaît clairement que cette forme de prise en charge psychosociosanitaire plafonne rapidement quant à son impact sur les bénéficiaires : ces stratégies d'intervention ne rejoignent qu'une minorité de toxicomanes ; elles n'abordent qu'indirectement certains problèmes cruciaux (e.g réinsertion au travail, endettement chronique...). Bien plus, l'intervention tertiaire arrive beaucoup trop tard dans le processus de marginalisation (voir Cormier, Brochu et Bergevin, 1991). En effet, la toxicomanie, lorsqu'elle s'est introduite dans la vie d'une personne, guide son style de vie pour ne laisser la place qu'à peu d'activités qui ne servent pas directement à la nourrir. Ces demandes exclusives font en sorte que la personne abandonne toute autre activité dans ses compétences. On peut alors comprendre pourquoi le rapport pathologique au toxique forme un style de vie très réfractaire au changement. Le thérapeute devra alors faire preuve d'une grande qualité de persuasion afin de convaincre une personne sans grande instruction, souffrant du poids d'un casier judiciaire et étiquetée *toxicomane* qu'il vaut mieux trouver un emploi rémunéré au salaire minimum que d'effectuer des vols à l'étalage ou de se procurer des biens de consommation par l'entremise du marché noir.

Comment croire qu'une personne qui éprouve de la difficulté à se trouver un emploi tout en étant sollicitée par une publicité tapageuse voulant stimuler la consommation de biens de toutes sortes ne soit pas séduite par l'occasion de faire un « coup d'argent » rapide par des moyens illégaux ? Comment croire qu'un individu qui se sent rejeté par une société qui glorifie l'argent défende les valeurs interdisant la consommation de drogues ?

En plus de considérer l'impact d'un programme, il faut également examiner les composantes morales et éthiques d'une telle intervention. Les thérapeutes qui travaillent auprès de personnes toxicomanes judiciarisées doivent faire preuve d'une grande capacité de persuasion, disait-on plus haut ; mais ajoutons ici qu'ils doivent également démontrer une très grande retenue. Tant la rechute du toxicomane que les moyens mis en place pour la prévenir doivent faire l'objet de notre vigilance. En effet, le contexte judiciaire dans lequel s'imbriquent à la fois aide et contrôle peut facilement détruire les bases mêmes des relations thérapeutiques qui reposent sur la libre volonté des participants. Avec le traitement des toxicomanes judiciarisés, l'appareil pénal ne sert plus seulement à punir ceux qui contreviennent aux lois, mais vise à façonner le comportement des contrevenants afin de leur imposer des conduites dites plus normales.

Prison et réadaptation ne vont pas de pair : on ne transforme pas un toxicomane en citoyen responsable en lui démontrant son inutilité. Pour être vraiment efficace, l'offre de traitement doit plutôt être faite par les institutions de contrôle social présentes dans le milieu naturel de la personne (e. g. famille, école, travail...) de façon à éviter qu'elle se retrouve dans une institution de contrôle pénal.

Bien que les 15 dernières années aient permis d'affiner notre compréhension des rapports entre drogue et criminalité, de grands pas restent à faire et la recherche scientifique pourra à nouveau y contribuer. Il serait important que de nouvelles études s'attardent davantage à mieux concevoir la manière dont les variables relatives au contexte sociopolitique affectent les liens qui unissent drogue et criminalité, de façon à intégrer ces connaissances dans des modèles conceptuels inédits, certainement plus complexes, mais également plus près de la réalité. Il serait également important de mieux comprendre les trajectoires de consommation régulière de drogues chez les personnes bien intégrées socialement. Ce dernier type de recherche nous permettrait alors de réfléchir aux fondements mêmes de notre construction sociale du problème posé par la drogue.

BIBLIOGRAPHIE

Arrestee Drug Abuse Monitoring (ADAM) Program (2001), *Drug Use and Related Matters Among Adult Arrestees, 2001*. Washington : National Institute of Justice.

Arrestee Drug Abuse Monitoring (ADAM) Program (2003), *Drug and Alcohol Use and Related Matters Among Arrestees*. Washington : National Institute of Justice.

Alexander, B. K. (1994), « L'héroïne et la cocaïne provoquent-elles la dépendance ? », Au carrefour de la science et des dogmes établis, dans Brisson, P. (dir.), *L'usage des drogues et la toxicomanie*, Boucherville : Gaëtan Morin Éditeur, vol. II, p. 3-30.

Altschuler, D. M. et Brounstein, P. J. (1991), « Patterns of Drug Use, Drug Trafficking, and Other Delinquency Among Inner-City Adolescent Males in Washington, D. C. », *Criminology*, vol. 29, n° 4, p. 589-622.

Andrews, D., Kiessling, J. J. (1980), « Program Structure and Effective Correctional Practices : A Summary of the CAVIC Research », dans Ross, R. R. et Gendreau, P. (dir.), *Effective Correctional Treatment*, Toronto : Butterworths, p. 441-463.

Apap, G. (1991), « Dangerosité, toxicomanie et loi », *Actes du colloque : la dangerosité, approche pénale et psychiatrique*, Paris : Privat , p. 101-108.

Barnow, S., Schultz, G., Lucht, M., Ulrich, I., Preuss, U. W. et Freyberger, H. J. (2004), « Do Alcohol Expectancies and Peer Delinquency/Substance Use Mediate the Relationship Between Impulsivity and Drinking Behaviour in Adolescence ? », *Alcohol et Alcoholism*, vol. 39, n° 3, p. 213-219.

Beaucage, B. (1998), *L'interrelation entre deux phénomènes sociaux préoccupants : le décrochage scolaire et la consommation de substances psychotropes*, Montréal : Comité permanent de lutte à la toxicomanie.

Beauchesne, L. (1991), « Consommation : le débat sur la légalisation », dans Delbrel, G., *Géopolitique de la drogue*, Paris : La Découverte, p. 253-270.

Beauchesne, L. (1995), « Le discours antiprohibitionniste au Québec pour une mise en application de la politique canadienne de promotion de la santé », *Bulletin de liaison du CNDT*, vol. 20, p. 135-148.

Becker, H. S. (1963), *Outsiders : Studies in the Sociology of Deviance*, New York : Free Press.

Beirness, D. et Mann, R. (2005), « Conduite sous l'influence de stupéfiants », dans Centre canadien de lutte contre l'alcoolisme et les toxicomanies, *Toxicomanie au Canada : enjeux et options actuels*, Ottawa : Centre canadien de lutte contre l'alcoolisme et les toxicomanies, p. 17-22.

Belenko, S. (2001), *Research on Drug Courts : A Critical Review 2001 Update,* New York : National Centre on Addiction and Substance Abuse.

Bell, R. (1991), « Prohibition des stupéfiants, l'histoire de la législation », *Revue internationale de police criminelle,* vol. 432, p. 2-6.

Benda, B. B., Crowyn, R. F. et Toombs, N. J. (2001), « Recidivism among Adolescent Serious Offenders : Prediction of Entry into the Correctional System for Adult », *Criminal Justice and Behavior,* vol. 28, n° 5, p. 588-613.

Bennett, T. et Sibbitt, R. (2000), *Drug Use Among Arrestees,* London, G.-B. : Home Office Research Study.

Bergeron, J. et Tremblay, J. (2004), *Guide d'introduction aux stratégies de l'Entrevue Motivationnelle,* Montréal : Recherche et intervention sur les substances psychoactives – Québec (RISQ).

Béroud, G. (1991), « Les guerres de l'opium dans la Chine du xixe siècle », *Psychotropes,* vol. 6 n° 3, p. 59-71.

Blumstein, A., Cohen, J., Roth, J. A. et Visher, C. (1986), *Criminal Careers and « Careers Criminals »,* Washington : National Academy Press.

Boles, S. M. et Miotto, K. (2003), « Substance Abuse and Violence – A Review of the Literature », *Aggression and Violent Behavior,* vol. 8, n° 2, p. 155-174.

Born, M., Chevalier, V. et Humblet, I. (1997), « Resilience, desistance and delinquent career of adolescent offenders », *Journal of Adolescence,* vol. 20, n° 6, p. 679-694.

Born, M. et Gavray, C. (2002), « Deviant Trajectories at the Turning Point Between Adolescence and Adulthood », dans Brochu, S., Da Agra, C. et Cousineau, M.-M. (dir.), *Drugs and Crime Deviant Pathways,* London, G.-B. : Ashgate, p. 97-114.

Bouffard, J. A. et Taxman, F. S. (2000), « Client Gender and the Implementation of Jail-Based Therapeutic Community Programs », *Journal of Drug Issues,* vol. 30 n° 4, p. 881-901.

Bouhnik, P. (1996). « Système de vie et trajectoires de consommateurs d'héroïne en milieu urbain défavorisé », *Communications,* vol. 62, p. 241-256.

Boys, A., Marsden, J. et Strang, J. (2001), « Understanding Reasons for Drug Use Amongst Young People : A Functional Perspective », *Health Education Research,* vol. 16, n° 4, p. 457-469.

Boyum, D. et Kleiman, M. A. R. (2003), « Breaking the Drug-Crime Link », *Public Interest,* vol. 152, p. 19-38.

Brackelaire, V. (1992), « Deux questions clés pour les relations Nord\Sud. Les expériences de substitutions alternatives de production à la coca, en Bolivie : enseignements pour la coopération internationale », dans Schiray, M., Cesoni, M. L., Brackelaire, V. et Fonseca, G. (dir.), *Penser la drogue/Penser les drogues,* Paris : Édition Descartes, p. 195-229.

Brain, K., Parker, H. et Bottomley, T. (1998), *Envolving Crack Cocaine Carrers,* n° 85, London, G.-B. : Home Office Research Study.

Braithwaite, R. L., Cornely, R. C., Robillard, A. G., Stephens, T. et Woodring, T. (2003), « Alcohol and Other Drug Use Among Adolescent Detainees », *Journal of Substance Use*, vol. 8, p. 1-6.

Brehmer, C. et Iten, P. X. (2001), « Medical Prescription of Heroin to Chronic Heroin Addicts in Switzerland – A Review », *Health Science Journal*, vol. 121, n° 1, p. 23-26.

Bright, M. (1999), « Drugs Crime Link a Myth », *The Observer*, p. 2.

Brochu, S. (1994), *Drogue et criminalité : mythe ou réalité ?*, Montréal : Centre international de criminologie comparée.

Brochu, S. (1994), « Ivresse et violence : désinhibition ou excuse ? », *Déviance et Société*, vol. 18, n° 4, p. 431-445.

Brochu, S. (1995), *Prévention de la toxicomanie ; prévention de la délinquance ; prévention de la déviance*, Montréal : Recherche et intervention sur les substances psychoactives – Québec (RISQ).

Brochu, S. (1995), *Analyse de la délinquance des consommateurs de drogues illicites*, Montréal : Centre international de criminologie comparée.

Brochu, S. (1996), « A Investigaçao Sobre a Relaçao Droga-Crime na América do », dans Da Agra, C. (dir.), *Projecto Droga e Crime*, Estudos Interdiscliplinaires, vol. III, Porto : Centro de Ciências do Comportemento Desviante.

Brochu, S., Biron, L. et Desjardins, L. (1996), « Consommation de substances psychoactives chez les femmes détenues au Québec », *Criminologie*, vol. 19, n° 1, p. 121-137.

Brochu, S. et Brunelle, N. (1997), « Toxicomanie et délinquance. Une question de style de vie ? », *Psychotropes*, vol. 3, n° 4, p. 107-125.

Brochu, S., Cournoyer, L.-G., Motiuk, L. et Pernanen, K. (1999), « Dugs, Alcohol and Crime : Patterns Among Canadian Federal Inmates », *Bulletin of Narcotic*, vol. 51, n° 1-2, p. 57-74.

Brochu, S. et Cousineau, M.-M. (2003), « Drogues et questions criminelles : un état de la question à partir d'études québécoises », dans Le Blanc, M., Ouimet, M. et Szabo, D. (dir.), *Traité de criminologie empirique*, Montréal : Les Presses de l'Université de Montréal, p. 243-279.

Brochu, S., Cousineau, M.-M., Sun, F., Pernanen, K., Cournoyer, L. G. et Desjardins, M. (2001), « Estimation statistique des liens entre alcool/drogues et crimes chez les détenus fédéraux », *Revue internationale de police technique et scientifique*, vol. 54, n° 3, p. 318-333.

Brochu, S., Da Agra, C. et Cousineau, M.-M. (2002), *Drugs and Crime Deviant Pathways*, London, G.-B. : Ashgate Publishing.

Brochu, S. et Douyon, A. (1990), *La consommation de psychotropes chez les jeunes placés en Centre d'accueil*, Montréal : Centre international de criminologie comparée.

Brochu, S., Guyon, L. et Desjardins, L. (2001), « Trajectoires de délinquance et de consommation de substances chez des hommes et des femmes en détention », *Revue canadienne de criminologie*, vol. 43, n° 2, p. 173-196.

Brochu, S., Guyon, L. et Desjardins, L. (1996), *Profil de populations toxicomanes adultes prises en charge par le réseau de la réadaptation publique ou la détention*, Montréal : Centre international de criminologie comparée.

Brochu, S. et Lévesque, M. (1990), « Treatment of Prisoners for Alcohol or Drug Abuse », *Alcoholism Treatment Quarterly*, vol. 7, p. 15-21.

Brochu, S. et Parent, I. (2005), *Les flambeurs : trajectoire d'usagers de cocaïne*, Ottawa : Les Presses de l'Université d'Ottawa.

Brochu, S., Parent, I., Chamandy, A. et Chayer, L. (1997), « Victimisation et style de vie parmi un échantillon de toxicomanes incarcérés », *Annales internationales de criminologie*, vol. 35, n° 1-2, p. 131-154.

Brochu, S. et Schneeberger, P. (2001), « Drogues illicites et délinquance : regards sur les travaux nord-américains », *Tendances*, n° 17, p. 1-4.

Brochu, S. et Schneeberger, P. (1999), *L'impact des contraintes judiciaires dans le traitement de la toxicomanie*, Montréal : Comité permanent de lutte à la toxicomanie.

Brook, J. S., Brook, D. W., De La Rosa, M., Whiteman, M., Johnson, E. et Montoya, I. (2001), « Adolescent Illegal Drug Use : The Impact of Personality, Family and Environmental Factors », *Journal of Behavioral Medicine*, vol. 24, n° 2, p. 183-203.

Broome, K. M., Knight, K., Joe, G. W., Simpson, D. D. et Cross, D. (1997), « Structural Models of Antisocial Behavior and During-Treatment Performance for Probationers in a Substance Abuse Treatment Program », *Structural Equation Modeling*, vol. 4, n° 1, p. 37-51.

Brounstein, P. J., Hatry, H. P., Altschuler, D. M. et Blair, L. H. (1990), *Substance Use and Delinquency Among Inner City Adolescent Males*, Washington : The Urban Institute Press.

Brown, R. T. (2002), « Risk Factors for Substance Abuse in Adolescents », *Pediatric Clinics of North America*, vol. 49, n° 2, p. 247-255.

Brown, R. T. et Horowitz, J. E. (1993), « Deviance and Deviant : Why Adolescent Substance Use Prevention Programs Do Not Work ? », *Evaluation Review*, vol. 17, p. 529-555.

Brownstein, H., Crimmins, S. et Spunt, B. J. (2000), « A Conceptual Framework for Operationalizing the Relationship Between Violence and Drug Market Stability », *Contemporary Drug Problems*, vol. 27, p. 867-890.

Brunelle, N. (2001), *Trajectoires déviantes à l'adolescence : usage de drogues illicites et délinquance*, Thèse de doctorat inédite, Montréal : Université de Montréal.

Brunelle, N., Brochu, S. et Cousineau, M.-M. (2005), « Des jeunes se racontent : Le point de vue sur leurs trajectoires d'usage de drogues et de délinquance », dans Guyon, L., Brochu, S. et Landry, M. (dir.), *Les jeunes et les drogues*, Québec : Les Presses de l'Université Laval.

Brunelle, N., Brochu, S. et Cousineau, M.-M. (2003), « Points de vue d'adolescents quant aux liens entre leur usage de drogues et leur délinquance », *L'Intervenant*, vol. 19, n° 3, p. 19-22.

Brunelle, N., Brochu, S. et Cousineau, M.-M. (2000), « Drug-Crime Relations among Drug-Consuming Juveline Delinquents : A Tripartite Model and More », *Contemporary Drug Problems*, vol. 27, p. 835-866.

Brunelle, N., Brochu, S. et Cousineau, M.-M. (1998), *Des cheminements vers un style de vie déviant : adolescents des centres jeunesse et des centres pour toxicomanes*, Montréal : Cahier de recherche du centre international de criminologie comparée, vol. 27.

Brunelle, N., Cousineau, M.-M. et Brochu, S. (2005), « Juvenile Drug Use and Delinquency : Youth's Accounts of their Trajectorie », *Substance Use et Misuse*, vol. 40, n° 5, p. 721-734.

Brunelle, N., Cousineau, M.-M. et Brochu, S. (2002a), « Deviant Youth Trajectories : Adoption, Progression and Regression of Deviant Lifestyles », dans Brochu, S., Da Agra, C. et Cousineau, M.-M. (dir.), *Drugs and Crime Deviant Pathway*, London, G.-B. : Ashgate Publishing, p. 115-135.

Brunelle, N., Cousineau, M.-M. et Brochu, S. (2002b), « La famille telle que vécue par des jeunes consommateurs de drogues et trajectoires types de déviance juvénile », *Drogues, santé et société*, vol. 1, n° 1, p. 21.

Brunelle, N.,Cousineau,M.-M. et Brochu, S. (2002c), « Trajectoires types de déviance juvénile : un regard qualitatif », *Revue canadienne de criminologie*, vol. 44, n° 1, p. 2-32.

Brunelle, N., Cousineau, M.-M. et Brochu, S. (1997), *Cheminement vers un style de vie déviant : pré-experimentation*, Montréal : Centre international de criminologie comparée.

Bryant, A. L., Schulenberg, J. E., O'Malley, P. M., Bachman, J. G. et Johnston, L. D. (2003), « How Academic Achievement, Attitudes and Behaviors Relate to the Course of Substance Use During Adolescence : A 6-Year Multiwave National Longitudinal Study », *Journal of Research on Adolescence*, vol. 13, n° 3, p. 361-397.

Burr, A. (1987), « Chasting the Dragon », *British Journal of Criminology*, vol. 27, p. 333-357.

Byqvist, S. (1999), « Criminality Among Female Drug Abusers », *Journal of Psychoactive Drugs*, vol. 31, n° 4, p. 353-362.

Cadoret, R. J., Troughton, E., Moreno, L. M. et Whitters, A. (1990), « Early Life Psychosocial Events and Adult Affective Symptoms », dans Robins, L. M. et Rutter, M. (dir.), *Straight and Devious Pathways From Childhood to Adulthood*, New York : Cambridge University Press, p. 300-313.

Caffray, C. M. et Schneider, S. L. (2000), « Why Do They Do It ? Affactive Motivators in Adolescents' Decisions to Participate in Risk Behaviors' », *Psychology Press*, vol. 14, n° 4, p. 543-576.

Canadian Centre on Substance Abuse (2000), *Drug Treatment Courts : Substance Abuse Intervention Within the Justice System*, Ottawa : Canadian Centre on Substance Abuse.

Carbonneau, R. (2002), « Developmental Trajectories Leading to Delinquency and Substance Use in Adolescence : Results From Quebec Studies », dans Brochu, S., Da Agra, C. et Cousineau, M.-M. (dir.), *Drugs and Crime Deviant Pathways*, London, G.-B. : Ashgate Publishing, p. 85-96.

Carlson, R. G. et Siegal, H. A. (1991), « The Crack Life : An Ethnographic Overview of Crack Use and Sexual Behavior Among African Americans in a Midwest Metropolitan City », *Journal of Psychoactive Drugs*, vol. 23, n° 1, p. 11-20.

Carpenter, C., Glassner, B., Johnson, B. D. et Loughlin, J. (1988), *Kids, Drugs, and Crime*, Toronto : Lexington.

Carter, J. H. (1981), « The Use of Psychotropics in the Prison Setting », *North Carolina Medical Journal*, vol. 42, n° 9, p. 645-647.

Castel, R. (1992), *Les sorties de la toxicomanie*, Paris : Grass-Mire.

Centers, N. L. et Weist, M. D. (1998), « Inner City Youth and Drug Dealing – A Review of the Problem », *Journal of Youth et Adolescence*, vol. 27, n° 3, p. 395-411.

Chaiken, M. R. (1989), *Prison Programs for Drug-Involved Offenders*, Washington : National Institute of Justice.

Chaiken, M. R. et Johnson, B. D. (1988), *Characteristics of Different Types of Drug Involved Offenders*, Washington : National Institute of Justice.

Chalom, M. (1993), « La police communautaire : vers un nouveau paradigme de la prévention ? », *Revue internationale d'action communautaire*, vol. 30, n° 70, p. 155-161.

Chartrand, E. (1999), *Initiation, maintien, progression et interruption d'une trajectoire dans le commerce de cocaïne (microforme) : la perspective du trafiquant*, Montréal : Université de Montréal, École de criminologie.

Chayer, L. (1997), « Les politiques en matière de drogue : une question de valeurs ? », *Toxicodependencias*, vol. 3, n° 1, p. 15-24.

Chung, I. J., Hawkins, J. D., Gilchrist, L. D., Hill, K. G. et Nagin, D. S. (2002), « Identifying and Predicting Offending Trajectories Among Poor Children », *Social Service Review*, vol. 76, n° 4, p. 663-685.

Chung, I. J., Hill, K. G., Hawkins, J. D., Gilchrist, L. D. et Nagin, D. S. (2002), « Childhood Predictors of Offense Trajectories », *Journal of Research in Crime et Delinquency*, vol. 39, n° 1, p. 60-90.

Clayton, R. (1992), « Transitions in Drug Use : Risk and Protective Factors », dans Glantz, M. et Pickens, R. (dir.), *Vulnerability to Drug Abuse*, Washington : American Psychological Association.

Clément, M. et Ray, D. (1991), « Les intervenants extérieurs au milieu carcéral : les limites de leur intervention », *Bulletin liaison CNDT*, vol. 17, p. 45-48.

Cloutier, R. (1996), *Psychologie de l'adolescence*, 2ᵉ édition, Boucherville : Éditions Gaëtan Morin.

Cohen, P. S. et Sas, A. (1996), « Usages de cocaïne chez les consommateurs insérés à Amsterdam », dans Ehrenberg, A. (dir.), *Vivre avec les drogues. Régulation, politiques, marchés, usages*, Paris : Éditions du Seuil.

Collison, M. (1996), « In Search of the High Life – Drugs, Crime, Masculinities and Consumption », *British Journal of Criminology*, vol. 36, n° 3, p. 428-444.

Comité permanent de lutte à la toxicomanie (2003), *La consommation de psychotropes : portrait et tendances au Québec*, Montréal : Comité permanent de lutte à la toxicomanie.

Comité spécial du sénat sur les drogues illictes (2002), *Le cannabis : positions pour un régime de politique publique au Canada,* Ottawa : Sénat du Canada.

Comité spécial sur la consommation non médicale de drogues ou médicaments (2002), *Politique pour le nouveau millénaire : redéfinir ensemble la stratégie canadienne anti-drogue,* Ottawa : Chambre des communes.

Conway, K. P., Swendsen, J. D., Rounsaville, B. J. et Merikangas, K. (2002), « Personality, Drug of Choice, and Comorbid Psychopathology Among Substance Abusers », *Drug and Alcohol Dependence,* vol. 65, n° 3, p. 225-234.

Cope, N. (2000), « Drug Use in Prison : The Experience of Young Offenders », *Drugs : Education, Prevention et Policy,* vol. 7, n° 4, p. 355-366.

Cormier, D. (1984), *Toxicomanies : styles de vie,* Chicoutimi : Éditions Gaëtan Morin.

Cormier, D. (1993), *Toxicomanies : styles de vie,* Montréal : Éditions du Méridien.

Cormier, D., Brochu, S. et Bergevin, J. P. (1991), *Prévention primaire et secondaire de la toxicomanie,* Montréal : Éditions du Méridien.

Corrigan, P., Yudofsky, S. et Silver, J. (1993), « Pharmacological and Behavioral Treatments for Agressive Psychiatric Inpatients », *Hospital and Community Psychiatry,* vol. 44, p. 125-133.

Cortes, G. (1998), « Témoignage en filigrane : Le cocalero bolivien face aux politiques antidrogues », *Autrepart,* vol. 8, p. 103-119.

Corwyn, R. F. et Benda, B. B. (2002), « The Relationship Between Use of Alcohol, Other Drugs, and Crime Among Adolescents : An Argument for a Delinquency Syndrome », *Alcoholism Treatment Quaterly,* vol. 20, n° 2, p. 35-49.

Corwyn, R. F. et Benda, B. B. (1999), « Multiple Contingency Table Analyses of the Deviance Syndrome : How Much Overlap is There ? », *Journal of Child et Adolescent Substance Abuse,* vol. 9, n° 2, p. 39-56.

Cousineau, M.-M., Brochu, S., Fu, S., Houde, V. et Dufour, C. (2005), *Jeunes, drogues et violence : des liens à comprendre,* Montréal : Centre international de criminologie comparée.

Cousineau, M.-M., Brochu, S. et Schneeberger, P. (2000), *Consommation de substances psychoactives et violence chez les jeunes,* Montréal : Comité permanent de lutte à la toxicomanie.

Cromwell, P. F., Olson, J. N., Avary, D. W. et Marks, A. (1991), « How Drugs Affect Decisions by Burglars », *International Journal of Offender Therapy and Comparative Criminology,* vol. 35, n° 4, p. 310-321.

Cross, J. C., Johnson, B. D., Davis, W. R. et Liberty, H. J. (2001), « Supporting the Abit : Income Generation Activities of Frequent Crack Users Compared with Frequent Users of Other Hard Drugs », *Drug et Alcohol Dependence,* vol. 64, n° 2, p. 191-201.

Cuffel, B. J. (1996), « Comorbid Substance Use Disorder : Prevalence, Patterns of Use, and Course », dans Drake, R. E. et Mueser, K. T. (dir.), *Dual Diagnosis of Major Mental Illness and Substance Disorder : Recent Research and Clinical Implications,* San Francisco : Jossey-Bass, p. 93-105.

Curran, G. M., White, H. R. et Hansell, S. (2000), « Personality, Environment and Problem Drug Use », *Journal of Drug Issues*, vol. 30, n° 2, p. 375-405.

Cusson, M. (1981), *Délinquant et pourquoi ?*, Montréal/Paris : Hurtubise HMH/Armand Colin, p. 275.

Cusson, M. (2005), *La délinquance, une vie choisie : entre plaisir et crime*, Montréal : Hurtubise HMH.

Da Agra, C. (1986), *Sciences, maladie mentale et dispositif de l'enfance. Du paradigme biologique au paradigme systémique*, Lisbonne : Instituto Nacional de Investigação Cientifica.

Da Agra, C. (1991), *Sujet autopoiétique et toxicodépendance*, Montréal : École de criminologie, Université de Montréal.

Da Agra, C. (1999), « Drogue et Crime : L'expérience Portugaise », *Toxicodependencias*, vol. 5, p. 25-34.

Dawkins, M. P. (1997), « Drug Use and Violent Crime Among Adolescents », *Adolescence*, vol. 32, n° 126, p. 395-405.

De Choiseul Praslin, C. H. (1991), *La drogue, une économie dynamisée par la répression*, Paris : Presses du CNRS.

De Leon, G., Melnick, G., Thomas, G., Kressel, D. et Wexler, H. K. (2000), « Motivation for Treatment in a Prison-Based Therapeutic Community », *American Journal of Drug and Alcohol Abuse*, vol. 26, n° 1, p. 33-46.

De Li, S., Priu, H. D. et MacKenzie, D. L. (2000), « Drug Involvement, Lifestyles, and Criminal Activities Among Probationers », *Journal of Drug Issues*, vol. 30, n° 3, p. 593-619.

Decorte, T. (2000), *The Taming of Cocaine : Cocaine Use in European and American Cities*, Amsterdam : VUB University Press.

Decorte, T. (2002), « Mécanismes d'autorégulation chez les consommateurs de drogues illégales études ethnographiques sur des consommateurs de cocaïne et de crack à Anvers (Belgique) », dans Faugeron, C. et Kokoreff, M. (dir.), *Société et drogues : enjeux et limites*, Paris : Éditions Érès.

Deitch, D., Koutsenok, I. et Ruiz, A. (2000), « The Relationship Between Crime and Drugs : What We Have Learned in Recent Decades », *Journal of Psychoactive Drugs*, vol. 32, n° 4, p. 391-397.

DeLeon, G., Melnick, G., Kressel, D. et Jainchill, N. (1994), « Circumstance, Motivation, Readiness and Suitability (The CMRS Scales) : Predicting Retention in Therapeutic Community Treatment », *The American Journal of Drug and Alcohol Abuse*, vol. 20, p. 495-515.

Dembo, R., Williams, L., Fagan, J. et Schmeider, J. (1994), « Development and Assessment of a Classification of High Risk Youths, *Journal of Drug Issues* », vol. 24, p. 25-53.

Dembo, R., Williams, L. et Schmeidler, J. (1992), « Drug Abuse Among Juvenile Detainees », *The Annals of the American Academy*, vol. 521, p. 28-41.

Denton, B. (2001), « Women on the Hustle », dans Denton, B. (dir.), *Dealing Women in the Drug Economy*, Sydney, Australia : UNSW Press, p. 112-132.

Denton, B. et O'Malley, P. (2001), « Property Crime and Women Drug Dealers in Australia », *Journal of Drug Issues*, vol. 31, n° 2, p. 465-486.

Derivois, D. (2004), *Psychodynamique du lien drogue-crime à l'adolescence : Répétition et symbolisation*, Paris : L'Harmattan, p. 220.

Desjardins, N. et Hotton, T. (2004), « Tendances des infractions relatives aux drogues et rôle de l'alcool et des drogues dans la perpétration d'infractions », *Bulletin Juristat*, vol. 24, n° 1, p. 1-24.

DeWit, D. J., Silverman, G., Goodstadt, M. et Stoduto, G. (1995), « The Construction of Risk and Protective Factor Indices for Adolescent Alcohol and Other Drug Use », *Journal of Drug Issues*, vol. 25, n° 4, p. 837-863.

DiClemente, C. C. (1991), « Prevention and Harm Reduction for Chemical Dependency : A Process Perspective », *Clinical Psychology Review*, vol. 19, n° 4, p. 473-486.

DiClemente, C. C., Prochaska, J. O., Fairhurst, S.. Velicer, W. F., Velasquez, M. et Rossi, J. (1991), « The Process of Smoking Cessation : An Analysis of Precontemplation, Contemplation and Preparation Stages of Change », *Journal of Consulting and Clinical Psychology*, vol. 59, n° 2, p. 295-304.

Ditton, J., Farrow, K., Forsyth, A., Hammersley, R., Hunter, G., Lavelle, T., Mullen, K., Smith, I., Davies, J., Henderson, M., Morrison, V., Bain, D., Elliot, L., Fox, A., Geddes, B., Green, R., Tayloro, J., Dalgarno, P., Ferguson, I., Phillips, S. et Watt, S. (1991), « Scottish Cocaine Users : Wealthy Snorters or Delinquent Smokers ? », *Drug and Alcohol Dependence*, vol. 28, n° 3, p. 269-276.

Dobkin, P. L., Tremblay, R. E., Masse, L. C. et Vitaro, F. (1995), « Individual and Peer Characteristics in Predicting Boy's Early Onset of Substance Abuse : A 7-Year Longitudinal Study », *Child Development*, vol. 66, n° 5, p. 1198-1214.

Donovan, J. E., Jessor, R. et Costa, F. M. (1999), « Adolescent Problem Drinking Stability of Psychosocial and Behavioral Correlates Across a Generation », *Journal of Studies on Alcohol*, vol. 60, p. 480-490.

Donovan, J. E. et Jessor, R. (1985), « Structure of Problem Behavior in Adolescence and Young Adulthood », *Journal of Consulting and Clinical Psychology*, vol. 53, p. 890-904.

Donovan, J. M., Soldz, S., Kelly, H. F. et Penk, W. E. (1998), « Four Addictions : The MMPI and Discriminant Function Analysis », *Journal of Addictive Diseases*, vol. 17, n° 2, p. 41-55.

Dryfoos, J. G. (1990), *Adolescents at Risk*, Oxford : Oxford University Press.

Duff, C. (2005), « Party Drugs and Party People : Examining the "Normalization" of Recreational Drug Use in Melbourne, Australia », *International Journal of Drug Policy*, vol. 16, n° 3, p. 161-170.

Dufour, C. (2004), *Études sur le rôle des substances psychoactives en lien avec les manifestations de comportements violents chez les jeunes contrevenants de la région de Montréal*, Mémoire de maîtrise inédit, Montréal : Université de Montréal.

Dunlap, E. et Jonhson, B. D. (1996), « Family and Human Ressources in the Development of a Female Crack-Seller Career : Case Study of a Hidder Population », *Journal of Drug Issues*, vol. 26, n° 1, p. 175-198.

Duprez, D. et Kokoreff, M. (2000), *Les mondes de la drogue*, Paris : Odile Jacob.

Durkheim, E. (1930), *De la division du travail social*, Septième édition, Paris : Presses universitaires de France, 1960.

D'Orsonnens, L. L. (2000), « Substance Abuse and Juvenile Delinquency », *Intervention*, vol. 111, p. 81-88.

Edgar, K. et O'Donnell, I. (1998), *Mandatory Drug Testing in Prisons. The Relationship Between MDT and the Level and Nature of Drug Misuse*, 189. London, G.-B. : Home Office Research Study.

Elkins, I. J., Iacono, W. G., Doyle, A. E. et McGue, M. (1997), « Characteristics Associated with the Persistence of Antisocial Behavior – Results from Recent Longitudinal Research », *Aggression et Violent Behavior*, vol. 2, n° 2, p. 101-124.

Ellickson, P., Saner, H. et McGuigan, K. A. (1997), « Profiles of Violent Youth : Substance Use and Other Concurrent Problems », *American Journal of Public Health*, vol. 87, n° 6, p. 985-991.

Elliott, D. S., Huizinga, D. et Menard, S. (1989), *Multiple Problem Youth : Delinquency, Substance Use, and Mental Health Problems*, New York : Springer Verlag.

Epele, M. (2001), « Excess, Scarcity and Desire Among Drug-Using Sex Workers », *Body and Society*, vol. 7, n° 2-3, p. 161-179.

Erickson, P. et Cheung, Y. W. (1999), « Harm Reduction Among Cocain Users : Reflections on Individual Intervention and Community Social Capital », *International Journal of Drug Policy*, vol. 10, p. 235-246.

Erickson, P. E., Adlaf, E. M., Murray, G. F. et Smart, R. G. (1987), *The Steel Drug : Cocaine in Perspective*, Toronto : Lexington.

Erickson, P. E., Butters, J., McGillicuddy, P. et Hallgren, A. (2000), « Crack and Prostitution : Gender, Myths, and Experiences », *Journal of Drug Issues*, vol. 30, n° 4, p. 767-788.

Erickson, P. E. et Watson, V. A. (1990), « Women, Illicit Drugs, and Crime », *Research Advances in Alcohol and Drug Problems*, vol. 10, p. 251-272.

Erickson, P. E. et Weber, T. R. (1994), « Cocaine Carrers, Control and Consequences : Results From a Canadian Study », *Addiction Research*, vol. 2, n° 1, p. 37-50.

Evans, R. D., Forsyth, C. J. et Gauthier, D. K. (2002), « Gendered Pathways Into and Experiences Within Crack Cultures Outside of the Inner City », *Deviant Behavior*, vol. 23, n° 6, p. 483-510.

Fagan, J. (1990), « Intoxication and Aggression », dans Tonry, M. et Wilson, J. Q. (dir.), *Drugs and Crime*, Chicago : The University of Chicago Press, p. 241-320.

Fagan, J. (1993), « Set and Setting Revisited : Influences of Alcohol and Illicit Drugs on the Social Context of Violent Events », dans Martin, S. E. (dir.), *Alcohol and Interpretation Violence : Fostering Multidisciplinarity Perspectives*, Research n° 24, Rockville, National Institute on Alcohol Abuse and Alcoholism, p. 161-191.

Fagan, J. et Chin, K. L. (1990), « Violence as Regulation and Social Control in the Distribution of Crack », in NIDA Research Monograph Series, *Drugs and Violence: Causes, Correlates, and Consequences,* Rockville : National Institute on Drug Abuse, vol. 103, p. 8-43.

Fagan, J., Weis, J. G. et Cheng, Y. T. (1990), « Delinquency and Substance Use Among Inner-City Students », *Journal of Drug Issues,* vol. 20, n° 3, p. 351-402.

Farabee, D., Nelson, R. et Spence, R. (1993), « Psychosocial Profiles of Criminal Justice and Noncriminal Justice Referred Substance Abusers in Treatment », *Criminal Justice and Behavior,* vol. 20, n° 4, p. 336-346.

Farrington, D. P. (2003), « Developmental and Life-Course Criminology : Key Theoretical and Empirical Issues – The 2002 Sutherland Award Address », *Criminology,* vol. 41, n° 2, p. 221-255.

Fauman, B. J. et Fauman, M. A. (1982), « Phencyclidine Abuse and Crime : A Psychiatric Perspective », *Bulletin of the American Academy of Psychiatry and the Law,* vol. 10, n° 3, p. 171-176.

Faupel, C. E. (1991), *Shooting Dope : Career Pattern of Hard-Core Heroin Users,* Gainesville : University of Florida Press.

Fergusson, D. M. et Horwood, L. J. (2002), « Male and Female Offending Trajectories », *Development et Psychopathology,* vol. 14, n° 1, p. 159-177.

Fergusson, D. M., Horwood, L. J. et Nagin, D. S. (2000), « Offending Trajectories in a New-Zealand Birth Cohort », *Criminology,* vol. 38, n° 2, p. 525-551.

Finch, E. et Munro, V. E. (2005), « Juror Stereotypes and Blame Attribution in Rape Cases Involving Intoxicants », *The British Journal of Criminology,* vol. 45, n° 6, p. 25-38.

Fischer, B., Medved, W., Kirst, M., Rehm, J. et Gliksman, L. (2001), « Illicit Opiates and Crime : Results of an Untreated User Cohort Study in Toronto », *Canadian Journal of Criminology,* vol. 43, n° 2, p. 197-217.

Fisher, B. (2003), « Doing Good with a Vengeance : A Critical Assessment of the Practices. Effects and Implications of Drug Treatment Courts in North America », *Criminal Justice,* vol. 3, n° 3, p. 227-248.

Forcier, M. W. (1991), « Substance Abuse, Crime and Prison Based Treatment : Problems and Prospects », *Sociological Practice Review,* vol. 2, n° 2, p. 123-131.

Foster, J. (2000), « Social Exclusion, Crime and Drugs », *Drugs : Education Prevention et Policy,* vol. 7, n° 4, p. 317-330.

Friedman, A. S. et Glassman, K. (2000), « Family Risk Factors Versus Peer Risk Factors for Drug Abuse – A Longitudinal Study of an African American Urban Community Sample », *Journal of Substance Abuse Treatment,* vol. 18, n° 3, p. 267-275.

Friedman, A. S., Terras, A. et Glassman, K. (2003), « The Differential Disinhibition Effect of Marijuana Use on Violent Behavior : A Comparison of this Effect on a Conventional, Non-Delinquent Group Versus a Delinquent or Deviant Group », *Journal of Addictive Diseases,* vol. 22, n° 3, p. 63-78.

Fréchette, M. et Le Blanc, M. (1987), *Délinquances et délinquants*, Chicoutimi : Éditions Gaëtan Morin.

Fulwiler, C., Grossman, H., Forbes, C. et Ruthazer, R. (1997), « Early-Onset Substance Abuse and Community Violence by Outpatients with Chronic Mental Illness », *Psychiatric Services*, vol. 48, n° 9, p. 1181-1185.

Gendreau, P. et Ross, R. (1987), « Revivification of Rehabilitation : Evidence of the 1980 », *Justice Quaterly*, vol. 4, n° 3, p. 349-408.

Germain, M., Brochu, S., Bergeron, J., Landry, M. et Schneeberger, P. (1999), « Profils des toxicomanes judiciarisés en traitement dans deux centres de réadaptation publics au Québec », *Psychotropes*, vol. 7, n° 1, p. 71-90.

Gibbs, J. T. (1982), « Psychosocial Factors Related to Substance Abuse Among Delinquent Females : Implications for Prevention and Treatment », *American Journal of Orthopsychiatry*, vol. 52, n° 2, p. 261-271.

Girard, S. (1993), *Aggravation de la délinquance, des troubles de comportement et de la consommation de substances psycho actives chez les adolescents et les adolescentes ayant fait l'objet d'une ordonnance du Tribunal de Montréal, 1992-1993*, Montréal : Université de Montréal, École de criminologie.

Glauser, A. S. (1995), « Cacaine Use : Glimpses of Heaven », *Journal of Mental Counseling*, vol. 12, n° 2, p. 230-237.

Goldkamp, J. S. (2000), *What we Know About the Impact of Drug Courts : Moving Research From "Do they Work ?" to "When and How they Work ?". Testimony Before the Senate Judiciary Subcommittee on Youth Violence*, Philadelphia : Crime and Justice Research Institute.

Goldkamp, J. S., White, M. D. et Robinson, J. B. (2001), « Do Drug Courts Work ? Getting Inside the Drug Court Black Box », *Journal of Drug Issues*, vol. 31, n° 1, p. 27-72.

Goldstein, P. J. (1979), *Prostitution and Drugs*, Toronto : Lexington.

Goldstein, P. J. (1985), « The Drugs/Violence Nexus : A Tripartite Conceptual Framework », *Journal of Drug Issues*, vol. 15, n° 4, p. 493-506.

Goldstein, J. (1987), « Impact of Drug-Related Violence », *Public Health Reports*, vol. 102, n° 6, p. 625-627.

Goldstein, A. P. (1992), « Interpersonal Skills Training Interventions », dans Goldstein, A. P. et Huff, A. P. (dir.), *The Gang Intervention Handbook*, Champaign : Research Press, p. 87-157.

Goldstein, A. P. (1998), *Drug Abuse and Violence*, Washington : United States Sentencing Commission.

Goldstein, P. J., Brownstein, H. et Ryan, P. J. (1992), « Drug-Related Homicide in New York : 1984 and 1988 », *Crime and Delinquency*, vol. 38, n° 4, p. 459-476.

Golub, A. et Johnson, B. D. (2001), *The Rise of Marijuana as the Drug of Choice Among Youthful Adult Arrestees*, Washington : National Institute of Justice.

Goode, E. (1999), « Drugs, Crime and Violence », dans Goode, E. (dir.), *Drugs in American Society*, 5e édition, Blacklick, OH : McGraw-Hill College, p. 144-172.

Gossop, M., Marsden, J. et Stewart, D. (2000), « Drug Selling Among Drug Misusers Before Intake to Treatment and at 1-Year Follow-up : Results From the National Treatment Outcome Research Study (NTORS) », *Drug et Alcohol Review*, vol. 19, n° 2, p. 143-151.

Gossop, M., Marsden, J., Stewart, D. et Kidd, T. (2003), « The National Treatment Outcome Research Study (NTORS) : 4-5 Year Follow-Up Results », *Addiction*, vol. 98, p. 291-303.

Gottfrdir.on, M. R. et Hirshi, T. (1990), *A General Theory of Crime*, Stanford : Stanford University Press.

Grapendaal, M., Leuw, E. et Nelen, H. (1995), *A World of Opportunities. Lifestyle and Economic Behavior of Heroin Addicts in Amsterdam*, New York : State University of New York Press.

Grapendaal, M., Leuw, E. et Nelen, J. M. (1991), *De economie van het drugsbestaan*, La Haye : Gouda Quint bv.

Greenberg, S. W. (1976), « The Relationship Between Crime and Amphetamine Abuse : An Empirical Review of the Literature », *Contemporary Drug Problems*, vol. 5, n° 2, p. 101-129.

Guyon, L. et Harris, R. (1998), *Substance Use Among Female Inmates*, Texas : Department of Criminal Justice.

Haapasalo, J. et Tremblay, R. E. (1994), « Physically Aggressive Boys From Ages 6 to 12 : Family Background Parenting Behavior, and Prediction of Delinquency », *Journal of Consulting and Clinical Psychology*, vol. 62, p. 1044-1052.

Hammersley, R. et Ditton, J. (1994), « Cocaine Careers in a Sample of Scottish Users », *Addiction Research*, vol. 2, n° 1, p. 51-69.

Hammersley, R., Forsyth, A. et Lavelle T. (1990), « The Criminality of New Drug Users in Glasgow », *British Journal of Addiction*, vol. 85, n° 12, p. 1583-1594.

Hammersley, R., Marsland, L. et Reid, M. (2003), *Substance Use by Young Offenders : The Impact of the Normalisation of Drug Use in the Early Years of the 21st Century*, London, G.-B. : Home Office Research Study.

Harrison, L. D. (1994), « Cocaine Using Careers in Perspective », *Addiction Research*, vol. 2, n° 1, p. 1-20.

Harrison, L. D. et Erickson, P. G., Adlaf, E. et Freeman, C. (2002), « The Drug Violence Nexus Among American and Canadian Youth, *Substance Use and Misuse*, vol. 36, n° 14, p. 2065-2086.

Harrison, L. et Gfroerer, J. (1992), « The Intersection of Drug Use and Criminal Behavior : Results From the National Household Survey on Drug Abuse », *Crime and Delinquency*, vol. 38, n° 4, p. 422-443.

Hawkins, J. D., Catalano, R. F. et Miller, J. Y. (1992), « Risk and Protective Factors for Alcohol and Other Drug Problems in Adolescence and Early Adulthood : Implication for Substance Abuse Prevention » *Psychological Bulletin*, vol. 112, n° 1, p. 64-105.

Henderson, D. (1998), « Drug Abuse and Incarcerated Women », *Journal of Substance Abuse Treatment*, vol. 15, p. 579-587.

Henderson, M., Galen, L. et Deluca, J. (1998), « Temperament Style and Substance Abuse Characteristics », *Substance Abuse*, vol. 19, n° 2, p. 61-70.

Hernandez-Avila, C. A., Burleson, J. A., Poling, J., Tennen, H., Rounsaville, B. J. et Kranzler, H. R. (2000), « Personality and Substance Use Disorders as Predictors of Criminality », *Comprehensive Psychiatry*, vol. 41, p. 276-283.

Hirschel, J. D. et Keny, J. R. (1990), « Outpatient Treatment for Substance-Abusing Offenders », *Journal of Offender Counseling, Services et Rehabilitation*, vol. 15, n° 1, p. 111-130.

Hirshi, T. et Gottfredson, M. R. (1983), « Age and the Explanation of Crime », *American Journal of Sociology*, vol. 89, p. 552-584.

Hoaken, P. N. S. et Stewart, S. H. (2003), « Drugs of Abuse and the Elicitation of Human Aggressive Behavior », *Addictive Behaviors*, vol. 28, n° 9, p. 1533-1554.

Hotton, T. et Haans, D. (2003), « Alcohol and Drug Use in Early Adolescence », *Health Reports*, vol. 15, n° 3, p. 9-19.

Hough, M. (2001), « Balancing Public Health and Criminal Justice Interventions », *International Journal of Drug Policy*, vol. 12, p. 429-433.

Hser, Y. I., Anglin, M. D. et Chou, C. P. (1992), « Narcotics Use and Crime Among Addicted Women : Longitudinal Patterns and Effects of Social Interventions », dans Mieczkowski, T. (dir.), *Drugs, Crime, and Social Policy : Research, Issues, and Concerns*, Florida : Allyn and Bacon, p. 197-221.

Hser, Y. I., Anglin, M. D., Grella, C., Longshore, D. et Prendergast, L. (1997), « Drug Treatment Carrers : A Conceptual Framework and Existing Research Findings », *Journal of Substance Abuse Treatment*, vol. 14, n° 6, p. 543-558.

Hser, Y. I., Chou, C. P. et Anglin, M. D. (1990), « The Criminality of Female Narcotics Addicts : A Causal Modeling Approach », *Journal of Quantitative Criminology*, vol. 6, n° 2, p. 207-228.

Hunt, D. E. (1990), « Drugs and Consensual Crimes : Drug Dealing and Prostitution », dans Tonry, M. et Wilson, J. Q. (dir.), *Drugs and Crime*, Chicago : The University of Chicago Press, p. 159-202.

Hunt, D. (1991), « Stealing and Dealing : Cocaine and Property Crimes », dans NIDA Research Monograph Series (dir.), *The Epidemiology of Cocaine Use and Abuse*, 110, Rockville : National Institute on Drug Abuse, p. 139-150.

Hussey, D. et Singer, M. (1993), « Behavioral Problems and Family Functioning in Sexuality Abused Adolescent Inpatient », *Journal of the Academy of Child and Adolescent Psychiatry*, vol. 32, n° 5, p. 954-961.

Inciardi, J. A. (1996), *Residential Therapeutic Communities in Correctional Settings*, Delaware : University of Delaware.

Inciardi, J. A., Martin, S. S., Butzin, C. A., Hooper, R. M. et Harrison, L. D. (1997), « An Effective Model of Prison-Based Treatment for Drug-Involved Offenders », *Journal of Drug Issues*, vol. 27, n° 2, p. 261-278.

Inciardi, J. A. et Pottieger, A. E. (1986), « Drug Use and Crime Among Two Cohorts of Women Narcotics Users : An Empirical Assessment », *Journal of Drug Issues*, vol. 16, n° 1, p. 91-106.

Innes, C. A. (1988), *State Prison Survey, 1986 : Drug Use and Crime*, Washington : Bureau of Justice Statistics.

Jacobs, B. A. et Miller, J. (1998) « Crack Dealing, Gender and Arrest Avoidance », *Social Problems*, vol. 45, n° 4, p. 549-569.

Jacobs, B. A., Topalli, V. et Wright, R. (2000), « Managing Retaliation : Drug Robbery and Informal Sanction Threats », *Criminology*, vol. 38, n° 1, p. 171-197.

James, D. et Sawka, E. (2002), « Drug Treatment Courts : Substance Abuse Intervention Within the Justice System », *Canadian Journal of Policy Research*, vol. 3, n° 1, p. 127-134.

James, D. et Sawka, E. (1999), *A Briefing Report Prepared for the CCSA National Working Group on Addictions Policy*, Alberta : Alberta Alcohol and Drug Abuse Commission.

Jean, J. P. (1997), « L'usage de drogue en prison. Entre logique de contrôle et logique sanitaire », *Psychotropes*, vol. 3, n° 4, p. 93-106.

Jenson, J. M. et Howard, M. O. (1999), « Hallucinogen Use Among Juvenile Probationers : Prevalence and Characteristics », *Criminal Justice and Behavior*, vol. 26, n° 3, p. 357-372.

Jobard, F. et Fillieul, O. (1999), « Conditions et effets du changement de paradigme dans la lutte contre la délinquance associée à la drogue en Europe », *Revue française de sciences politiques*, vol. 49, n° 6, p. 805-835.

Johnson, B. D., Dunlap, E. et Maher, L. (1998), « Nurturing for Careers in Drug Use and Crime : Conduct Norms for Children and Juveniles in Crack Using Households », *Substance Use and Misuse*, vol. 33, n° 7, p. 1511-1546.

Johnson, B. D., Goldstein, P. J., Preble, E., Schmiedler, J., Lipton, D. S., Spunt, B. et Miller, T. (1985), *Taking Care of Business : The Economics of Crime by Heroin Abusers*, Toronto : Lexington.

Johnson, B. D., Golub, A. et Fagan, J. (1995), « Careers in Crack, Drug Use, Drug Distribution and Nondrug Criminality », *Crime and Delinquency*, vol. 41, n° 3, p. 275-295.

Johnson, B. D., Kaplan, M. A. et Schmeidler, J. (1990), « Days with Drug Distribution : Which Drugs ? How Many Transaction ? », dans Weisheit, R. A. (dir.), *Drugs, Crime and the Criminal Justice System*, Cincinati : Anderson Publishing, p. 193-214.

Jolin, A. et Stipak, B. (1992), « Drug Treatment and Electronically Monitored Home Confinement : An Evaluation of a Community-Based Sentencing Option », *Crime and Delinquency*, vol. 38, n° 2, p. 158-170.

Junger-Tas, J., Haen-Marshall, I. et Ribeaud, D. (2001), *Delinquency in an International Perspective. The International Self-Reported Delinquency Study (ISRD)*, Hargue : Kugler Publications.

Kandel, D. B., Simcha-Fagan, O. et Davies, M. (1986), « Risk Factors for Delinquency and Illicit Drug Use from Adolescence to Young Adulthood », *Journal of Drug Issues*, vol. 16, n° 1, p. 67-90.

Kaplan, H. B. (1995), « Contemporary Themes and Emerging Directions in Longitudinal Research on Deviant Behavior », dans Kaplan, H. B. (dir.), *Drugs, Crime, and Other Deviant Adaptations Longitudinal Studies*, New York : Plenum Press, p. 233-241.

Keene, J. (1997a), « Drug Use among Prisoners Before, During and After Prison », *Addiction Research*, vol. 4, n° 4, p. 343-353.

Keene, J. (1997b), « Drug Use in Prison : Views from Inside », *The Howard Journal of Criminal Justice*, vol. 31, n° 1, p. 27-41.

Kerber, L. et Harris, R. (1998), *Substance Use Among Female Inmates Texas Department of Criminal Justice – Institutional Division : 1998*, Texas : Commission on Alcohol and Drug Abuse.

Killias, M. et Rabasa, J. (1996), « La "morale" de la nouvelle politique suisse en matière de drogue », *Revue internationale de criminologie et de police technique*, vol. 49, n° 3, p. 312-320.

Kilpatrick, D. G., Acierno, R., Resnick, H. S., Saunders, B. E. et Best, C. L. (1997), « A 2-Year Longitudinal Analysis of the Relationship Between Violent Assault and Substance Use in Women », *Journal of Consulting and Clinical Psychology*, vol. 65, n° 5, p. 834-847.

Kingery, P. M., Pruitt, B. E. et Hurley, R. S. (1992), « Violence and Illegal Drug Use Among Adolescents : Evidence From the U. S. National Adolescent Student Health Survey », *International Journal of the Addictions*, vol. 27, n° 12, p. 1445-1464.

Kinlock, T. W., O'Grady, K. E. et Hanlon, T. E. (2003), « Prediction of the Criminal Activity of Incarcerated Drug-Abusing Offenders », *Journal of Drug Issues*, vol. 33, n° 4, p. 897-920.

Kokoreff, M. et Faugeron, C. (2002), *Société et drogues : enjeux et limites*. Paris : Éditions Érès.

Kolb, L. (1925), « Drug Addiction and Its Relation to Crime », *Mental Hygiene*, vol. 9, p. 74-89.

Korf, D. J., Nabben, T., Diemel, S. et Bouma, H. (2000), *Antenna 1999. Trends in Alcohol, Tabacco, Drugs and Gambling Among Amsterdam Youth*, Amsterdam : Thela Thesis.

Kosterman, R., Hawkins, J. D., Guo, J., Catalano, R. F. et Abbott, R. D. (2000), « The Dynamics of Alcohol and Marijuana Initiation : Patterns and Predictors of First Use in Adolescence », *American Journal of Public Health*, vol. 90, n° 3, p. 360-366.

Krueger, R. F., Caspi, A., Moffitt, T. E., Silva, P. A. et McGee, R. (1996), « Personality Traits are Differentially Linked to Mental Disorders : A Multitrait-Multidiagnosis Study of an Adolescent Birth Cohort », *Journal of Abnormal Psychology*, vol. 105, n° 3, p. 299-312.

Labrousse, A. (2002), *Dictionnaire géopolitique des drogues. La drogue dans 134 pays : productions, trafics, conflits, usages*. Bruxelles : Éditions De Boeck.

Lameyre, X. (2002), « Penser les soins pénalement obligés. Un impératif éthique », dans Tournier, P. V. et coll., *Les soins obligés ou l'utopie de la triple entente*, Paris : Dalloz.

Lanctôt, N., Bernard, M. et Le Blanc, M. (2002), « Le début de l'adolescence : une période critique pour l'éclosion des conduites déviantes des adolescents », *Criminologie*, vol. 35, n° 1, p. 69-88.

Lanctôt, N. et Le Blanc, M. (2000), « Les trajectoires marginales des adolescents en difficulté : Continuité et changement », *Revue internationale de criminologie et de police technique*, vol. 53, n° 1, p. 46-68.

Lauzon, P. (1990), *Les services aux personnes détenues*. Montréal : Centre de recherche et aide aux narcomanes.

Lavine, R. (1997), « The Psychopharmacological Treatment of Aggression and Violence in the Substance Using Population », *Journal of Psychoactive Drugs*, vol. 29, n° 4, p. 321-329.

Lebeau A. M., Miller L. M. et Levine, B. (2001), « Effect of Storage Temperature on Endogenus GHB Levels in Urine », *Forensic Science International*, vol. 119, n° 2, p. 161-167.

Le Blanc, M. et Girard, S. (1998), « Psychotropes et délinquance : séquences développementales et enchâssement », *Psychotropes*, vol. 4, p. 69-91.

Le Blanc, M. et Loeber, R. (1998), « Developmental Criminology Update », dans Tonry, M. (dir.), *Crime and Justice Handbook*, 23, Chicago : University of Chicago Press, p. 115-198.

LeBalnc, M. et Tremblay, R. (1987), « Drogues illicites et activités délictueuses chez les adolescents de Montréal : épidémiologie et esquisse d'une politique sociale », *Revue psychotropes*, vol. 3, n° 3.

Lecavalier, M. (1992), *L'abus de drogues licites et de cocaïne chez les femmes en traitement : Les différences et similitudes dans les stratégies d'approvisionnement et dans les conséquences qui s'y rattachent ainsi que dans les antécédents personnels*, Thèse de doctorat inédite, Montréal : Université de Montréal.

Lemire, G. (1990), *Anatomie de la prison*, Montréal : Presses de l'Université de Montréal.

Léonard, L. et Ben Amar, M. (2000), « Classification, caractéristiques et effets généraux des substances psychotropes », dans Brisson, P. (dir.), *L'usage des drogues et la toxicomanie*, Montréal : Éditions Gaëtan Morin, vol. III, p. 121-174.

Lévesque, M. (1994), « La criminalité et la consommation de drogues : une double problématique », dans Brisson, P. (dir.), *L'usage des drogues et la toxicomanie*, Boucherville : Éditions Gaëtan Morin, vol. II, p. 255-271.

Limburg, V. (1990), « La criminalité liée à la drogue et organisée au niveau international : Une étude du Bureau fédéral des affaires criminelles », *Bulletin liaison CNDT*, n° 16, p. 66-78.

Lipton, D. S. (1995), *The Effectiveness of Treatment for Drug Abusers Under Criminal Justice Supervision*, Washington : National Institute of Justice.

Lo, C. C. (2000), « Timing of Drinking Initiation : A Trend Study Predicting Drug Use Among High School Seniors », *Journal of Drug Issues*, vol. 30, n° 3, p. 525-554.

Loeber, R. et Farrington, D. P. (1998), « Never Too Early, Never Too Late : Risk Factors and Successful Interventions for Serious and Violent Juvenile Offenders », *Studies on Crime and Crime Prevention*, vol. 7, n° 1, p. 7-30.

Loeber, R., Farrington, D. P., Southamer-Loeber, M., Moffitt, T. E. et Caspi, A. (1998), « The Development of Male Offending : Key Findings From the First Decade of the Pittsburg Youth Study », *Studies on Crime and Crime Prevention*, vol. 7, n° 2, p. 141-171.

Logan, T. K. et Leukefeld, C. (2000), « Sexual and Drug Use Behaviors Among Female Crack Users : A Multi-Site Sample », *Drug and Alcohol Dependence*, vol. 58, n° 3, p. 237-245.

Lorch, B. D. et Chien, C. Y. (1988), « An Exploration of Race and its Relationship to Youth Substance Use and Other Delinquent Activities », *Sociological Viewpoints*, vol. 4, n° 2, p. 86-110.

Lynam, D. R., Leukefeld, C. et Clayton, R. R. (2003), « The Contribution of Personality to the Overlap Between Antisocial Behavior and Substance Use/Misuse », *Aggressive Behavior*, vol. 29, n° 4, p. 316-331.

MacCoun, R. et Reuter, P. (1992), « Are the Wages of Sin $30 an Hour ? Economic Aspects of Street-Level Drug Dealing », *Crime and Délinquency*, vol. 38, n° 4, p. 477-491.

Maher, L., Dixon, D., Hall, W. et Lynskey, M. (2002), « Property Crime and Income Generation by Heroin Users », *Australian and New Zealand Journal of Criminology*, vol. 35, n° 2, p. 187-202.

Makkaï, T. et Payne J. (2003), *Drugs and Crime : A Study of Incarcerated Male Offenders*, Canberra : Australian Institute of Criminology.

Marsch, L. A. (1998), « The Efficacy of Methadone Maintenance Interventions in Reducing Illicite Opiate Use HIV Risk Behavior and Criminality – A Meta-Analysis », *Addiction*, vol. 93, p. 515-532.

Marsh, E. (2002), *La trajectoire des femmes contrevenantes consommatrices régulières de cocaïne*, Thèse de doctorat inédite, Montréal : Université de Montréal.

Martinson, R. M. (1974), « What works ? Questions and Answers about Prison Reform », *The Public Interest*, vol. 35, p. 22-54.

Massey, R. (2001), « The "Drug War" in Colombia : Echoes of Vietnam », *Journal of Public Health Policy*, vol. 22, n° 3, p. 280-285.

Maxwell, S. R. et Maxwell, C. D. (2000), « Examining the "Criminal Careers" of Prostitutes Within the Nexus of Drug Use, Drug Selling and Other Illicit Activities », *Criminology*, vol. 38, n° 3, p. 787-809.

McCord, J. (1995), « Relationship between Alcohol and Crime Over the Life Course », dans Kaplan, H. B. (dir.), *Drugs, Crime and Other Deviant Adaptations, Longitudinal Studies*, New York : Plenum Press, p. 129-141.

McVie, F. (2001), « L'alcool et la drogue dans le système correctionnel fédéral : les problèmes et les défis », *Forum de recherche sur l'actualité correctionnelle*, vol. 13, n° 3, p. 7-8.

Menard, S. et Mihalic, S. (2001), « The Tripartite Conceptual Framework in Adolescence and Adulthood : Evidence From a National Sample », *Journal of Drug Issues*, vol. 31, n° 4, p. 905-939.

Menard, S., Mihalic, S. et Huizinga, D. (2001), « Drugs and Crime Revisited », *Justice Quarterly*, vol. 18, n° 2, p. 269-295.

Mercer, G. W. et Jeffrey, W. K. (1995), « Alcohol, Drugs and Impairment in Fatal Traffic Accidents in British Columbia », *Accident Analysis and Prevention*, vol. 27, n° 3, p. 335-343.

Mercier, C. et Alarie, S. (2002), « Pathways Out of Deviance. Implications for Programs Evaluation », dans Brochu, S., Da Agra, C. et Cousineau, M.-M. (dir.), *Drug and Crime Deviant Pathways*, London, G.-B. : Ashgate, p. 229-239.

Mercier, C. et Beaucage, B. (1997), *Toxicomanie et problèmes sévères de santé mentale : Recension des écrits et état de la situation pour le Québec*, Montréal : Comité permanent de lutte à la toxicomanie.

Miller, J. D. et Lynam, D. (2001), « Structural Models of Personality and their Relation to Antisocial Behavior : A Meta-Analytic Review », *Criminology*, vol. 39, n° 4, p. 765-798.

Miller, N. S. (1991), *The Pharmacology of Alcohol and Drug of Abuse and Addiction*, New York : Springer-Varlag.

Miller, N. S., Gold M. S. et Mahler J. C. (1991), « Violent Behaviors Associated with Cocaine Use : Possible Pharmacological Mechanisms », *The International Journal of the Addictions*, vol. 6, n° 10, p. 1077-1088.

Milner, L., Mouzos, J. et Makkai, T. (2004), *Drug Use Monitoring in Australia : 2003 Annual Report on Drug Use Among Police Detainees*, Canberra : Australian Institute of Criminology.

Miron A. J. (2001), « Violence, Guns, and Drugs : A Cross-Country Analysis », *Journal of Law and Economy*, vol. 44, p. 615-633.

Moeller, F. G., Dougherty, D. M., Barratt, E. S., Oderinde, V., Mathias, C. W., Harper, R. A. et Swann, A. C. (2002), « Increased Impulsivity in Cocaine Dependent Subjects Independent of Antisocial Personality Disorder and Aggression », *Drug and Alcohol Dependence*, vol. 68, p. 105-111.

Moffitt, T. E., Caspi, A., Harrington, H. et Milne, J. (2002), « Males on the Life-Course-Persistent and Adolescence-Limited Antisocial Pathways : Follow-Up at Age 26 Years », *Development and Psychopathology*, vol. 14, p. 179-207.

Monceau, M., Jaeger, M., Gravier, B. et Chevry, P. (1996), « La consommation des tranquillisants et des hypnotiques en prison : logiques à l'oeuvre et enjeux », dans Faugeron, C., Chauvenet, A. et Combessie, P. (dir.), *Approches de la prison*, Montréal : Les Presses de l'Université de Montréal, p. 153-176.

Montiuk, L. L. et Vuong, B. (2001), « Profiling the Drug Offender Population in Canadian Federal Corrections », *Forum on Correction Research*, vol. 13, n° 3.

Moore, M. M. (1990), « Supply Reduction and Drug Law Enforcement », dans Tony, M.et Wilson, J. Q. (dir.), *Drugs and Crime*, Chicago : The University of Chicago Press, p. 109-158.

Morentin, B., Callado, L. F. et Meana, J. J. (1998), « Differences in Criminal Activity Between Heroin Abusers and Subjects Without Psychiatric Disorders – Analysis of 578 Detainees in Bilbao, Spain », *Journal of Forensic Sciences*, vol. 43, n° 5, p. 993-999.

Morgan, P. et Joe, K. A. (1996), « Citizens and Outlaws – The Private Lives and Public Lifestyles of Women in the Illicit Drug Economy », *Journal of Drug Issues*, vol. 26, n° 1, p. 125-142.

Mugford, S. K. (1994), « Studies in the Natural History of Cocaine Use – Theorical Afterword », *Addiction Research*, vol. 2, n° 1, p. 127-133.

Mullings, J. L., Marquart, J. W. et Diamond, P. M. (2001), « Cumulative Continuity and Injection Drug Use Among Women : A Test of the Downward Spiral Framework », *Deviant Behavior*, vol. 22, n° 3, p. 211-238.

Mumola, C. J. (1999), *Substance Abuse and Treatment, State and Federal Prisoner, 1997*, Washington : Bureau of Justice Statistics.

Muntaner, C., Walter, D., Nagoshi, C., Fishbein, D., Haertzen, C. A. et Jaffe, J. H. (1990), « Self-Report vs. Laboratory Measures of Aggression as Predictors of Substance Abuse », *Drug and Alcohol Dependence*, vol. 25, n° 1, p. 1-11.

Nadeau, L., Acier, D. et Miranda, D. (2005), *Personnalité : théorie et recherche*, St-Laurent : Éditions de Renouveau Pédagogique.

Nadelmann, E. A. (1992), « Régimes globaux de prohibition et trafic international de drogue », *Revue Tiers Monde*, vol. 33, n° 131, p. 538-552.

Nagin, D. et Tremblay, R. (1999), « Trajectoires of Boys' Physical Agression, Opposition, and Hyperactivity on the Path to Physically Violent and Non-Violent Juvenile Delinquency », *Child Development*, vol. 70, n° 2, p. 1181-1196.

National Institute of Justice (1996), *Boot Camp Research and Evaluation for Fiscal Year 1996*, Washington : National Institute of Justice.

Negrusz, A. et Gaensslen, R. E. (2003), « Analytical Developments in Toxicological Investigation of Drug-Facilitated Sexual Assault », *Analytical Bioanalytical Chemistry*, vol. 376, n° 8, p. 1192-1197.

Newcomb, M. D. (1997), « Psychosocial Predictors and Consequences of Drug Use – A Developmental Perspective Within a Prospective Study », *Journal of Addictive Diseases*, vol. 16, n° 1, p. 51-89.

Normand, N. et Brochu, S. (1993), *Adolescents, psychotropes, activité criminelle, contexte environnemental*, Montréal : Centre international de criminologie comparée.

Nurco, D. N., Hanlon, T. E. et Kinlock, T. W. (1991), « Recent Research on the Relationship Between Illicit Drug Use and Crime », *Behavioral Sciences and the Law*, n° 9, p. 221-242.

O'Connell, T., Kaye, L. et Plosay, J. J. (2000), « Gamma-Hydroxybutyrate (GHB) : A Newer Drug of Abuse », *American Family Physician*, vol. 62, n° 11, p. 2478-2483.

Observatoire européen des drogues et des toxicomanies (OEDT) (2001), *Rapport annuel sur l'État du phénomène de la drogue dans l'Union européenne et en Norvège,* Lisbone : OEDT.

Observatoire européen des drogues et des toxicomanies (OEDT) (2002), *Rapport annuel sur l'État du phénomène de la drogue dans l'Union européenne et en Norvège,* Lisbone : OEDT.

Observatoire européen des drogues et des toxicomanies (OEDT) (2004), *Rapport annuel sur l'État du phénomène de la drogue dans l'Union européenne et en Norvège,* Lisbone : OEDT.

Observatoire géopolitique des drogues (1993), *La drogue nouveau désordre mondial,* Paris : Hachette-Pluriel, p. 203-207.

Office of the Auditor General of Canada (2001), « Illicit Drugs The Federal Governent's Role. 2001 Report of the Auditor General of Canada », <http://www.oag-bvg.gc.ca/domino/reports.nsf/html/0111ce.html/$file/0111ce.pdf>.

Ouimet, M. et Le Blanc, M. (1993), « Événement de vie et continuation de la carrière criminelle durant la jeunesse », *Revue internationale de criminologie et police technique,* vol. 46, p. 321-344.

Paquin, P. (2000), « La violence, une drogue qui fait mal à tout le monde », *L'Intervenant,* vol. 16, n° 3, p. 41-44.

Parent, D. G. (2003), *Coorectional Boot Camps : Lessons From a Deade of Research,* Rockville : National Institute of Justice.

Parent, I. (2000), « Les consommateurs de cocaïne : délinquants ? Peut-être... Mais aussi victimes », *L'intervenant,* vol. 16, n° 3, p. 8-10.

Parent, I. et Brochu, S. (2002), « Drug/Crime Pathways Among Cocaine Users », dans Brochu, S., Da Agra, C. et Cousineau, M.-M. (dir.), *Drugs and Crime Deviant Pathways,* London, G.-B. : Ashgate, p. 139-153.

Parker, H., Aldridge, J. et Measham, E. (1998), *Illegal Leisure : The Normalization of Adolescent Drug Use,* London, G.-B. : Routledge.

Parker, R. N. et Auerhahn, K. (1998), « Alcohol, Drugs, and Violence », *Annual Reviews Social Science,* vol. 24, p. 291-311.

Patterson, G. R., Forgatch, M. S., Yoerger, K. I. et Stoolmiller, M. (1998), « Varaiables that Initiate and Maintain an Early-Onset, Trajectory for Juvenile Offending », *Development and Psychopathology,* vol. 10, p. 531-547.

Pearson, G. et Hobbs, D. (2001), *Middle Market Drug Distribution,* n° 227. London, G.-B. : Home Office Research Study.

Peat, B. J. et Winfree, L. T. (1992), « Reducing the Intrainstitutional Effects of "Prisonization" : A Study of a Therapeutic Community for Drug-Using Inmates », *Criminal Justice and Behavior,* vol. 19, n° 2, p. 206-225.

Pederson, W., Wichstrom, L. et Blekesaune, M. (2001), « Violent Behaviors, Violent Victimization, and Doping Agents : Normal Population Study of Adolescents », *Journal of Interpersonal Violence,* vol. 16, p. 808-832.

Peele, S. (1989), « Does Addiction Excuse Thieves and Killers From Criminal Responsability ? », dans Trebach, A. S. et Zeese, K. B. (dir.), *Drug Policy 1989-1990. A Reformer's Catalogue*, Washington : The Drug Policy Foundation, p. 201-207.

Pelissier, B. et Gaes, G. G. (2001), « Consommateurs de drogue, dépistage des drogues et traitement de la toxicomanie dans les prisons fédérales des États-Unis », *Forum de recherche sur l'actualité correctionnelle*, vol. 13, n° 3, p. 15-18.

Pernanen, K. (2001), « What is Meant by "Alcohol-Related" Consequences ? », dans Klingemanna, H. et Gmel, G. (dir.), *Mapping the Social Consequences of Alcohol Consumption*, Pays-Bas : Kluwer Academic Publishers, p. 21-31.

Pernanen, K., Cousineau, M.-M., Brochu, S. et Sun, F. (2002), *Proportions de crimes associés à l'alcool et aux autres drogues au Canada*, Ottawa : Centre canadien de lutte contre l'alcoolisme et les toxicomanies.

Peters, R. H., Strozier, A. L., Murrin, M. R. et Kearns, W. D. (1997), « Treatment of Substance-Abusing Jail Inmates : Examination of Gender Differences », *Journal of Substance Abuse Treatment*, vol. 14, p. 339-349.

Petraitis, J., Flay, B. R. et Miller, T. Q. (1995), « Reviewing Theories of Adolescent Substance Use : Organizing Pieces in the Puzzle », *Psychological Bulletin*, vol. 117, n° 1, p. 67-86.

Philpot, C. R., Harcourt, C. L. et Edwards, J. M. (1989), « Drug Use by Prostitutes in Sydney », *British Journal of Addiction*, vol. 84, p. 499-505.

Pinatel, J. (1963), *Criminologie. Tome III. Traité de droit pénal et de criminologie*, Paris : Dalloz.

Plourde, C. (2001), « La consommation de substances psychoactives dans les pénitenciers du Québec », *Forum de recherche sur l'actualité correctionnelle*, vol. 13, n° 3, p. 16-19.

Plourde, C. et Brochu, S. (2002), « Drogue et alcool durant l'incarcération : examen de la situation des pénitenciers fédéraux québécois », *Revue canadienne de criminologie*, vol. 44, n° 2, p. 209-240.

Plourde, C., Brochu, S. et Lemire, G. (2001), « Drogues et prison : faits et enjeux actuels », *Revue internationale de criminologie et de police technique et scientifique*, vol. 2, p. 197-220.

Poikolainen, K. (2002), « Antecedents of Substance Use in Adolescence », *Current Opinion in Psychiatry*, vol. 15, n° 3, p. 241-245.

Poullot, P. (2005), *Adaptation du modèle tripartite de Goldstein à la population d'individus présentant à la fois un trouble mental sévère et persistant (la schizophrénie ou le trouble bipolaire) et un trouble lié à une substance*, Projet de recherche doctorale, Montréal : Université de Montréal

Prendergast, L. M., Podus, D., Chang, E. et Urada, D. (2002), « The Effectiveness of Drug Abuse Treatment : A Meta-Analysis of Comparison Group Studies », *Drug and Alcohol Dependance*, vol. 67, p. 53-72.

Prochaska, J. O. et DiClemente, C. C. (1982), « Trans-Theorical Therapy : Toward a More Integrative Model of Cgange », *Psychotherapy : Theory, Research, and Practice*, vol. 19, p. 276-288.

Pudney, S. (2002), *The Road to Ruin ? Sequences of Initiations Into Drug Use and Offending by Young People in Britain*, 253, London, G.-B. : Home Office Research Study.

Quirion, B. (2001), « Réduction des méfaits et gestion des risques : les frontières normatives entre les différents registres de régulation de la pratique psychotrope », *Déviance et société*, vol. 26, n° 4, p. 479-495.

Rapport de la table ronde sur la prévention de la criminalité (1993), *Pour un Québec plus sécuritaire : partenaires en prévention*, Gouvernement du Québec : Ministère de la Sécurité publique.

Regier, D. A., Farmer, M. E., Rae, D. S., Locke, B. Z., Keith, S. J., Judd, L. L. et Goodwin, F. K. (1990), « Comorbidity of Mental Disorders with Alcohol and Other Drug Abuse : Results From the Epidemiologic Catchment Area (ECA) Study », *Journal of American Medical Association*, vol. 264, p. 2511-2518.

Reinarman, C., Murphy, S. et Waldorf, D. (1994), « Pharmacology is Not Destiny : The Contingent Character of Cocaine Abuse and Addiction », *Addiction Research*, vol. 2, n° 1, p. 21-36.

Resignato, A. J. (2000), « Violent Crime : A Function of Drug Use or Drug Enforcement ? », *Applied Economics*, vol. 32, n° 6, p. 681-688.

Reuter, P. (1990), « Can the Borders Be Sealed ? », dans Weisheit, R. A. (dir.), *Drugs, Crime and the Criminal Justice System*, Cincinati : Anderson Publishing, p. 13-26.

Reuter, P., MacCoun, R. et Murphy, P. (1990), *Money from Crime : A Study of the Economics of Drug Dealing in Washington, D.C*, Santa Monica : Rand.

Ribeaud, D. (2004), « Long-term Impacts of the Swiss Heroin Prescription Trials on Crime of Treated Heroin Users », *Journal of Drug Issues*, vol. 34, n° 1, p. 163-194.

Robins, L. N. et McEvoy, L. (1990), « Conduct Problems as Predictors of Substance Abuse », dans Robins, L. N. et Rutter, M. (dir.), *Straight and Devious Pathways from Childhood to Adulthood*, New York : Cambridge University Press, p. 182-204.

Robitaille, C., Guay et J.-P., Savard, C. (2002), Portrait de la clientèle correctionnelle du Québec 2001, Sécurité publique Québec.

Roth, J. A. (1994), *Psychoactive Substance and Violence*, Washington : National Institute of Justice.

Rothschild, A. J. (1992), « Disinhibition Amnestic Reactions, and Other Adverse Reaction Secondary to Triazolam : A Review of the Literature », *Journal of Clinical Psychiatry*, vol. 53, n° 12, p. 69-79.

Rotily, M. (1998), « L'usage de drogues en milieu carcéral : approche épidémiologique », *Les cahiers de la sécurité intérieure*, vol. 31, p. 195-209.

Rouillard, C. (2003), *Ecstasy et drogues de synthèse. Le point sur la question*, Montréal : Comité permanent de lutte à la toxicomanie.

Rubington, E. (1967), « Drug Addiction as a Deviant Career », *The International Journal of the Addictions*, vol. 2, n° 1, p. 3-20.

Santé Canada (2004), *Canadian Addiction Survey (CAS)*, Ottawa : Canadian Centre on Substance Abuse.

Sarnecki, J. (1989), « Rapports entre l'abus de drogue et la délinquance », dans Renaissance urbaine en Europe, *Stratégies locales pour la réduction de l'insécurité urbaine en Europe*, Strasbourg : Conseil de l'Europe, p. 327-335.

Schellenberger, M. (1996), *Statement by Research Scientist Calling for a Re-Evaluation of Drug Education Program*, <http://www.drcnet.org/DARE/researchers.html>.

Schildhaus, S., Gerstein, D., Brittingham, A., Cerbone, F. et Dugoni, B. (2000), « Services Research Outcomes Study : Overview of Drug Treatment Population and Outcomes », *Substance Use and Misuse*, vol. 35, n° 12, p. 1849-1877.

Schneeberger, P. (1999), *Portrait émergeant des consommateurs d'héroïne au Québec*, Montréal : Comité permanent de lutte à la toxicomanie.

Schneeberger, P. et Brochu, S. (2000), « Le traitement de la toxicomanie comme alternative à l'incarcération : un sentier rocailleux », *Criminologie*, vol. 33, n° 2, p. 129-149.

Schneeberger, P. et Brochu, S. (1999), « L'intervention auprès des toxicomanes judiciarisés : les intervenants et intervenantes se prononcent », *Revue canadienne de santé mentale communautaire*, vol. 18, n° 1, p. 181-197.

Schneeberger, P., Brochu, S. (1995), *Demandes et attentes des intervenants associés à la sécurité publique et à la justice : rapport n° 3*, Montréal : Centre international de criminologie comparée.

Schneeberger, P., Lauzon, P. et Brochu, S. (1996), « Le traitement avec méthadone auprès des personnes judiciarisées : la situation québécoise », *Psychotropes*, vol. 4, p. 57-72.

Seddon, T. (1996), « Drug Control in Prison », *The Howard Journal of Criminal Justice*, vol. 35, p. 327-335.

Seddon, T. (2000), « Explaining the Drug-Crime Link : Theoritical, Policy and Research Issues », *Journal of Social Policy*, vol. 29, p. 95-107.

Sher, K. J. et Trull, T. J. (1994), « Personality and Disinhibitory Psychopathology : Alcoholism and Antisocial Personality Disorder », *Journal of Abnormal Psychology*, vol. 103, n° 1, p. 92-102.

Siegal, H. A., Wang, J., Carlson, R. G., Falck, R. S., Rahman, A. M. et Fine, R. L. (1999), « Ohio's Prison-Based Therapeutic Community Treatment Programs for Substance Abusers : Preliminary Analysis of Re-Arrest Data », *Journal of Offenders Rehabilitation*, vol. 28, n° 3, p. 33-48.

Simpson, M. (2003), « The Relationship between Drug Use and Crime : A Puzzle Inside an Enigma », *International Journal of Drug Policy*, vol. 14, p. 307-319.

Singer, S. I. (1981), « Homogeneous Victim-Offender Populations : A Review and Some Research Implications », *Journal of Criminal Law and Criminology*, vol. 72, p. 79-788.

Sinha, J. (2001), *L'historique et l'évolution des principales conventions internationales de contrôle des stupéfiants*, Ottawa : Direction de la recherche parlementaire.

Sipilä, J. (1985), « Community Structure and Deviant Behavior Among Adolescents », *Youth and Society*, vol. 16, n° 4, p. 471-497.

Slaby, R. G., Barham, J. E., Eron, L. D. et Wilcox, B. L. (1994), « Policy Recommendations : Prevention and Treatment of Youth Violence », dans Eron, L. D., Gentry, J.H et Schlegel, P. (dir.), *Reason to Hope : A Psychosocial Perspective on Violence and Youth*, Washington : American Psychological Association, p. 447-456.

Smart, R. G., Mann, R. E. et Tyson, L. A. (1997), « Drugs and Violence Among Ontario Students », *Journal of Psychoactive Drugs*, vol. 29, n° 4, p. 369-373.

Sommers, I., Baskin, D. et Fagan, J. (1996), « The Structural Relationship Between Drug Use, Drug Dealing and Other Income Support Activities Among Women Drug Sellers », *Journal of Drug Issues*, vol. 26, n° 4, p. 975-1006.

Soyka, M. (2000), « Substance Misuse, Psychiatric Disorder and Violent and Disturbed Behavior », *The British Journal of Psychiatry*, vol. 176, p. 345-350.

Sprott, J. B. et Snyder, H. N. (1999), « Une comparaison de la délinquance des jeunes au Canada et aux États-Unis », *Criminologie*, vol. 32, n° 2, p. 55-82.

Statistique Canada (2000), *Statistique de la criminalité au Canada 1999. No 85-205-XPF*, Ottawa : Centre canadien de la statistique juridique.

Staton, M., Leukefeld, C. et Webster, J. M. (2003), « Substance Use, Health, and Mental Health : Problems and Service Utilization Among Incarcerated Women », *International Journal of Offender Therapy and Comparative Criminology*, vol. 47, n° 2, p. 224-239.

Steadman, H. J., Mulvey, E. P., Monahan, J., Robbins, P. C., Appelbaum, P. S., Grisso, T., Roth, L. H. et Silver, E. (1998), « Violence by People Discharged From Acute Psychiatric Inpatient Facilities and by Others in the Same Neighborhoods », *Archives of General Psychiatry*, vol. 55, n° 5, p. 393-401.

Stevens, D. J. (1997), « Prison Regime and Drugs », *Howard Journal of Criminal Justice*, vol. 36, p. 14-27.

Stoduto, G., Vingilis, E., Kapur, B. M., Sheu, W. J., McLellan, B. A. et Liban, C. B. (1993), « Alcohol and Drug Use Among Motor Vehicle Collision Victims Admitted to a Regonial Trauma Unit : Democratic, Injury and Crash Characteristics », *Accident Analysis and Prevention*, vol. 25, n° 4, p. 411-420.

Sun, F., Cousineau, M.-M., Brochu, S. et White, N. D. (2004), « Consommation de substances psychoactives et degré de gravité du crime », *Revue canadienne de criminologie et de justice pénale*, vol. 46, n° 1, p. 1-26.

Swanson, J. W., Swart, M. S., Essock, S. M., Osher, F. C., Wagner, H. R., Goodman, L. A., Rosenberg, S. D. et Meador, K. G. (2002), « The Social-Environmental Context of Violent Behavior in Persons Treated for Severe Mental Illness », *American Journal of Public Health*, vol. 92, n° 9, p. 1523-1531.

Szabo, D. (1992), *Discours de réception lors de la remise d'un doctorat Honoris Causa. La criminologie dans l'Europe en cette fin de siècle : quelques enseignements de la criminologie comparé*, Montréal : Centre international de criminologie comparée.

Tardiff, K., Marzuk, P. M., Lowell, K., Portera, L. et Leon, A. C. (2002), « A Study of Drug Abuse and Other Causes of Homicide in New York », *Journal of Criminal Justice*, vol. 30, n° 4, p. 317-325.

Taylor, A. (1998), « Needlework – The Lifestyle of Female Drug Injectors », *Journal of Drug Issues*, vol. 28, n° 1, p. 77-90.

The International Coalition of NGOS for Just and Effective Drugs Policy (2001), *An Opportunity for Europe Guidelines for Drug Policy in the 21st Century*, Belgique : ENCOD.

Thoumi, F. E. (2002), « Illegal Drugs in Colombia : From Illegal Economic Boom to Social Crisis », *The Annals of the American Academy of Political and Social Science*, vol. 582, n° 1, p. 102-116.

Tiihonen, J., Isohanni, M., Rasanen, P., Koiranen, M. et Moring, J. (1997), « Specific Major Mental Disorders and Criminality : A 26-Year Prospective Study on the 1966 Northern Finland Birth Cohort », *American Journal of Psychiatry*, vol. 154, p. 840-845.

Tremblay, R. E. (1992), « The Prediction of Delinquent Behavior from Childhood Behavior : Personality Theory Revisited », *Facts, Frameworks, and Forecast*, vol. 3, p. 193-230.

Tremblay, S. (1999), « Drogues illicites et criminalité au Canada », *Bulletin Juristat*, 19(1).

Trovérot, F., Pirot, S. et Tassin, J. P. (1989), *États des connaissances neurobiologiques sur les produits de consommation illicites*, Paris : Inserm.

Trudeau, L., Lillehoj, C., Spoth, R. et Redmond, C. (2003), « The Role of Assertiveness and Decision Making in Early Adolescent Substance Initiation : Mediating Processes », *Journal of Research on Adolescence*, vol. 13, n° 3, p. 301-328.

Tétrault, M. (2005), *La persévérance en traitement des hommes toxicomanes judiciarisés : liens avec la personnalité délinquante, la motivation au changement et l'engagement en traitement*. Mémoire de maîtrise inédit, Montréal : Université de Montréal.

Uggen, C. et Thompson, M. (2003), « The Socioeconomic Determinants of Ill-Gotten Gains : Within-Person Changes in Drug Use and Illegal Earnings », *American Journal of Sociology*, vol. 109, n° 1, p. 146-185.

Valleur, M. (1986), « Jeunesse, toxicomanie et délinquance : de la prise de risques au fléau social », dans Brisson, P. (dir.), *L'usage des drogues et la toxicomanie*, Montréal : Éditions Gaëtan Morin, p. 297-310.

Van den Brink, W., Hendriks, V. M., Blanken, P., Huijsam I. A. et Van Ree, J. N. (2002), *Medical Co-Description of Heroin Two Randomized Controlled Trials*, Utrecht : Central Committee on the Treatment of Heroin Addicts.

Vander Wall, C. J., Mc Bridge, D. C., Terry-Mc Elrath, Y.-M. et Van Buren, H. (2001), *Breaking the Juvenile Drug-Crime Cycle : a Guide for Practitioners and Policemakers*, National Institute of Justice, É.-U. : Department of Justice.

VanNostrand, L. M. et Tewksbury, R. (1999), « The Motives and Mechanics of Operating an Illegal Drug Enterprise », *Deviant Behavior*, vol. 20, n° 1, p. 57-83.

Vitaro, F., Carbonneau, R., Gosselin, C., Tremblay, R. E. et Zoccolillo, M. (2000), « L'approche développementale et les problèmes de consommation chez les jeunes : prévalence, facteurs de prédiction, prévention et dépistage », dans Brisson, P. (dir.), *L'usage des drogues et la toxicomanie*, Montréal : Éditions Gaëtan Morin, p. 279-312.

Vitaro, F., Dobkin, P., Janosz, M. et Pelletier, D. (1997), « Enfants et adolescents à risque de toxicomanies », *Apprentissage et socialisation*, vol. 15, n° 2, p. 109-120.

Vourc'h, C. et Marcus, M. (1993), *Sécurité et démocratie*, Forum européen pour la sécurité urbaine.

Waldorf, D. , Reinarman, C. et Murphy, S. (1991), *Cocaine Changes: The Experience of Using and Quitting*, Philadelphia : Temple University Press.

Walsh, G. et Mann, R. (1999), « On the High-Road Driving Under the Influence of Cannabis in Ontario », *Revue canadienne de santé publique*, vol. 90, p. 260-263.

Walsh, T. C. (1999), « Psychopathic and Nonpsychopathic Violence among Alcoholic Offender », *International Journal of Offender Therapy and Comparative Criminology*, vol. 43, n° 1, p. 34-48.

Walters, P. J. (2001), *Drug Treatment in the Criminal Justice System*, <http://www.white housedrugpolicy.gov/publications/pdf/94406.pdf>.

Weisheit, R. (1990), *Drugs, Crime and the Criminal Justice System*, Cincinnati : Anderson Publishing.

Weiss, R. D., Mirin, S. M. et Bartel, R. L. (1994), *Cocaine*, Washington : American Psychiatric Association Press.

Wessely, S. (1997), « The Epidemiology of Crime, Violence and Schizophrenia », *British Journal of Psychiatry*, vol. 170, n° 32, p. 8-11.

Windle, M. (1994), « Substance Use, Risky Behavior, and Victimization Among US National Adolescent Sample », *Addiction*, vol. 89, p. 175-182.

Windle, M. et Mason, W. A. (2004), « General and Specific Predictors of Behavioral and Emotional Problems Among Adolescents », *Journal of Emotional and Behavioral Disorders*, vol. 12, n° 1, p. 49-61.

White, H. R. (1990), « The Drug Use-Delinquency Connection in Adolescence », dans Weisheit, R. A. (dir.), *Drugs, Crime and the Criminal Justice System*, Cincinati : Anderson Publishing, p. 215-256.

White, H. R., Johnsons, V. et Garrison, C. G. (1985), « The Drug-Crime Nexus Among Adolescents and Their Peers », *Deviant Behavior*, vol. 6, p. 183-204.

White, H. R., Pandina, R. J. et LaGrange, R. L. (1987), « Longitudinal Predictors of Serious Substance Use and Delinquency », *Criminology*, vol. 25, n° 3, p. 715-740.

Wilson, D. J. (2000), *Drug Use, Testing, and Treatment in Jails*, Washington : Bureau of Justice Statistics.

Wincup, E., Buckland, G. et Bayliss, R. (2003), *Youth Homelessness and Substance Use: Report to the Drugs and Alcohol Research Unit*, 258, London, G.-B. : Home Office Research Study.

Windle, M. (1990), « A Longitudinal Study of Antisocial Behaviors in Early Adolescence as Predictors of Late Adolescent Substance Use : Gender and Ethnic Group Differences », *Journal of Abnormal Psychology*, vol. 99, n° 1, p. 86-91.

Windle, M. (1992), « Temperament and Social Support in Adolescence Interrelations with Depressive Symptoms and Delinquent Behaviors », *Journal of Youth and Adolescence*, vol. 21, n° 1, p. 1-21.

Windle, M. (1994), « Substance Use, Risky Behavior, and Victimization among US National Adolescent sample », *Addiction*, vol. 89, p. 175-182.

Windle, M. et Mason, W. A. (2004), « General ans Specific Predictors of Behavioral and Emotional Problems Among Adolescents », *Journal of Emotional and Behavioral Disorders*, vol. 12, n° 1, p. 49-61.

Wish, E. D. et Gropper, B. A. (1990), « Drug Testing by the Criminal Justice System : Methods, Research, and Application », dans Tonry, M. et Wilson, J. Q. (dir.), *Drugs and Crime*, Chicago : The University of Chicago Press, p. 321-392.

Wish, E. D. et Johnson, B. D. (1986), « The Impact of Substance Abuse on Criminal Careers », dans Blustein, A., Cohen, J., Roth, J. A. et Visher, C. A., *Criminal Careers and « Careers Criminals»*, Washington : National Academy Press, p. 52-88.

White, J., Moffit, T. E., Earls, F., Robins, L. et Silva, P. A. (1990), « How Early Can we Tell ? : Predictors of Childhood Conduct Disorder and Adolescent Delinquency », *Ciminology*, vol. 28, p. 507-527.

Wright, S. et Klee, H. (2001), « Violent Crime, Agression and Amphetamine », *Drugs : Education, Prevention, and Policy*, vol. 8, p. 73-90.

Yacoubian, G. S., (2003), « Correlates of Ectasy Use Among Students Surveyed Trough the 1997 College Alcohol Study », *Journal of Drug Education*, vol. 33, p. 61-69.

Yochelson, S. et Samenow, S. E. (1986), *The Criminal Personality – Volume III : The Drug User*, New Jersey : Jason Aronson.

Young, A. M., Boyd, C. et Hubbell, A. (2000), « Prostitution, Drug Use, and Coping with Psychological Distress », *Journal of Drug Issues*, vol. 30, n° 4, p. 789-800.

Young, S. E., Mikulich, S. K., Goodwin, M. B., Hardy, J., Martin, C. L., Zoccolillo, M. S. et Crowley, T. J. (1995), « Treated Delinquent Boys Substance Use – Onset, Pattern, Relationship to Conduct and Mood Disorders », *Drug et Alcohol Dependence*, vol. 37, n° 2, p. 149-162.

Zimmerman, M.-A. et Maton, K. I. (1992), « Life-Style and Substance Use Among Male African-American Urban Adolescent : A Cluster Analytic Approach », *American Journal of Community Psychology*, vol. 20, p. 121-138.

Zinberg, N. E. (1981), « Alcohol Addiction : Toward a More Comprehensive Definition », dans Bean, M. H. et Zinberg, N. E. (dir.), *Dynamic Approaches to the Understanding and Treatment of Alcoholism*, New York : The Free Press, p. 97-127.

Zinberg, N. E. (1984), *Drug, Set and Setting : The Basis of Controlled Intoxicant Use*, New Haven : Yale University Press.

TABLE DES MATIÈRES